LISA SCOTTOLINE

OP DE HIELEN

De Fontein

Alle onderwijzers ter wereld: bedankt

Oorspronkelijke titel: *Daddy's Girl*
Oorspronkelijk verschenen bij: Harper Collin's Publishers, New York
Deze vertaling is tot stand gekomen na overeenkomst met Lennart Sane Agency AB.

© 2007 Lisa Scottoline
© 2008 voor de Nederlandse vertaling:
Uitgeverij De Fontein, Postbus 1, 3740 AA Baarn
Vertaald uit het Engels door: Ineke de Groot
Omslagontwerp en Artwork: Mijke Wondergem, Baarn
Omslagafbeelding: Photodisc/GettyImages/Antonello Turchetti/GettyImages
Zetwerk: Text & Image, Almere
ISBN 978 90 261 2476 1
NUR 332

www.uitgeverijdefontein.nl
www.scottoline.com

I am all the daughters of my
father's house,
And all the brothers too.

– William Shakespeare,
Twelfth Night, 2e bedrijf, 4e akte

I

NAT GRECO VOELDE ZICH net een A-cup in een DD-beha. Ze kon niet begrijpen waarom haar kleine klas in zo'n grote ruimte moest zitten, tenzij het een wrede grap was van de administrateur. De zon die fel door de ramen scheen zette de tweehonderd lege stoelen vol in het licht. De klas bezette maar negen stoelen en door de griep de afgelopen week en door sollicitaties, bezette de klas nog maar negen stoelen.

'Gerechtigheid en de wet,' ging ze dapper door, 'zijn thema's die steeds weer terugkeren in de toneelstukken van William Shakespeare, omdat ze ook centraal stonden in zijn leven. In zijn jeugd bekleedde zijn vader John verschillende rechtelijke ambten, waaronder dat van hofmaarschalk, baljuw en wethouder.'

Terwijl ze sprak, waren de rechtenstudenten bezig op hun zwarte laptop, maar ze had het vermoeden dat ze hun e-mails lazen, hun vrienden schreven of surften op internet. Er was draadloze internetverbinding in elk lokaal van de universiteit, maar niet alle technologie was een vooruitgang. Docenten konden niet op tegen sex.com.

'Toen de toneelschrijver dertien was, kreeg zijn vader het moeilijk. Hij verkocht het huis van zijn vrouw en ging mensen geld lenen. Hij werd twee keer voor de rechter gesleept voor woeker, oftewel omdat hij te veel rente berekende. Shakespeare betoonde zijn medeleven voor geldschieters in de figuur van Shylock in *The Merchant of Venice*. Dat is een van zijn meest gecompliceerde hoofdpersonen en het toneelstuk toont ons een historisch perspectief op de rechtspraak.'

Nat deed een paar stappen bij de lessenaar vandaan om de aandacht van de studenten te trekken, maar dat lukte niet. Ze waren allemaal derdejaars en waren bijna afgestudeerd. Ze was dol op lesgeven, maar vroeg zich zo langzamerhand af of ze er wel goed genoeg in was. Was ze echt zo slecht in wat ze het liefst deed? Vrouwenbladen hadden het daar nou nooit over.

'We gaan nu naar de scène waarin Antonio Shylock om een lening vraagt,' ging ze door. 'Ze komen overeen dat als Antonio het geld niet kan terugbetalen, hij als boete een pond van zijn eigen vlees moet betalen. Tussen haakjes, advocaten in spe, zou dat tegenwoordig een rechtsgeldig contract zijn?'

Slechts een student stak haar hand op en dat was, zoals gewoonlijk, Melanie Anderson, die door haar truttige kapsel en ouderwets hoge spijkerbroek erg opviel in de groep twintigplussers. Anderson was veertig en wilde advocaat worden nadat ze jarenlang als verpleegster op de afdeling pediatrische oncologie had gewerkt. Ze volgde deze klas graag, maar alleen omdat alles beter was dan stervende baby's.

'Ja, mevrouw Anderson? Zou het wel of niet mogen?' Nat glimlachte dankbaar naar haar. Iedere docent had een lievelingetje nodig, zelfs waardeloze docenten. Juist waardeloze docenten.

'Nee, het mag niet.'

Heel knap, meisje... eh, dame. 'Waarom niet? Je mag toch eisen stellen aan een contract? En het geld is een waarborg.'

'Het contract druist in tegen het algemene beleid,' zei Anderson met kalm gezag, en haar gemanicuurde vingernagels rustten op een bladzijde van het toneelstuk waarvan de zinnen met verschillende kleuren gemarkeerd waren. 'Antonio stemt er in wezen mee in zich te laten vermoorden, maar moord is een misdaad. Illegale contracten mogen niet uitgevoerd worden.'

Precies. 'Zijn er nog mensen het eens of oneens met mevrouw Anderson?'

Niemand nam de moeite te antwoorden; iedereen bleef emoticons intikken en Nat begon al aan zichzelf te twijfelen: was de opdracht te literair voor de studenten geweest? Hun bijvakken waren economie, boekhouden en politieke wetenschappen. Ze hadden duidelijk geen interesse meer in de geesteswetenschappen.

'Dan zal ik wat anders vragen.' Ze gooide het over een andere boeg. 'Zou de haat waardoor Shylock gedreven wordt het resultaat zijn van de discriminatie waarmee hij te maken kreeg? Zien jullie het verschil tussen het recht en de gerechtigheid in dit toneelstuk? Leidt het recht niet tot onrecht, in de eerste plaats doordat het contract toegestaan is, en in de tweede plaats doordat Shylock zo met zijn rug tegen de muur wordt gezet? Bestaat recht wel in een wereld waarin geen gelijkheid tussen de mensen bestaat?' Ze wachtte even op een antwoord, maar niemand reageerde. 'Goed, hou even op met tikken en kijk naar mij.'

De studenten hieven hun hoofd op, stelden langzaam hun blik scherp terwijl hun hersens de computerwereld verlieten en ze weer terug op aarde kwamen. Hun handen hingen boven de toetsen als spinnen die wilden toeslaan.

'Goed, ik vraag het aan het Openbaar Ministerie.' Nat keek naar Wendy Chu, die op de eerste rij zat en altijd keihard werkte. Chu had een prachtig gezicht en haar haar viel glanzend over haar schouders. 'Mevrouw Chu, wat vindt u ervan? Is Shylock een slachtoffer, een dader, of beide?'

'Sorry, professer Greco, ik heb het stuk niet gelezen.'

'O, nee?' vroeg Nat, pijnlijk getroffen. 'Maar je voert altijd alle opdrachten uit.'

'Ik ben de hele avond bezig geweest met een artikel.' Chu slikte moeizaam. 'Ik moest een publicatie van professor Monterosse behandelen en dat ging vanochtend naar de drukker.'

Verdorie. 'Nou, je kent de regels. Als je je huiswerk niet gedaan hebt, moet ik een halve punt van je totaal aftrekken.' Nat vond het vreselijk om zo hard te moeten optreden, maar in haar eerste jaar als docent was ze heel soepel geweest, en dat had totaal niet gewerkt. Het tweede jaar was ze veel te streng geweest, en dat had ook niet gewerkt. Het lukte haar niet een gulden middenweg te vinden; wat ze ook deed, het was altijd verkeerd.

'Sorry,' fluisterde Chu. Nat sloeg Melanie Anderson over en ging naar de student naast haar, het stuk van de klas: Josh Carling. Carling was lang, zesentwintig jaar en kwam van de universiteit van Los Angeles. Hij had verrassend groene ogen en een waanzinnige glimlach en een bruine moedervlek op zijn vierkante kin en hij droeg altijd een gebreide muts, net als Ashton Kutcher, hoewel het binnen nooit sneeuwde. Hij was opgegroeid in Hollywood, en had vervolgens als assistentregisseur bij een tv-serie gewerkt,

'Meneer Carling, hebt u het wel gelezen?' Nat wist het antwoord al, want Josh sloeg schaapachtig zijn ogen neer.

'Ik heb er geen tijd voor gehad. Ik had een mega-tentamen voor economie waar ik voor moest studeren. Sorry, hoor.'

Godver. 'Dan gaat er van jouw cijfer ook een halve punt af,' zei ze, hoewel ze medelijden met hem had. Carling studeerde zowel rechten als economie, zodat hij een goede baan als advocaat voor de sterren kon krijgen alsmede een spastische darm.

Nat keek naar de tweede rij. 'Meneer Bischoff, u dan?'

'Ik had het wel willen doen, maar ik was ziek.' Max Bischoff zag er ook ziek uit: zijn ogen waren gezwollen, er zat een korst om zijn neusgaten en hij zag er nog bleker uit dan anders. 'Ik heb gisteren overgegeven over mijn –'

'Al goed.' Nat onderbrak hem met een handgebaar en ging verder met de andere mensen op de tweede rij: Marilyn Krug en Elizabeth Warren. Zij hadden het ook niet gelezen, en Adele McIlhargey, San Gupta en Charles Wykoff IV al evenmin.

'Dus niemand heeft het stuk gelezen?' barstte Nat kwaad uit, en net toen ze dacht dat het niet erger kon worden, kwam vicerector magnificus James McConnell, de faculteitsvampier, de klas binnen lopen.

Nat schrok. Ze wist niet wat McConnell kwam doen, maar ze wist wel dat hij mensen aannam en mensen ontsloeg, en aangenomen was ze al.

McConnell was in de zestig en had zilvergrijs haar dat zijdelings over zijn hoofd was gekamd. Hij had een donker wollen pak aan, met een bloedrode das, wat voor deze faculteit ongebruikelijk formeel was. Iedereen hier kleedde zich 'academisch casual', wat inhield dat de kleding zakelijk was met een paar persoonlijke accenten.

McConnel kwam de collegezaal binnen, ging zitten en sloeg zijn benen over elkaar, terwijl hij Nat door zijn bifocale brillenglazen in schildpadmontuur gadesloeg. Nat kon zich voorstellen wat hij zag. Ze was dertig jaar, maar zag eruit als dertien omdat ze maar 1,53 meter lang was, en net als haar moeder erg tenger was. Ze zag er leuk, maar niet bijzonder uit: grote bruine ogen, een beetje een wipneus en een kleine mond. Ze had dik, kastanjebruin steil haar, dat halflang was en veel te duur geknipt was. Ze had een getailleerd zwart broekpak aan, maar zag er desondanks toch meer uit alsof ze op de middelbare school lesgaf dan op de universiteit. Haar bijnaam was vroeger niet voor niets Mug geweest.

Ze zag haar carrière voor haar ogen voorbijflitsen. Ze zou pas volgend jaar haar vaste aanstelling krijgen, en McConnell kwam vast langs om haar te beoordelen. Had hij haar horen zeggen dat niemand het toneelstuk had gelezen? Ze wist even niet wat ze moest doen. Ze wilde niet het cijfer van de hele klas een halve punt omlaagbrengen, al helemaal niet van de studenten die nog geen baan aangeboden hadden gekregen. Maar ze kon het ook niet laten gaan, niet met McConnell erbij. De vicerector magnificus keek naar haar met samengeperste lippen.

Doe wat, Mug! Ze rechtte haar schoudervullingen om te laten zien dat ze de baan waard was, hoewel het er misschien niet op leek, en zei: 'Goed, mensen, ik kan nog maar een ding doen.'

De studenten hielden allemaal tegelijk de adem in. McConnell glimlachte scheef en sloeg zijn armen over elkaar.

'Meneer Carling?' Nat wees naar hem. 'Kunt u hiernaartoe komen met uw boek?'

'O, oké.' Carling stond op, pakte de pocket en liep de paar treetjes op naar het podium met een glimlach die aangaf dat hij veel te cool was voor deze opleiding.

'Kom maar hier,' zei Nat, en ze gebaarde naar hem.

Carling liep over het podium naar haar toe en bekeek de ultramoderne lessenaar die uitgerust was met touchscreen knoppen en een kleurenbeeldscherm.

'Wauw, vet cool dit.'

Toen Carling naast haar stond, pakte Nat het wollen mutsje van zijn hoofd.

'Mag ik dit even gebruiken?'

'Tuurlijk.' Carling haalde zijn handen door zijn zandkleurige haar en keek vanaf het podium naar de klas. 'Dit is best wel leuk, eigenlijk.'

'Kunt u even hier blijven staan?' Nat keek naar de studenten. 'Meneer Wykoff?' Ze wees naar Charles Wykoff IV, een Ivy lineman van een, via Dartmouth, familie uit de regio Main Line. Wykoff had een groot kinderlijk gezicht, een bos blonde krullen en onschuldige blauwe ogen die uitstraalden dat hij door zijn afkomst op die universiteit zat. 'Kunt u hier naartoe komen met uw boek? En mevrouw Anderson ook, graag.'

'Ja, hoor.' Anderson liep blij naar het trapje toe. Wykoff kwam verbijsterd achter haar aan.

'Schiet eens op, jongens.' Nat kwam hun tegemoet terwijl de studenten naar haar toe liepen. Ze wees Wykoff zijn plaats door hem bij zijn schouders beet te pakken, die net zo stevig waren als bowlingballen onder zijn verschoten trui. 'Goed. Meneer Wykoff, u bent Bassanio.'

'Ba wie?'

'Bassanio. Hij is de knappe jongen in het stuk dat je niet hebt gelezen. Sla je boek open. Je weet wat je moet zeggen.' Nat draaide zich naar Anderson. 'U, mevrouw, bent Shylock.'

'Waanzinnig!' Anderson grijnsde breed.

'Wauw, we gaan een showtje geven, bij rechten?' vroeg Carling ongelovig.

'Geen showtje, een toneelstuk,' zei Nat. 'Dit is William Shakespeare, geen talkshow.'

'Tsj. En daarna? Melk en koekjes? Een middagslaapje?'

Wykoff grinnikte. 'Shit, ik ben mijn speen vergeten.'

'Willen jullie soms liever dat ik jullie gemiddelde omlaag haal?' Nat wachtte niet op een antwoord. 'Jullie zullen dit stuk lezen, hoe dan ook. Carling, jij bent trouwens Antonio.'

'Maar hij is homo!'

'Nou en?' Nat draaide zich op haar hakken om. 'En hoe weet je dat trouwens? Je hebt het stuk toch niet gelezen?'

'Ik heb de film gezien. Jeremy Irons leende het geld van Al Pacino omdat hij verliefd is op een vént.'

'Zo kun je een nog slechter cijfer halen, meneer Carling. Ga nou niet discrimineren in een les over discriminatie.'

De studenten moesten lachen, en Nat schrok van het ongewone geluid. Ze hadden nog nooit om een van haar grapjes gelachen. Dit was zelfs de eerste keer dat ze opletten. McConnell zakte onderuit in zijn stoel, maar ze moest nu wel doorgaan. Ze liep bij de studenten vandaan.

'Ga naar het eerste bedrijf, tweede akte, de scène in de rechtszaal,' zei Nat. 'Ik speel Portia, een van de mooiste vrouwenrollen van Shakespeare, hoewel ze natuurlijk viel voor de verkeerde man. Ze zal de reddende engel spelen, en in deze scène vermomt ze zichzelf als een man, kijk zo.' Ze zette Carlings wollen muts op haar hoofd en liep snel naar de lessenaar om haar tas te pakken.

'U ziet er erg sexy uit, professor Greco!' riep Elizabeth Warren, en de klas lachte.

'Nou, wacht maar even.' Nat rommelde in haar make-uptasje, vond haar oogpotlood en tekende met twee snelle streken een primitieve snor op haar bovenlip.

'Super, professor!' riep San Gupta, die zijn handen aan zijn lippen zette als een soort megafoon. De klas applaudisseerde zo hard dat het weerkaatste in de spelonkachtige ruimte. Achter in de zaal werd gefloten en Nat keek wie dat deed. Het was Angus Holt, die met zijn blonde baard en paardenstaart de hippie van de faculteit was. Angus gaf na Nat les in deze ruimte, maar ze kende hem verder niet, alleen van gedag zeggen. Ze glimlachte, ving toen een glimp op van McConnell en kreeg een inval.

'We hebben een rechter nodig.' Nat wreef in haar handen.

'Dat doe ik wel!' zei Max Bischoff, die vergat dat hij ziek was.

'O, mag ik? Het zou een vrouwelijke rechter moeten zijn!' riep Marilyn Krug, en Adele McIlhargey was het daarmee eens. Net als de anderen wilden ze volkomen onverwacht graag mee doen.

'Wacht even, mensen,' zei Nat. 'Vicerector magnificus McConnell, zou u de rechter willen zijn?'

De studenten draaiden zich om, en zagen tot hun verrassing McConnell achterin zitten. De vicerector magnificus fronste zijn voorhoofd bij zoveel aandacht, en zette zijn hand achter zijn oor alsof hij het niet goed had gehoord, maar daar trapte Nat niet in.

'Vicerector magnificus McConnell, we zouden het prachtig vinden als u de graaf van Venetië speelt. Nietwaar, mensen?'

'Ja!' brulde iedereen met een glimlach, en Nat riep: 'McConnell! McConnell! McConnell!'

De studenten deden met haar mee, en alsof het afgesproken was, slenterde Angus Holt de helling af van de collegezaal. Hij pikte onderweg McConnell op en liep onder veel gelach en applaus met hem naar het podium.

'Een Zeker Pakketje, professor Greco!' Angus leverde de lichtelijk buiten adem zijnde vicerector magnificus af.

'Gaat u met me mee, edelachtbare?' Nat stak met een elegant gebaar haar arm uit naar McConnell.

Hebbes!

2

Toen de les voorbij was, zei Nat McConnell gedag, die recht had gesproken over Shylock en waarschijnlijk ook over haar. Ze pakte haar spullen en wilde weggaan, maar net op dat moment kwamen de studenten van Angus Holt de collegezaal binnen, lachend en grapjes makend alsof ze naar een feestje gingen. Er kwamen er steeds meer binnenstromen en ze kreeg al snel het gevoel dat ze in een tsunami van waterflesjes en tassen zat. Ze keek overdonderd toe terwijl ze een voor een alle stoelen in de zaal bezetten. Nat had nog nooit zoveel studenten bij elkaar gezien, uitgezonderd bij het uitreiken van de bul dan.

Ze wilde naar de deur lopen, waar Angus door een stel studenten van het Praktijklessenprogramma omringd werd, herkenbaar aan hun slordige haar dat zo sterk krulde dat het als een wolk boven hen hing. Ze wist niet veel van het programma af, behalve dan dat het studenten de kans gaf als advocaat te werken voor het publiek en op die manier de abstracte wettelijke kanten ervan te ontwijken, die iedereen – behalve zij – zo oersaai vond. Waar Angus ook mee bezig was, het werkte wel. De hippie had de clown verslagen.

'Natalie!' riep hij al zwaaiend. De studenten om hem heen gingen naar hun stoel en Angus, in spijkerbroek en Frye-laarzen, kwam op haar af lopen.

'Wat voor les geef je?' vroeg Nat, terwijl ze hem aankeek. Hij torende ruim dertig centimeter boven haar uit en zijn blonde haar had een scheve scheiding in het midden. Zijn dikke, ongekamde paardenstaart hing over zijn schouders op de kabels van zijn visserstrui.

'De Grondwet. Hoezo?' Angus keek haar met zijn blauwe ogen geamuseerd aan. Hij had een rechte neus en een brede grijns, ook al ging die schuil achter een lichtblonde baard, en hij rook een beetje naar patchouli, of marihuana.

'Nou, het lokaal is helemaal vol. Het moet wel een fantastisch onderwerp zijn. Jij moet wel een fantastische docent zijn.'

Angus glimlachte bescheiden. 'Nee hoor, helemaal niet. En trouwens, je snorretje is helemaal te gek. De meeste vrouwen vinden gezichtsbeharing maar niets, maar ik vind het prachtig.'

Nat was het helemaal vergeten. Haar hand vloog meteen naar haar gezicht, zodat ze bijna haar tas en papieren liet vallen. Ze spuugde op haar vingertoppen en wreef over de snor.

'Het wordt er alleen maar erger van.' Angus lachte zijn witte rechte tanden bloot. 'Laat maar, het maakt niet uit. Dat was een goede zet met McConnell.'

'Bedankt.' Nat liet het snorretje maar zitten. 'Zei hij nog iets toen hij wegging? Hij zei toch iets tegen jou toen hij wegliep?'

'Niets bijzonders. Het is duidelijk dat jij heel graag lesgeeft.'

Het is mijn grote passie, al kan ik er niets van. 'Zei McConnell dat? Ben ik ontslagen?'

'Hij zei alleen maar dat hij het "ongebruikelijk" vond.' Angus maakte het gebaar van aanhalingstekens. 'Maak je niet druk. Natuurlijk ben je niet ontslagen.'

'Jij hebt makkelijk praten. Jij hebt een vaste aanstelling. Ik heb negen studenten.'

'Hoe gaat het in je andere klassen?'

'Als ze verplicht zijn de lessen te volgen, dan is de klas wel vol. En ze hebben een beurs, dus ze zullen wel moeten.'

'Weet je, je krijgt gewoon niet de juiste studenten. Je moet meer adverteren.'

'Adverteren, met gerechtigheid?' Nat deinsde terug. 'Het zijn rechtenstudenten. Ze moeten geïnteresseerd zijn in gerechtigheid.'

'Nee, ze zijn geïnteresseerd in recht, en dat is een groot verschil. Daar gaat het toch om?' Angus glimlachte naar haar. 'Hoeveel van jouw studenten willen erin verder, om maar iets te noemen?'

'Allemaal, denk ik.'

'Volgens mij niet. De studenten in mijn gewone klassen, zoals deze,' Angus gebaarde om zich heen, 'gaan over het algemeen het bedrijfsleven in. Ze willen alleen maar het papiertje.'

'Echt waar?'

'Zeker weten. Heb je het wel eens aan hen gevraagd? Over hun toekomst gepraat? Over hun plannen? Wat ze met hun leven willen?'

'Nee.' Nat bloosde. De studenten konden bij haar langskomen voor een gesprek, maar er kwam nooit iemand, en over het algemeen hield ze per e-mail contact met hen. Ze was waarschijnlijk te veel op zichzelf, dat had haar vader ook altijd gezegd. Ze voelde zich schuldig dat ze niet aan netwerken deed, zeker nu het al een werkwoord was geworden.

'Je moet de studenten zien te bereiken die de rechtbank in willen. Studenten die leven voor gerechtigheid, zoals de studenten in mijn Praktijklessenprogramma. Ze zouden jouw seminar graag volgen.' Angus knikte. 'Weet je wat? Ik vertel het rond, en misschien kun je jezelf een keer komen promoten.'

Getver. Nat rilde.

'Zeg, mag ik je wat vragen? Ik heb je vakkennis nodig.'

'Rechtsgeschiedenis dus. Wie wil je aanklagen? Julius Caesar?'

'Erg lollig.'

En jij bent erg high. Er kwamen twee mannelijke studenten binnen en ze staarden naar Nats snorretje.

'Je weet hoe het eraan toegaat bij een Praktijklessenprogramma. De studenten doen ervaring op buiten de collegezaal door stage te lopen. Onder andere in de gevangenis hier in Chester County. Waarom ga je niet een keer met me mee om daar les te geven?'

'In een gevangenis?'

'Het kan geen kwaad. Er is minimale beveiliging. De gevangenen die mijn lessen volgen, worden daarvoor geselecteerd en de meesten zitten daar alleen maar voor rijden onder invloed of bezit van marihuana.'

Bingo. 'En wat voor les zou ik dan moeten geven?'

'Wat je vandaag hebt gedaan. Dat was een perfecte les.'

Angus leek echt enthousiast. 'Vertel ze dat echte gerechtigheid afgezwakt wordt door medeleven. Dat de graaf Shylock niet had mogen afstraffen. Dat recht en gerechtigheid niet altijd een en hetzelfde zijn.'

'Maar Shakespeare? Voor gevangenen?'

'Een Jood heeft toch ook ogen?' Angus fronste zijn warrige blonde wenkbrauwen en hij ging wat serieuzer door: 'Misschien kunnen de gevangenen wel beter overweg met Shakespeare dan de studenten van Ivy League. Gevangenen kennen als geen ander het verschil tussen recht en gerechtigheid.' Hij keek hoe laat het was. 'Ik moet aan de slag. Nou, kun je morgenochtend?'

'Morgenochtend al?'

'Een van mijn studenten is ziek en ik moet zijn plaats opvullen. Ik zou het heel erg fijn vinden als je meeging. Toe, alsjeblieft?' Angus sloeg zijn handen in elkaar alsof hij wilde bidden en iedereen draaide zich om om naar hen te kijken.

'Ik weet het nog niet.' Nat probeerde iets te bedenken om eronderuit te komen. Ze gaf de volgende dag geen les en dus kon ze daar niet over liegen. Alle roosters stonden op internet.

'Toe, professor Natalie? Ik smeek het u.' Angus liet zich opeens op een knie zakken en stak zijn handen in een smekend gebaar omhoog.

Zijn studenten giechelden en wezen naar hen. De hele klas zat toe te kijken. Nat moest lachen en gaf zich gewonnen. Ze vond het leuk, maar ook een beetje gênant.

'Goed, goed. Hou maar op.'

'Cool! Ik kom je om negen uur ophalen.' Angus kwam met een brede grijns overeind, en de studenten klapten in hun handen en joelden waarderend, waardoor Angus ging stralen. Hij vond al die aandacht heerlijk, en Nat besefte dat in het leven van Angus Holt nooit iets mislukte.

Ze draaide zich om en vluchtte weg.

3

Nat zette de boodschappentassen op de houten tafel, en deed haar handschoenen en houtje-touwtjejas uit. Het was buiten koud geweest, maar het grote huis straalde licht en warmte uit met zijn enorme kristallen kroonluchter met felle lampen en de gasopenhaard die waarschijnlijk brandde. De hal had bloemetjesbehang dat ze nog nooit had gezien en dat er nog maar zo kort hing dat ze de lijm nog bijna kon ruiken. Het huis aan Courtney Road was onlangs door haar ouders aangekocht, het zoveelste herenhuis. Na het twaalfde had ze het niet meer bijgehouden. Alle huizen waren gebouwd door Greco Construction, met als eerste een tweeondereenkapwoning in Ocean City, New Jersey. Ze werden steeds rijker, en elke keer verkochten ze hun huis en kochten er een groter voor in de plaats. In de voortuin stond steevast een bordje TE KOOP, alsof het daar gewoon hoorde. Nat dacht als kind dat hun achternaam 'Gebouwd door de eigenaar' was!

Ze hing haar jas op in de gangkast. De scharnieren van de louvredeur waren nog stroef van nieuwigheid, en ze wist dat zelfs het kleinste foutje op haar vaders klussenlijst zou komen te staan. De geur van gebraden filet mignon en gebakken aardappeltjes kwam uit de keuken drijven en mengde zich met het aroma van de interieurspray met kruidnagelen- en sinaasappelgeur, die haar moeder altijd gebruikte bij een open dag. Tony Bennett zong op de achtergrond, maar werd overstemd door bulderend gelach en luidruchtige stemmen; haar vriend, vader en drie broers zaten commentaar te geven op de Eagles. In het voorjaar was de beurt aan de Sixers en in de zomer aan de Phillies. Je zou kunnen zeggen dat ze dol op sport waren. Maar dan wel als toeschouwer.

'Echt niet!' zei iemand in de ruime kamer. 'Je kunt een team echt niet coachen met een speler die denkt dat hij de baas is. De trainer is de baas. Het bestuur is de baas, zegt hoe het moet. De eigenaar is de baas. Maar niet de een of andere eigenwijze speler.'

Pap. Big John Greco, die de standaardbewering over het bestuur verkondigde, totaal niet beïnvloed door het feit dat hij een goedlopend bouwbedrijf bezat en familieleden die bezeten waren van American football.

'Hou toch op, pap! Ze hadden hem nooit moeten laten gaan! Hij was de beste receiver op dat moment. Ze hebben te veel goede spelers laten gaan. Te beginnen met Corey Simon en Ike, al die jaren geleden!'

Dat was John Greco jr., die nog steeds Junior werd genoemd. Junior werkte als manager bij Greco Construction en was quarterback in Villanova geweest, net als zijn vader. Hij was uitgeloot voor de NFL, net als zijn vader, en was de troonopvolger in het bedrijf. Maar wanneer hun vader met pensioen zou gaan, was nog onzeker. Als hij ooit met pensioen ging.

Nat wilde net de kamer binnen stappen toen Jelly, de grote Maine Coon kat, als een bewegend kleedje over het grote Perzische tapijt aan kwam lopen. Hij bleef staan en rekte zich uit, eerst zijn voorpoten met de grote voetjes, daarna zijn achterpoten. Het was Nat een raadsel hoe hij kon slapen bij zoveel herrie. Bij de Greco's was het ieder voor zich, en dat gold ook voor de huisdieren.

'Hou er toch eens over op! Dat was jaren geleden! Ze hebben alleen die mensen weg laten gaan die ze konden missen.'

Tom Greco. Tom was de op een na oudste zoon en was een offensive lineman in Villanova geweest totdat hij door een gescheurde meniscus zijn sportcarrière gedag kon zeggen. Hij had zijn boekhouddiploma gehaald en was nu de accountant voor het bedrijf. Dat werd normaal gezien als een luizenbaantje, maar Tom werkte harder dan wie ook.

'Ha die Jellybelly.' Nat bukte en aaide de kat, die ze had vernoemd naar de Jellicle-katten in het gedicht van Eliot. Er kwamen grijze haren uit zijn oren, zijn vacht was vol en gestreept, en alleen aan zijn slechte gebit was te zien dat hij al een oudje was: zestien. Hij was haar kerstcadeautje geweest, het ideale geschenk voor een boekenwurm die het liefst in een hoekje zat met een boek over Nancy Drew, een lading crackers en een glas koude melk. Ze had altijd al liever gelezen dan naar sport gekeken en had uiteindelijk alleen op de Greco-bank gezeten. Niet dat ze dat erg vond. Er waren wel ergere dingen dan de slimmerik zijn.

'TOM HEEFT GELIJK! HET IS GEBEURD, KLAAR. HOU EROVER OP, JUNIOR! JIJ ALTIJD MET VROEGER. KAPPEN NOU!'

Paul Greco. De derde zoon en het jongste kind. Hij kon niet zachter praten dan 3 milard decibel omdat hij bang was dat hij anders geen aandacht kreeg. Hij was een ster geweest met high school football, maar kon niet genoeg trainen op de universiteit, dus moest hij wel golf gaan spelen. Hij was een kleine speler geweest in een professioneel team, totdat hij dat opgaf en voor Greco ging werken als inkoper.

'Vreemd toch dat je niets meer over Rosenhaus hoort. Ik mis die vent gewoon. Weet je nog dat hij met T.O. op het podium stond en een journalist hem die geweldige vraag stelde? Wat was dat grappig! Dat vergeet ik nooit meer. Wat was die vraag ook weer?'

Hank Ballisteri. Hij was al drie jaar Nats vriend, was makelaar en deed zaken met Greco Construction. Hij had daarmee Big John dusdanig geïmponeerd dat hij werd uitgenodigd bij elk familiefeestje, op een waarvan Nat en hij elkaar hadden ontmoet, zoals haar vader had gepland. Het was Hanks vierendertigste verjaardag. Ze had alleen met hem uit willen gaan, maar hij had die dag net een groot contract met haar vader en een cliënt afgesloten, dus was het logisch dat hij zijn verjaardag bij hen thuis vierde. Het deed Nat denken aan een gedicht over verjaardagen. Ze aaide Jelly en terwijl hij spon, dacht ze aan het gedicht. Ze kon zich niet concentreren door al het geschreeuw. Zo te horen waren ze al een tijdje feest aan het vieren.

'WAT HEB JIJ VOOR JE CLIËNT GEDAAN, BEHALVE DAN DAT HIJ ONTSLAGEN WERD?' schreeuwden de mannen tegelijkertijd, waarna ze in lachen uitbarstten. Jelly schrok van het geluid, krulde zijn staart als een vraagteken, en ging er toen snel vandoor. Hank riep: 'Ho eens even, dat is mijn verjaardagscadeau! Geef terug. Blijf van mijn keu af!' Er werd opnieuw gelachen en het hek was van de dam. 'IK ZOU JOUW KEU NOOIT AANRAKEN, ZIELENPOOT! ZELFS AL ZOU JE ME EEN MILJOEN BIEDEN, DAN NOG ZOU IK JE KEU NIET AAN WILLEN RAKEN!'

Nat pakte de boodschappentas op en liep door de model-huiskamer in de richting van de grote kamer, terwijl haar hakken wegzonken in het hoogpolige tapijt. Ze stapte de drempel over en kwam in een *House & Garden*-versie van een landelijke inrichting, op de ketende Hank en haar broers na dan. De jongens vochten om een houten keu en stootten tegen de salontafel. Haar broers hadden allemaal hun vaders stevige postuur en zijn volle bos donker haar, donkerbruine ogen en grote neus en lippen, alsof Big John het voor het zeggen had gehad bij de genenverdeling. De familiegelijkenis was zo treffend dat het leek alsof er een volwassen drieling aan het ravotten was.

'Hé, pas op!' Junior haalde met de keu uit naar Paul en Tom, die hem beetgrepen en hem wilden afpakken.

'Ik mag eerst!' riep Tom, die de keu beethad, totdat Hank hem van hem afpakte. De anderen kwamen erbij, en met zijn vieren, in hun overhemd met zijden das, vormden ze een scrum waardoor ze bijna haar moeder omvergooiden, die binnenkwam met een lege porseleinen schotel.

'Paul, doe je best!' Haar vader stak zijn been naar voren en liet zijn jongste zoon struikelen. Op dat moment merkte Hank Nat op.

'Hoi, schatje!' riep hij, tussen de anderen in. 'We gaan biljarten met mijn nieuwe keu!'

'Gefeliciteerd, Hank.' Nat zwaaide naar hem. 'Nu moet je wel volwassen worden. Jullie allemaal.'

'Nee, hé zeg!' riep Tom, toen Junior ervandoor ging met de keu. Nat stapte, dankzij jarenlange ervaring, net op tijd bij de deur vandaan.

'Die is van mij!' Hank rende Junior achterna, achtervolgd door Paul en Tom, een sneltrein van vliegende stropdassen.

'Ik kan jullie allemaal wel aan!' riep haar vader, die helemaal achteraan kwam. Hij was zestig, maar nog steeds zo breed als een quarterback, en was gekleed in een mooi blauw overhemd, Hermès-das, een donkere pantalon met vouw en instappers met kwastjes. Hij had een vriendelijk gezicht, grote bruine ogen met kraaienpootjes, en dunner wordend haar dat wat te donker was om geloofwaardig over te komen. Hij rende langs, in de achtervolging.

'Hoi, pap,' riep Nat, maar hij was al weg. Het was opeens doodstil, en de vrouwen bleven alleen over met Tony Bennett. Nat liep achter haar moeder aan naar de keuken. Ivoorkleurige kastjes hingen boven de ingebouwde bordenwarmer en een rij tegels met een bloemenpatroon. 'Nieuwe tegeltjes, mam?'

'Betere.'

'Mooi hoor.'

'Heb je de taart bij je?'

'Chocoladetaart met rode rozen en twee soorten kwarktaart, naturel en kersen.' Nat pakte de boodschappentas op, liep naar de koel-vriescombinatie en zette de tas erin. 'Kan ik wat voor je doen?'

'Nee hoor. De tafel is al praktisch gedekt. Alleen nog de servetten.'

Nat vouwde de servetten, zeven in totaal. 'Geen vriendinnetjes dit keer?'

'De jongens kwamen meteen van hun werk, dus nee. Het is al druk genoeg zonder andere mensen.'

Nat voelde zich meteen schuldig. 'Sorry dat jij het er zo druk mee hebt.'

'Doe niet zo gek. Ik was toch de hele dag thuis. Je vader had me niet nodig.'

'Nou, heel erg bedankt.' Nat liep naar de granieten aanrecht waar haar moeder stond. De vroegere Diane Somers was stewardess geweest toen ze John Greco had leren kennen in de eerste klas van de inmiddels opgedoekte Eastern Airlines, en het was liefde op het eerste gezicht geweest. Haar moeder was lang, blond en een klassieke schoonheid geweest. Tegenwoordig was ze zelfs nog mooier. Ze had azuurblauwe ogen, gevat in fotogenieke kraaienpootjes en volle lippen. Ze droeg haar haar in een chique paardenstaart, haar make-up was perfect en ze had geen rimpels in haar voorhoofd, hoewel ze zelfs tegen Nat niet wilde toegeven dat ze botox liet inspuiten. Al helemaal niet tegen Nat, die opnieuw vroeg: 'Kan ik echt niets doen?'

'Nee hoor, ik doe het graag.' Haar moeder legde plakjes vleestomaat op een schaal en sneed een natte, sponzige homp mozzarellakaas in plakjes, op een manier die Nat en haar zus kenden van al haar andere bijgerechten.

'Jullie hebben Hank dus een nieuwe keu gegeven?'

'Paul heeft hem uitgezocht. Zijn initialen staan erop.'

'Wat lief van jullie.'

'We zijn ook lief,' zei haar moeder meteen, en Nat ging er maar niet op door. Ze was dol op haar moeder, maar ze kon maar geen goede band met haar krijgen. Diane Greco-Somers was altijd onder de indruk geweest van zakenmannen, en als ze zichzelf een echte mannenvrouw noemde, dan wist Nat al genoeg: dat een dochter, het derde kind, altijd de laatste plaats zou innemen.

'Hoe gaat het met je, mam?'

'Niet zo goed.' Haar moeder schudde haar hoofd en zei geagiteerd: 'Ik maak me zorgen om Paul.'

'Hij is dan ook ons zorgenkindje.' Nat ging tegen de aanrecht aan staan, maar haar moeder moest er niet om lachen.

'Hij is verkouden en dat gaat maar niet over. Volgens mij is het longontsteking.' Haar moeder sneed de mozzarella, hield de plakjes kaas tussen haar gelakte nagels en drukte er wat vocht uit. 'Hij heeft gesquasht en raakte helemaal buiten adem.'

'Hij had waarschijnlijk te hard gerend.'

'Volgens mij was het dat niet alleen.'

'Zeg dan dat hij naar de dokter moet gaan voor een antibioticakuur.'

'Dat wil hij niet. Hij zegt dat hij helemaal in orde is.' Haar moeder bleef snijden en wit vocht druppelde uit de mozzarella.

'Hij is vast in orde. Maak je geen zorgen, mam.'

'Natuurlijk maak ik me zorgen! Hij is veel te vroeg geboren.'

Zesentwintig jaar geleden. Nat ging er niet op door. Ze had al lang geleden geaccepteerd dat Paul haar moeders lieveling was, hoewel zijzelf de kleinste van de kinderen was.

'Ik heb het nagekeken op internet en daar werd ik alleen maar nog nerveuzer van. Het is helemaal niet goed voor mensen om alles te weten. Ik zeg altijd maar dat een klein beetje kennis veel kwaad kan.'

'Een klein beetje kennis is beter dan helemaal geen kennis, mam. Je moet wel reëel blijven.'

Haar moeder legde de plakjes mozzarella op de schijfjes tomaat en Nat wist dat ze haar op haar tenen had getrapt. Het was even stil terwijl Tony Bennett op de achtergrond blij bleef zingen, maar zij was helemaal niet blij. Ze deed weer een poging.

'Wat vindt pap ervan?'

'Dat ik me geen zorgen moet maken.'

'Nou, daar heeft hij gelijk in.' Haar vader maakte zich, als een echte Greco, nergens zorgen over. Hij zag elke sportblessure als bewijs van hoe stoer zijn jongens wel niet waren. Haar moeder en hij hadden de Booster Club gerund op hun highschool, de prijzendiners georganiseerd voor de trainers, en elk huis waarin ze op dat moment woonden, was gebruikt als onofficiële kleedkamer. Iedereen kende de Greco's. Ze waren niet zomaar een gezin, ze waren een legende.

'Nou, dit zou toch een lekkere maaltijd moeten zijn.' Haar moeder hakte wat vers basilicum fijn en strooide de felgroene stukjes over de schotel. Nat gaf haar de pepermolen aan, want ze wist dat haar moeder er peper over wilde doen.

'Prachtig, mam.'

'Dank je, lieverd.' Haar moeder pakte de schotel op en liep ermee naar de eettafel, een lange, ovale kersenhouten tafel, bedekt met Villeroy & Boch-servies. Terug in de keuken, ging ze door waar ze gebleven waren. 'We doen het graag. We zijn dol op Hank, dat weet je.'

Nat voelde al wat er vervolgens zou komen, en het zou te maken hebben met kleinkinderen. Ze moest snel van onderwerp veranderen. 'Raad eens waar ik morgen naartoe ga, mam?'

Opeens hoorden ze iets vallen in de woonkamer, toen onvermijdelijk glasgerinkel, gevolgd door gevloek en gelach. De vrouwen keerden hun hoofd naar het geluid.

'Nee, hè?' zei haar moeder, die al naar de deur liep. 'Wat hebben ze nu weer stukgemaakt?'

Zolang de kat het maar niet had gedaan. Nat liep haar achterna.

Om middernacht waren Nat en Hank in haar appartement in het centrum, waar ze zich onderweg naar de badkamer uitkleedde. Daarna liep ze in haar blootje naar de slaapkamer. De enige verlichting daar was een streepje maanlicht dat tussen het gordijn en de halogeenlamp op het nachtkastje scheen. Hierdoor kreeg de kamer met de lichtblauwe muren, het grijsblauwe kleed, de grenen kledingkast en een kaptafel waarin de tv verstopt was, een zachte gloed. Boven het koperen bed hing een aquarel in rustige kleuren, van een kat die op Jelly leek, en die op een gele tafel zat met zijn staart keurig over zijn voorpootjes geslagen. Hij was gesigneerd en had een nummer. Nat had hem in een plaatselijke kunstgalerie gekocht, als bewijs dat ze volwassen was geworden. Op beide nachtkastjes lagen stapels boeken. Nat was dol op deze kamer, en helemaal als Hank bleef slapen, wat de laatste tijd steeds vaker gebeurde. Ze kroop naast hem in bed en trok het blauwe flanellen laken omhoog. Het was te koud om bloot te slapen, maar hij had recht op verjaardagsseks.

Ze ging op haar zij liggen, leunde op haar elleboog en keek naar hem terwijl hij lag te doezelen. Zijn neus was groot en mooi, en hij had platte lippen, die ze om te zoenen vond. Het bedlampje liet de glimmend rode haren in zijn donkere haardos goed uitkomen. Ze aaide hem zachtjes over zijn hoofd, zijn haar was zacht als zijde. Hank had prachtig haar, wat zonde was, want hij dacht namelijk dat er belangrijkere dingen in het leven waren. Golf, bijvoorbeeld.

Nat glimlachte. Ze vond Hank Ballisteri een uit de kluiten gewassen actieve en lieve man. Hij had economie gestudeerd aan Penn State en was een geboren verkoper. Hank kon heel goed met mensen opschieten, waarmee hij haar perfect aanvulde. Zij wist dat het goed was als mensen elkaar aanvulden, maar ze vond het heel prettig dat ze haar sociale leven aan hem kon overlaten, voorlopig althans.

Ze hield haar koude tenen tegen de zijne aan en hij wiebelde ermee, hun gebruikelijke tenenbegroeting. Ze boog zich naar voren en kuste hem op zijn enigszins vette wang, omdat hij 's avonds zijn gezicht nooit waste, en hij ging op zijn rug liggen, glimlachte loom en deed zijn ogen open, die groot en donkerbruin waren.

'Bedankt voor het fantastische verjaardagsfeestje,' mompelde hij.

'Graag gedaan. Ik heb de hele dag in de keuken gestaan.'

'Je hebt de taart toch gekocht?'

'Dat is zo.'

'Ik vind mijn nieuwe pen heel mooi. Hopelijk raak ik hem niet kwijt.'

'Natuurlijk niet. Je bent nu vierendertig. Mannen van drieëndertig raken hun gouden pen kwijt, mannen van jouw leeftijd niet.'

Hank glimlachte voldaan maar vermoeid. Hij streelde haar haar. 'Ik hou van je.'

'Ik hou ook van jou. En mijn familie houdt zelfs meer van je dan ik.'

'Paul heeft die lamp kapotgemaakt, al zegt hij dan van niet.'

'Weet ik. Laat die lamp maar zitten.' Nat ging dichter bij hem liggen en warmde haar borst aan zijn arm. 'Ik heb niks aan, hoor.'

'Dat merk ik.'

'Ik had wel meer reactie verwacht.'

'Omdat je dat walgelijke sweatshirt niet aanhebt?'

'Precies.' Ze moesten allebei lachen en Nat streelde zijn borst onder de dekens. 'Ben je te moe?'

'Waarvoor?'

Nat wou hem eigenlijk over de vicerector magnificus en het bezoekje aan de gevangenis vertellen, maar mannen bleven nooit op om over het werk te praten. 'Voor een hoeraatje.'

'Nou, daarvoor sla ik graag Conan over,' zei hij. Hij draaide zich om en gaf haar een lange kus.

Nadat ze de liefde hadden bedreven, viel Hank in slaap, maar Nat bleef woelen. Ze bleef maar denken aan haar seminar en het bezoek aan de gevangenis. Ze had spijt dat ze tegen Angus had gezegd dat ze mee zou gaan. Ze had gewoon nee moeten zeggen. Ze moest zelfs werken; aan het zoveelste artikel dat niemand ooit zou lezen. Wat moest ze nou in een gevangenis? En bovendien, wat moest ze aan? Wat moest je aantrekken zodat je er slecht gekleed uitzag?

Nat draaide zich om en sloot haar ogen. Ze kon het licht aandoen en wat lezen, maar dan zou ze nooit in slaap vallen. Ze deed haar best zich te ontspannen, de zoete lucht in de slaapkamer in te ademen. De frisheid van de winter was buitengesloten en de man van wie ze hield lag naast haar in bed. Na een tijdje sukkelde ze weg, en op de drempel van de slaap wist ze opeens de regel uit het verjaardagsgedicht weer.

My heart is gladder than all these, because my love is come to me.

4

NAT EN ANGUS REDEN in zijn zonnebloemgele vw Kever over een eenbaansweg die rees en daalde door de met sneeuw bedekte heuvels van het platteland van Pennsylvania. Angus was onderweg goed gezelschap geweest, en Nat was blij dat hij niet meer naar marihuana rook.

'Wat is het hier prachtig,' zei ze, terwijl ze door de autoruit naar buiten keek. De zon stond aan een wolkeloze hemel, verscholen achter de kale takken van de winterse bomen. Ze reden langs een weide bedekt met sneeuw, het glanzende oppervlak hier en daar onderbroken door paarden, die bij elkaar stonden onder blauwe dekens, en met hun neus de sneeuw beroerden in de ijdele hoop wat gras te vinden. Gracieus bogen ze hun lange nek terwijl de witte damp om hun neus kronkelde.

'Dit is het zuiden van Chester County, de vallei van de rivier de Brandywine. Van de familie Wyeth.' Angus schakelde om een bocht te nemen. 'De Wyeths wonen hier, en het Brandywine museum is hier niet ver vandaan, in Chadds Ford. Ben je wel eens in het museum geweest?'

'Nee.'

'Ik ga er vaak naartoe. Het is opgedragen aan de familie Wyeth. Ze hebben werk hangen van Andrew en zijn zoon Jamie, en N.C., de grootvader. Newell Convers Wyeth, de patriarch. Ik vind het schitterend.'

'Waarom dan?'

'Vanwege de kleuren. Het licht. De grote helden. Hij hield meer van mensen dan van landschappen. Hij is begonnen als illustrator van avonturenboeken. De oude N.C. schilderde ridders en piraten, en daar heb ik iets mee.'

'Met de ridders of met de piraten?'

'Met de schilder,' zei Andrew, en Nat glimlachte. Ze zat ingepakt in haar houtje-touwtjejas, dicht naast hem door de geforceerde intimiteit van de kleine auto. Van zo dichtbij kon ze goed zien dat hij intelligente maar kleine blauwe ogen had, en brede, donkerblonde wenkbrauwen. Zijn volle bos haar, maar net in toom gehouden door een oranje hoofdband, zag er nog steeds ongekamd uit, en hij had dezelfde kleren aan als de dag ervoor: een verkleurd blauw overhemd, waarvan de ongestreken kraag boven een dikke visserstrui uitstak, en een spijkerbroek en laarzen. Hij paste maar net in de chauffeurstoel en zag er in de VW net zo onwerkelijk uit als een Viking.

'Wat een gekke kleur heeft dat huis,' zei Nat toen ze langs een groot huis reden waarvan de grijze stenen vreemd groen glansden.

'Dat komt door het koper in de stenen, dat lekt erdoorheen. Ben je wel eens hier in Chester County geweest?'

'Nee, maar ik behandel wel de Fugitive Slave Act tijdens mijn lessen.'

'Wat heeft dat met Chester County te maken?'

'Chester County was een belangrijk station van de Spoorloze Spoorweg. Op de plattegrond kun je zien dat het net ten noorden van de lijn Mason-Dixon ligt. De quakers uit de buurt, met name uit Longwood, hebben duizenden slaven naar het noorden gesmokkeld.'

'Longwood? Dat ligt maar een halfuur verderop.' Het was even stil, toen zei Angus: 'Ik dacht dat ik de geschiedenis van de buurt hier wel kende. Ik wilde nog wel indruk op je maken met mijn verhaal over Wyeth.'

'Ik was zeer onder de indruk.' Nat glimlachte. 'Volgens mij staat hun kerk nog steeds hier. Ik heb gelezen dat die bij Longwood Gardens hoort.'

'Zullen we daarnaartoe gaan, na de gevangenis?' Angus schakelde weer om een bocht te nemen, en zijn hand kwam per ongeluk tegen haar knie aan.

'Ik kan niet. Ik moet weer werken.'

'We kunnen om twee uur weer terug zijn, zelfs als we nog even wat gaan eten.'

Heeft hij me net mee uit gevraagd? 'Ik kan echt niet. Ik ben bezig met een artikel.'

'Maar hoe kun je daar nu niet naartoe gaan? Je geeft er nota bene les in.'

'Ook in *The Merchant of Venice*, maar ik ben nog nooit naar Italië geweest. Daar hebben we boeken voor.'

'Nee, daar hebben we praktijklessen voor.' Angus keek haar met een grijns aan. 'Zaterdag dan? We gaan eerst naar het Wyeth-museum, dan naar die kerk en vervolgens gaan we een hapje eten. Allemaal leuke dingen!'

Zijn hand stootte weer tegen haar knie aan, en deze keer vroeg Nat zich af of het wel per ongeluk was. Ze gluurde even naar zijn linkerhand: geen trouwring, maar misschien droeg hij die gewoon niet. Ze dacht dat hij getrouwd was. Voor roddels over de mensen op school kon ze altijd terecht bij een collega, maar die had dit jaar een sabbatical. Misschien was het toch niet zo'n goed idee om je sociale leven uit te besteden.

'Dat lukt niet. Ik heb het druk.'

'En zondag?' Angus trapte het gaspedaal in en Nat ging wat verzitten zodat haar knie veilig was. Ze wilde niet dat hij op ideeën werd gebracht van dat knietjestoten, en het was trouwens wel genoeg zo.

'Je bent toch getrouwd?'

'Niet meer. We zijn een jaar of wat geleden gescheiden.' Angus hield zijn blik op de weg gericht, en als het hem wat deed, dan toonde hij het niet.

'Sorry, dat wist ik niet.'

'Ik heb er niet mee te koop gelopen. Ze heeft me aan de kant gezet voor een Republikein.' Hij glimlachte even. 'En? Ga je met me mee?'

'Nee, bedankt, ik heb een vriend.'

'Dat had ik kunnen weten.' Hij remde voor een stopbord, zijn onderlip stak wat naar voren in zijn baard. 'Handig gedaan van me, hè? Ik ben het wel een beetje verleerd!'

'Nee hoor,' zei Nat, geroerd door zijn openhartigheid. Hij was echt heel aardig. Toen schoot haar iets te binnen. 'Heb je me daarom uitgenodigd voor de gevangenis?'

'Nee. Ik dacht dat mijn klas er wat aan zou hebben als jij ze lesgaf. Maar ik geef toe dat ik het ritje ernaartoe met jou wel zag zitten, heel erg zelfs.' Hij keek even naar haar. 'Ik vond het heel leuk wat je in je klas deed, en vond het jammer dat we elkaar niet kennen, terwijl we zoveel gemeen hebben.'

'O, ja? Wat dan?' vroeg Nat, die haar best deed niet ongelovig over te komen.

'Op de eerste plaats zijn we allebei buitenstaanders op school.'

'Meen je dat nou?' vroeg ze spottend. 'Jij hoort er meer bij dan wie ook. Jouw studenten verafgoden je.'

'Die volgen mijn Praktijklessenprogramma, en dat is een eigen kleine wereld. Is je dat niet opgevallen?'

'Nee, ik woon in mijn eigen kleine wereld.'

Angus glimlachte scheef. 'We hebben dezelfde problemen. Het is gewoon erg moeilijk om studenten te krijgen voor de praktijklessen. Waarom zou iemand voor civiel recht gaan als hij een beurs heeft van honderdduizend dollar? Dat kun je echt wel schudden.'

'En dat vind jij nu net zo leuk.'

'Klopt. Net als jij met jouw klas. Heerlijk toch, dat je iets belangrijks doet, zelfs als niemand dat inziet?'

Nat begreep het. Hij had gelijk; dat hadden ze inderdaad gemeen. Er viel even een ongemakkelijke stilte.

'Mijn Praktijklessenprogramma had ook wel wat marketing nodig. Ik moest aan de studenten uitleggen waarom het zo fantastisch was waar we mee bezig waren, anders hadden ze de voordelen ervan niet ingezien. Ik zei dat ze naar de rechtbank toe konden gaan en echte mensen konden gaan verdedigen.' Angus was even stil. 'Wat ons betreft, ik zou jou de vele voordelen kunnen uitleggen als je met me uit zou gaan.'

'Zou je jezelf marketen?'

'Als dat zou werken wel ja.'

'Dus niet,' zei Nat met een glimlach, en Angus moest lachen, waardoor de spanning werd verbroken.

'Zijn jij en die gelukkigsvogel al met de toekomst bezig?'

'Ja.' Maar mondje dicht tegen mijn moeder.

'Nou goed, professor Holt heeft pech. Maar als jullie uit elkaar gaan, wil ik graag in aanmerking komen.'

Nat bloosde van het compliment. 'Ja,' zei ze, en ze reden verder. Het zou kunnen dat ze het zich maar verbeeldde, maar hij leek sneller te rijden nadat ze hem had afgewezen. Ze reden heuvel op, heuvel af, door bossen en langs weiden en over de Brandywine Creek, en namen na een tijdje een scherpe bocht. Rechts van hen stond een bakstenen gebouw met een heldergroen dak en een bordje waar Studeerruimte op stond, maar ze reden door. Achter een rij altijdgroene bomen stond een oud houten bordje waarop in witte letters, die er vreemd rustiek uitzagen voor een gevangenis, geschilderd stond: CHESTER COUNTY GEVANGENIS.

'Dat was Wyeth dus,' zei Nat, die al spijt had dat ze mee was gegaan. Ze had op school moeten zijn, lesgeven. Haar studenten hadden hun slaap hard nodig.

'Oké,' zei Angus zakelijk. Ze reden naar het grote witte wachthuis, en een jonge beveiliger kwam naar buiten in een blauw uniform en met een zwart geweer aan zijn schouder. Angus draaide het autoraampje naar beneden en de man boog zich naar binnen. 'Hoi, Jimmy.'

'Ha die meester!' zei de bewaker met een brede grijns. Hij had bruine ogen, een leren klep aan zijn pet en een klein donker snorretje boven een paar wijd uiteenstaande tanden. 'Heb je een nieuwe studente bij je? Dag, schatje.'

'Een beetje meer stijl, graag,' zei Angus, zogenaamd streng. 'Dit is professor Greco. Ze geeft hier vandaag les.'

'Goh.' De beveiliger schoof zijn pet naar achteren en keek meteen schaapachtig. 'Sorry, hoor.'

'Dat geeft niet,' zei Nat terwijl ze het wegwuifde, en Angus bedankte de beveiliger en trapte het gaspedaal in. Nat vroeg: 'Moet je hem geen identiteitsbewijs laten zien?'

'Welnee, hij kent me zo langzamerhand wel.'

'Ik moet zelfs mijn identiteitsbewijs in de winkel laten zien als ik met mijn creditcard wil betalen.'

'Zoals ik al zei: weinig bewaking.' Angus haalde zijn schouders op, maar Nat kon het niet begrijpen.

'Minder beveiliging dan in de gemiddelde kledingzaak, maar toch draagt de beveiliger een wapen.'

'Dat klopt.' De vw reed op een eenbaansweg naar een klein, verhoogd parkeerterrein. Om het terrein lag een berg sneeuw die net was geruimd, waardoor er minder parkeerplaatsen waren. Angus ging door: 'Binnen draagt geen enkele cipier een wapen. Eh... penitentiair inrichtingswerker, bedoel ik. Ze willen liever geen cipier genoemd worden. Ze zijn heel aardig, de meesten dan.'

'Zijn ze binnen niet bewapend?' vroeg Nat op een toon van: en jij zei dat het veilig zou zijn.

'Nee. Dat is normaal, in de gevangenis. De meeste PI's behandelen de gevangenen met respect, maar wel als een groep. Net als een lagere kaste, niet alsof iedereen een individu is. Dat moet wel, anders kunnen de PI's hen niet in de hand houden. Maar in mijn klas doe ik mijn best dat te compenseren.'

Nat kreeg het gevoel dat Angus op zijn stokpaardje zat, maar dat vond ze niet erg. Dat gebeurde nu eenmaal met mensen die ergens in geloofden. Zo zou zij ook zijn als iemand meer van haar wilde weten over Abraham Lincoln. Ze vond het heerlijk om haar studenten eraan te herinneren dat hij advocaat was geweest. Niemand geloofde haar.

'Rehabilitatie is hier erg belangrijk. De mannen zitten maar zo'n twee jaar vast, dus zij komen weer terug in de maatschappij. Ze zitten hier wegens kleine vergrijpen en misdragingen zonder geweld. Diefstal, inbraak, oplichterij. Chester County biedt hun bijstand aan voor alcohol- en drugsverslaving en ze kunnen een opleiding krijgen als bijvoorbeeld verwarmings-, airconditioning- en automonteur, en er is zelfs een kappersopleiding.'

Niet te geloven. 'Met scharen?'

'Natuurlijk, en de gevangenen die in de keuken werken gebruiken messen.'

'Heel fijn.'

'Maak je maar geen zorgen.' Angus reed het parkeerterrein op. 'De scharen en messen worden in glazen vitrines opgeborgen, met voor elk een haakje waaronder de vorm van het gereedschap is getekend, en als de gevangenen klaar zijn, doet een PI de vitrines op slot.' Hij zag een plekje en het viel Nat op dat de motor van de meeste auto's stationair draaide, zodat er witte rook uit de uitlaat kwam.

'Waarom staan die auto's daar?'

'Die zijn van familieleden van de gevangenen; ze zitten te wachten op het bezoekuur.' Angus trok de handrem aan en keek Nat met een glimlach aan. 'Kom op. Neem je rijbewijs mee, maar laat je handtas hier. Je mag alleen maar papieren meenemen die van belang zijn. Heb je je aantekeningen voor de les?'

'Ja.' Nat pakte haar map en ze stapten uit de auto. Het was koud buiten en Nat hield de map tegen haar borst aan alsof die haar kon beschermen, en keek om haar heen.

De gevangenis stond op een groot, vlak terrein dat bedekt was met sneeuw, en het leek net alsof het was ontstaan doordat de bovenkant van een heuvel eraf was gesneden. Er stond een hoge blauwe watertoren achter. De gevangenis zelf was een groot bakstenen gebouw in de vorm van een T, met een ronde oprit. In de dwarsbalk van de T zaten kleine lelijke raampjes. Boven op de muren zat vlijmscherp prikkeldraad. De omgeving werd van de gevangenis afgeschermd door een aangelegd bos met hoge, altijdgroene bomen, dat het gehele terrein omringde.

'Indrukwekkend, hè?' vroeg Angus. Zijn adem vormde een wolkje in de koude lucht. 'Mooie omgeving toch, voor een gebouw zonder ramen?'

'Hier zitten criminelen dan ook hun straf uit.'

'Dat zeggen ze, ja.'

'Heb je geen jas bij je? Het is hartstikke koud.'

'Daar ben ik te stoer voor. Kom mee.' Angus legde zijn hand op haar rug en ze liepen de lange sneeuwvrije weg op, waar hun schoenen knarsten in het zout en de stukjes ijs. Ze kwamen bij de ronde oprit, waar zwarte busjes van de gevangenis geparkeerd stonden en een smerige Chevy-pick-uptruck met een lading hout waar een blauw zeil over lag dat fladderde in de wind. Achter de truck stonden een grote trailer met de tekst PHOENIX CONSTRUCTION erop, een paar witte tanks met propaangas en een pallet met houtblokken. Voor hen was de ingang van de gevangenis.

Nat deed haar best haar zenuwen de baas te worden en Angus ging langzamer lopen toen ze langs een donkerblauwe sedan kwamen waarvan de motor draaide. Voorin zaten twee mannen in een donker pak met das. Angus wees naar hen. 'Kijk, FBI-agenten.'

'Hè?' vroeg Nat, maar hij liep al naar de auto toe en tikte op het raampje van de bestuurder.

'Wij hebben verdorie helemaal geen agenten nodig,' zei Angus terwijl het raampje naar beneden gleed, en de chauffeur moest lachen. Hij droeg een Ray-Ban-zonnebril en had een blikje Red Bull in zijn hand.

'Het eenmansleger!' zei de chauffeur, en Angus stak zijn vingers op in het V-teken.

'Ha! Ik ben liever de trouwe oppositie.'

'Wie klaag je dit keer aan, Holt? Heeft iemand een yogales overgeslagen?'

'Daar zeg je zo wat,' pareerde Angus, en ze lachten terwijl het raampje weer omhoogging. Angus pakte Nats elleboog even vast en ze liepen verder. 'Die arme mannen, FBI-agenten dus, vervelen zich gek daar. Zo gaat het hier. In deze gevangenis, of in welke gevangenis dan ook, of die nu superbeveiligd is of meer een speelplaats. De gevangenen, de PI's en de mensen van de administratie vervelen zich allemaal kapot. Iedereen die wel eens gevangen heeft gezeten, zal het beamen. Elke dag lijkt op de dag ervoor.'

'Waarom zitten die agenten daar?'

'Er zitten een paar gevangenen van de FBI binnen. Er zit er eentje die continu bewaakt wordt. De agenten zijn verplicht aanwezig te zijn totdat hij in Philadelphia voor de rechtbank moet verschijnen.'

'Wat heeft hij gedaan?' vroeg Nat toen ze net bij de ingang aankwamen, een metalen deur zonder raam die vrolijk rood geschilderd was, wat vreemd afstak tegen het saaie bruin van het gebouw. 'Ik bedoel natuurlijk: waar wordt hij van beschuldigd?'

'O, hij is wel degelijk schuldig.' Angus glimlachte droog. 'Dat is Richard Williams. Drugs, moord, de hele handel.' Hij trok de deur open en gebaarde dat ze naar binnen kon gaan.

'Bedankt.' Nat liep een kleine kamer in die aan alle kanten tralies had, net een lift uit de hel. Ze hield zichzelf voor dat ze niet bang hoefde te zijn.

Nou ja, ze moest het in elk geval niet laten merken.

5

Binnen in de gevangenis lieten Angus en Nat hun identiteitsbewijs zien. Nat hing haar jas op in een kastje en ze werden door drie paar gesloten en van tralies voorziene deuren geleid. De tralies zaten voor kogelwerend glas en waren net zo rood geverfd als de voordeur. Ze meldden zich bij de balie en werden door een metaaldetector gesluisd en via een gang naar een afgesloten deur, die door een vrouwelijke PI werd ontsloten en opengehouden, terwijl ze Angus een betekenisvolle glimlach schonk.

'Hoi, Holt. Mooi pak.' De zwarte vrouw had grote bruine ogen en zag er fit en slank uit in haar marineblauwe uniform. Een lok donker haar hing als een glimmende vishaak voor haar ogen. 'Nieuwsflits: Jerry Garcia is dood.'

'Dat blijft leuk, hè?' Angus grinnikte. 'Tanisa Shield, dit is een collega van mij, Natalie Greco.'

'Hallo.' Tanisa gaf Nat een hand, maar ze bleef Angus aankijken. 'Hier kun je wat van leren, Holt. Dit meisje weet hoe ze zich moet kleden.'

'Maar dit is mijn gelukstrui,' zei Angus, en Tanisa snoof hoorbaar.

'Ja, je mag van geluk spreken dat ik hem niet in de fik steek.'

Nat hield zich erbuiten. Ze had zich die ochtend vijf keer omgekleed en was in gedachten van een nonnenhabijt tot een tent tot een dekbed gegaan. Uiteindelijk had ze een bruin broekpak van tweed aangetrokken met een getailleerde witte blouse, en een Hermès-sjaal in pastelkleuren. Hank zou de outfit prachtig hebben gevonden, maar hij was al vroeg naar zijn werk gegaan en had hem niet gezien; hij had ook niet gehoord dat ze die dag naar de gevangenis zou gaan. Dat zou hij niet zo prachtig hebben gevonden.

'Die baard moet ook weg,' zei Tanisa, klakkend met haar tong. 'Het is net alsof er een hond aan je kin geplakt zit.' Ze sloeg de traliedeur met een luide knal achter hen dicht en sloot hem toen met een grote sleutel af.

'Ik ben dol op vrouwen in uniform,' zei Angus, maar Nat kon er niet om lachen.

Ik ben opgesloten, dacht ze.

Tanisa draaide zich op de hak van haar leren werkschoenen om en leidde hen een brede gang door die zo te zien de hele lengte van het gebouw besloeg, de poot van de T dus. Een zwarte PI stond tegen de muur aan en hij knikte naar Angus. De muur was tot halverwege groen geschilderd en de bovenkant bestond uit kogelwerend glas, zodat je de kamers erdoorheen kon zien die aan de gang lagen. De betonnen vloer glom mat en het was warm en droog binnen, te warm.

'Blijf hier staan.' Tanisa hield hen met haar arm tegen, en Nat kreeg meteen de zenuwen. Een hele rij rode lampjes aan het plafond floepte opeens aan.

'Wat is er aan de hand?' vroeg Nat, en Angus draaide zich om.

'Achter in de gang zijn de cellen en als het personeel de gevangenen door de gang begeleidt, gaan de rode lichtjes aan. Wacht maar even.'

'Oké.' Nat keek de vrouw aan, die haar geruststellend een knipoog gaf. Even later stak een groep gevangenen in wit T-shirt en wijde blauwe broek pratend en lachend de gang al schuifelend over. Hoewel ze een stuk verderop waren, herkenden een paar van hen Angus en zwaaiden ze naar hem, en hij zwaaide terug.

'Mijn jongens,' zei hij zachtjes.

Tanisa lachte. 'Dan heb je echt een nieuwe familie nodig.'

Angus zei tegen Nat: 'Alleen in de film zie je gevangenen samen eten en sporten. Gevangenen wonen, eten en sporten met de mensen van hetzelfde cellenblok. Daarom willen ze verbouwen, om nieuwe cellenblokken te creëren.'

Nat knikte. De gevangenen waren nog steeds bezig de gang over te steken, en de rode lichtjes knipperden.

Angus ging door: 'Ze zorgen ervoor dat er zo min mogelijk verkeer is tussen de cellenblokken en halen bendeleden binnen een blok uit elkaar. Hier zitten voornamelijk latinobendes, vervolgens blanke en dan zwarte.'

'Ik wist niet dat er zoveel latino's in Chester County waren.' Nat had altijd gedacht dat het hier erg blank was, maar ze kon aan de bewegende stroom gevangenen zien dat ze er helemaal naast had gezeten.

'Ze komen vanuit Mexico hier werken op de paddenstoelboerderijen en in de chique stoeterijen. Er zitten serieverkrachters tussen. Alsof het oosten van Los Angeles hiernaartoe is gekomen.' Angus klopte op haar schouder. 'Maak je niet ongerust. De serieverkrachters zitten in de RA, de rehabilitatieafdeling een stuk verderop, een heel eind van ons klaslokaal verwijderd.'

Mooi.

'Daar zit de administratie, waar ze de gevangenen inschrijven en het papierwerk afhandelen.' Angus wees naar links, vlak bij hen. 'Daar is ons klaslokaal, ernaast zit de ziekenboeg en daar weer naast een paar cellen die tijdelijk als ziekenkamers dienstdoen. Ze kwamen wat bedden tekort.'

'Ga je haar hierna overhoren?' vroeg Tanisa, en Angus moest glimlachen.

'Hoe gaat het trouwens met je zoon?'

'Een stuk beter, dank je.' Tanisa draaide zich om, liet haar arm zakken toen de stroom gevangenen afnam en de traliedeur achter hen op slot werd gedaan. De rode lichtjes gingen uit. 'Oké, op naar de donuts.'

'Deze kant op, Natalie,' zei Angus, en ze liepen naar een lege kamer, waarvan de muur aan de buitenkant wit geschilderd was en het bovenste gedeelte bestond uit kogelwerend glas. Witte plastic kuipstoeltjes stonden om een formicatafel heen en aan de muur hing een schoolbord. Op het bord stond ACTIE geschreven, met een pijl naar de woorden IS REACTIE. Het was zo'n cliché dat Nat het niet geloofd zou hebben als ze het niet met eigen ogen gezien had.

'Ik ga ze halen.' Tanisa draaide zich om, en liet de deur achter zich open. 'Ben zo terug.'

'Het is hier in elk geval warm,' zei Nat nadat de vrouw weg was gegaan, alleen maar om iets te zeggen. Het was in het lokaal warmer dan in de gang, en het rook sterk naar ontsmettingsmiddel en zweet. Ze begreep nu waarom de gevangenen alleen maar een T-shirt droegen en had spijt van haar wollen pak. Tweed nog wel, het kon niet erger.

'Het komt door de constructie. Wacht even.' Angus trok zijn visserstrui uit en gooide hem binnenstebuiten op de tafel. 'Het gebouw is gedeeltelijk open, en daar komt de koude lucht naar binnen, en daardoor werkt de thermostaat harder. Zo is het elke winter.'

'Tanisa is er tijdens de les toch bij?' vroeg Nat, maar net op dat moment kwamen de gevangenen de open deur binnen lopen, een stuk of vijftien mannen in T-shirt en blauwe werkbroek, met een heel scala aan verschillende linnen gympen. Het waren mannen in allerlei soorten, kleuren en maten; sommigen hadden een snor, een zonnebril, tatoeages in hun nek en een gouden ketting, maar het waren allemaal dertigers.

'Goedemorgen, heren,' zei Angus met een glimlach, terwijl hij voor de tafel ging staan. 'Hoe gaat het ermee?'

'Goed,' antwoordde een magere gevangene, die als eerste ging zitten.

De andere gevangenen zeiden hartelijk: 'Goed', en 'Fijn dat je er weer bent', liepen om de tafel heen en gingen ook zitten.

'Tot straks,' zei Tanisa, die wegging. Er kwam geen andere PI voor haar in de plaats, dus Nat had nu haar antwoord.

Shit! Angus en zij zouden geen bewaker erbij hebben, en de gevangenen hadden geen handboeien om. Ook nu had ze het gevoel dat ze het niet geloofd zou hebben als ze het niet zelf had meegemaakt. Angus stroopte de mouwen van zijn shirt op en Nat hield de map tegen haar borst aan, en zweette dwars door haar twee lagen kleren heen. Ze vermeed oogcontact met de gevangenen, die ook niet naar haar keken; ze hadden hun hoofd gebogen en gedroegen zich netjes, als leerlingen die hun huiswerk niet hadden gedaan. Helemaal nooit zelfs, hun hele leven niet.

Angus wreef in zijn handen. 'Heren, ik wilde dit keer eens iets anders doen, want jullie zullen vast wel genoeg hebben van mijn lessen.'

Ze moesten allemaal grinniken en Nat zette zich schrap.

'Dit is professor Natalie Greco. Zij geeft les in rechtsgeschiedenis, en dat gaat over recht en gerechtigheid. Heeft een van jullie daar een mening over?'

'Nou en of!' zei een forse gevangene, en iedereen lachte.

'Mooi. Nou, voordat we aan de slag gaan, ik zie daar twee nieuwe mensen in de groep.' Angus gebaarde naar twee gevangenen die achter aan de tafel zaten, de ene dik en onder de tatoeages, en de ander wat dunner, met een bril die gerepareerd was met plakband. 'Ken ik jullie al?'

'Kyle Buford,' zei de dikke. De spierbundels van zijn bovenarmen waren bedekt met eenvoudige tatoeages.

'Pat Donnell,' zei degene met de kapotte bril.

Angus fronste zijn wenkbrauwen. 'Wie heeft jullie toegelaten tot de klas? Ik kan me niet herinneren dat ik jullie dossiers heb gezien.'

'Geen idee,' zei Buford en Donnell knikte. 'Ze zeiden dat we vanaf vandaag mee moesten doen. We waren waarschijnlijk aan de beurt.'

'Ik ga het wel even na, maar welkom. Wil iedereen om de beurt professor Greco vertellen hoe hij heet? Net als op zomerkamp, alleen is het geen zomer, en dit is zeker weten geen kamp.'

De gevangenen lachten weer en stelden zich een voor een aan Nat voor, waardoor ze zich meer op haar gemak voelde. Hun naam, hun stem en hun glimlach veranderden hen van anonieme gevangenen in mensen en zij werden er zelf ook vrolijker van. Hun hele houding werd beter: ogen gingen glanzen en kinnen gingen omhoog, en ze schoven op hun stoel heen en weer, alsof ze hun identiteit terugkregen. Ze wist nog dat Angus had verteld dat hij de gevangenen als individuen tegemoet trad, en ze kon zien dat het werkte.

'Bijna vergeten. Voor we gaan beginnen, moet ik nog iets meedelen. Weten jullie nog dat we het verleden week over de infectie veroorzaakt door de *Staphylococcus aureus* hebben gehad?' Angus wachtte even en iedereen knikte. 'Ik heb de directeur een brief geschreven en hij zegt dat er geen overplaatsingen zullen plaatsvinden vanwege MSRA.'

'Hallo zeg!' zei een gevangene kwaad, en de andere gevangenen morden mee. Eentje riep: 'Je kunt goddomme doodgaan aan die klote-infectie!'

'Sorry, maar meer kan ik niet doen.' Angus, in zijn wijde shirt, waarvan de ellebogen dun en vaal blauw waren geworden, stak gezaghebbend zijn hand op. 'MSRA is een normale bacteriële infectie in gevangenissen. Die komt trouwens ook vaak voor in ziekenhuizen en scholen. Ze gaan jullie daar echt niet voor overplaatsen. Dit is de nieuwste gevangenis in het district. Geen enkele andere is net zo schoon.'

'Ja, omdat ík hier moet schoonmaken,' riep een jonge gevangene met een gouden kruisje om zijn nek. Iedereen moest lachen, zelfs Nat.

Angus ging door. 'Die mannen zijn in Allegheny County gestorven, en jullie zijn hier beter af. Was zo vaak mogelijk je handen. De directeur vond het goed als iemand met een open wond meteen naar de ziekenboeg gaat. Je moet het alleen even aan een van de PI's vertellen.'

'Wat zijn we je daarvoor schuldig, tussenpersoon?' vroeg de gevangene met het gouden kruisje, en iedereen lachte.

'Niets, en geef me alsjeblieft ook geen hand.' Angus stak zijn handen in zijn zakken en iedereen lachte weer, ook de magere gevangene vooraan, die voorzichtig zijn hand opstak.

'Mag ik wat vragen, Angus?'

'Ga je gang.'

'Komt Damian vandaag niet?' De gevangene was zo mager dat zijn borstbeen door de V-hals van zijn hemd stak. 'Ik heb wat punten opgeschreven voor de petitie. Daar vroeg hij om.'

'Nee, Damian is helaas ziek. Geef het maar aan mij, dan zorg ik ervoor dat hij het krijgt.' Angus pakte de bruine map op die de gevangene over de tafel naar hem toe schoof, sloeg die open, bladerde door wat vellen papier, die helemaal vol waren getikt in het ouderwetse lettertype Courier. 'Ziet er mooi uit, Jim. Goed gedaan. Je had een pro-Deo-advocaat, hè?'

'Een kutadvocaat, zul je bedoelen!' zei Buford, de gevangene met de tatoeages.

Getver. Nat verstarde.

Angus keek met een diepe frons op. 'Zo kan hij wel weer, Kyle. Er is een gast aanwezig.'

'Het was maar een grapje, man.' Buford keek met zijn roodomrande blauwe ogen naar de anderen voor bijval.

'We houden niet van dat soort grapjes,' zei Angus kwaad. 'Je bent nieuw hier, maar dat had je kunnen weten. Als je iets niet zou zeggen waar een PI bij was, dan zeg je het hier ook niet. Bied onze gast je verontschuldigen aan.'

'Laat maar,' kwam Nat tussenbeide. 'Het is al goed.'

'Zullen we dan maar beginnen?'

Liever niet. 'Ja, goed.' Nat kwam naar voren toen Angus een stap opzij deed, legde haar map op tafel, maar voelde zich nog niet dapper genoeg om haar aantekeningen eruit te halen. Ze zou de les uit haar hoofd doen, hoewel dat niet zou meevallen, met Buford die haar met zijn ogen zat uit te kleden.

'Nou,' zei Nat, 'fijn dat ik hier aanwezig mag zijn. Voordat ik begin, wil ik jullie iets vragen. Heeft iemand van jullie *The Merchant of Venice* gelezen?'

De gevangenen reageerden geen van allen, wat haar niet verbaasde. Buford zat achter aan de tafel te grinniken en schudde zijn hoofd. Angus sloeg zijn armen over elkaar en keek hem strak aan.

Een van de gevangenen stak zijn hand op. 'Volgens mij hebben we dat op school gehad. Het is toch van Shakespeare?'

'Ja.' Nat glimlachte, en kreeg toen een inval. 'Dan heb ik nog een vraag voor jullie: weten jullie wat een woekeraar is?'

'Een joekel, bedoelt u?' vroeg de dikke gevangene.

'Dat is toch iemand van wie je geld kunt lenen?' zei iemand, en iedereen stak enthousiast zijn hand op. Ze wílden wel leren, maar ze moest de juiste manier zien te vinden.

Buford hief zijn getatoeëerde arm op. 'Ik vind de juf geil,' zei hij, en hij barstte in lachen uit.

'Oké, genoeg.' Angus kwam met een boze uitdrukking op zijn gezicht naar voren. 'Wegwezen nou, en ik zal ervoor zorgen dat –'

Opeens loeide er oorverdovend een sirene. Nat schrok zich wezenloos. Angus draaide zich snel om en keek door de deur naar buiten. Iedereen aan tafel was opeens alert. De gevangenen sprongen op uit hun stoel, duwden die en de andere gevangenen uit de weg en riepen: 'Opsluiten!' 'Rennen!' 'Het is de sirene om ons op te sluiten. We moeten rennen!' De gevangenen holden naar de deur, waar ze allemaal tegelijk doorheen wilden gaan.

Door de omroepinstallatie zei een stem: 'Iedereen moet opgesloten worden. Ik herhaal: iedereen moet opgesloten worden. Iedere gevangene moet onmiddellijk naar zijn cel toe gaan! Iedere gevangene onmiddellijk naar zijn cel!' De PI die buiten de kamer op wacht had gestaan, rende weg.

'Wat is er aan de hand?' gilde Nat in paniek.

'Blijf bij mij!' Angus greep haar bij de hand en trok haar weg toen de gevangenen om de tafel holden op weg naar de deur.

'Uit de weg, dame!' schreeuwden ze.

'Rennen!'

'Wegwezen hier!'

'Schiet op!'

Nat had opeens het gevoel dat ze aangereden werd door een vrachtwagen. Het was Kyle Buford die tegen haar op botste. Door de klap werd ze naar achteren geworpen en ze hapte naar adem. Ze wilde weg zien te komen, maar hij stond voor haar neus, zo dichtbij, dat ze zijn adem rook. Toen besefte ze dat Buford niet naar de deur toe wilde, hij wilde háár.

Nat gilde toen Buford haar beetpakte, haar stevig vasthield en tegen de grond werkte. Ze viel naar achteren, en kwam met haar hoofd en stuitje hard op de betonnen vloer terecht. De pijn schoot door haar hoofd en rug, en ze kon zich even niet bewegen toen Buford boven op haar klauterde. Tranen van angst schoten haar in de ogen. Ze kreeg geen adem. Hij lag als een blok boven op haar. Ze kon niet geloven dat haar dit overkwam. Het was een chaos. Het ging allemaal te snel om te kunnen beseffen.

Angus greep Buford bij de schouders, maar de gevangene draaide zich om en gaf hem een gemene stoot met zijn elleboog tegen zijn mond, zodat hij naar achteren wankelde. Nat stompte hem met haar vuisten. Buford greep haar bij haar haren beet en sloeg haar hoofd tegen de grond. Haar hoofd explodeerde van de pijn. Ze hield op met stompen en viel slap op de grond. Buford zat boven op haar, wilde haar kussen, zijn tong zat al in haar mond.

O, nee, alsjeblieft niet!

Nat sloeg om zich heen maar verloor het bewustzijn. Ze hoorde de sirene bijna niet meer. De stem leek in een andere plaats en op een ander tijdstip te praten. Angus greep Buford weer beet, maar de gevangene liet zich over Nat heen vallen en scheurde haar blouse open.

Nee! Lieve god, nee!

Buford zag haar beha en greep haar bij de borsten. Ze sloeg hem, maar kon toen niet meer. Haar hoofd bonkte. Ze kon niet wakker blijven. Ze kon hem niet tegenhouden. De kamer werd donker.

6

'Loslaten!' schreeuwde angus, en door de pure angst in zijn stem kwam Nat weer bij. Ze deed haar ogen open. Angus had Buford beet en brulde als een beest toen hij zijn handen om de getatoeëerde nek van de gevangene sloeg en hem wurgde. Nat stompte en schopte, en draaide zich heen en weer om weg te komen.

'Trut dat je d'r bent!' schreeuwde Buford, terwijl zijn hete speeksel op haar gezicht terechtkwam.

'Ga van me af!' gilde Nat woedend, en ze beet Buford hard in zijn ongeschoren wang. De gevangene jankte en schoot naar achteren, en Angus gaf hem meteen een stomp, en bleef slaan. Nat voelde Bufords greep losser worden, en met een krachtige stoot duwde ze hem van haar af terwijl Angus hem naar achteren trok. Nat schuifelde als een krab achteruit terwijl Buford zich omdraaide om Angus een hoek te geven, die echter als eerste uithaalde en de gevangene recht op zijn slaap sloeg.

'Rennen, Natalie!' riep Angus, net voordat Buford zich herstelde en hem een klap in zijn nek gaf. Nat keek vol afgrijzen toe terwijl Angus' ogen uitpuilden en zijn gezicht in pijn vertrok. Zijn hand vloog naar zijn nek en hij wankelde achteruit. 'Rennen!' kon hij nog net roepen.

Nat kwam overeind op het moment dat Angus een kuipstoeltje oppakte en daarmee uithaalde naar Buford, en ze rende de kamer uit. Ze schoot de gang in. De gevangenis was inmiddels een strijdtoneel geworden. Sirenes loeiden. De luidsprekers braakten bevelen uit. Ze rook een brandlucht. Een swat-team met kogelwerende vesten en helmen kwam de gang in rennen en ging de richting van de ra uit.

'Help!' Nat greep een van de mannen van het swat-team bij zijn mouw, maar hij bleef niet staan.

'Geen tijd!' riep hij achterom. Er kwam geschreeuw en gekrijs achter uit de gang. Er was vast een opstand in de ra. Iedereen moest voor zichzelf zorgen. Nat rende naar de ingang en greep de tralies beet. Die gaven niet mee, de deur zat op slot.

Nee! Ze bonkte op de kogelwerende ruit van de regelkamer. Er was niemand. Ze kon er niet uit. Ze moest hulp zien te vinden. Ze hoopte maar dat Angus zich staande kon houden. Waar was verdomme iedereen? Ze wist niet hoe de gevangenis in elkaar stak. Ze draaide zich in het wilde weg om en slaakte een kreet van schrik. Een PI en een gevangene waren in een van de andere kamers in een gevecht verwikkeld.

Nat rende bang weg. Haar blouse wapperde open en ze hield hem al rennend dicht. Toen zag ze een paar deuren. Ze rende ernaartoe en schreeuwde door de herrie van de sirenes en luidsprekers heen om hulp. De voorste deur zat op slot, de volgende en die daarna ook. Haar hart ging als een gek tekeer. De tranen sprongen haar in de ogen. Dit duurde veel te lang. Buford kon Angus gemakkelijk vermoorden. Ze rende naar de volgende gang, en zag tot haar verbazing en opluchting een deur opengaan.

'Help!' Nat rende ernaartoe en net op dat moment kwam een verslagen en bloedende PI de kamer uit.

'Ze zijn allemaal gek geworden.' De man stond te trillen op zijn benen. Tot haar afgrijzen zag ze achter hem in de kamer een andere PI op de grond liggen met een zelfgemaakt mes in zijn borst. Een gespierde zwarte gevangene met een bebloed T-shirt lag naast de PI. Zo te zien waren beide mannen dood, en de man naast haar was in shock.

'Je moet me helpen!' Nat greep hem bij de schouders. 'Mijn vriend wordt aangevallen!'

'Hè? Waar dan?' vroeg de PI, wiens blik weer scherp stelde toen hij een beetje tot zichzelf kwam.

'In het lokaal bij de ingang.' Nat wees achter haar. 'Angus Holt. We waren les aan het geven. En een PI op de gang heeft ook hulp nodig.'

'Verdomme!' De man rende weg. Op dat moment hoorde Nat gekreun uit de kamer komen en ze keek waar het geluid vandaan kwam. De PI die op de grond lag, bewoog nog, terwijl het zelfgemaakte metalen mes op groteske wijze uit zijn borst stak. Hij draaide zijn hoofd naar de deur en strekte zijn arm naar haar uit.

Hij leeft nog. Nat rende de kamer in en knielde vol afgrijzen naast de man neer. Ze kon niet naar zijn borst kijken. Ze wist dat ze het mes erin moest laten zitten. Dat had ze ooit eens gelezen. Hij zou nog meer bloed kwijtraken als ze het eruit trok. Het borstzakje van zijn uniform zat onder het bloed, maar niet van de wond waar het mes uit stak. Hij had nog een steekwond.

Nat drukte haar hand op de wond. Het hete bloed sijpelde tussen haar vingers door en ze voelde zich misselijk worden. De PI was inmiddels lijkbleek. Ze moest het bloeden zien te stelpen. Ze verfrommelde de zijden sjaal die ze om haar nek had en duwde hem zo stevig mogelijk tegen de wond. Als ze het bloeden kon stelpen, bleef hij misschien leven totdat er hulp kwam.

'Het komt in orde, het komt in orde,' zei ze steeds weer. Haar hart ging tekeer. Ze hoopte maar dat de andere PI Angus had gevonden. Ze kon deze man niet in de steek laten. Hij keek haar aan. Toen draaiden zijn blauwe ogen omhoog. Hij greep haar arm beet, stevig als een bankschroef.

'Hou vol, hou het alsjeblieft vol.' Nat voelde de tranen weer komen. Ze drukte de sjaal nog steviger tegen de wond. Hij was rood van het verse bloed, dat warm aanvoelde aan haar hand. De PI bewoog zijn lippen. Bloed borrelde uit zijn mond en droop langs zijn gezicht. Hij trok aan haar mouw. Hij wilde iets zeggen.

'Zeg... mijn vrouw,' fluisterde hij. Bloed golfde uit zijn mond, het zag er zo afschuwelijk uit dat Nat bijna moest gillen. Hij zei: 'Alsjeblieft. Zeg het haar.'

'Dat zal ik doen, echt. Ik zal haar zeggen dat je van haar houdt,' zei Nat snikkend, de zin voor hem afmakend.

'Nee, nee,' zei de PI hoofdschuddend. 'Nee. Het zit... eronder.'

Hè? Nat knipperde verdwaasd met haar ogen. Wat zei hij nou? Door de sirenes en de shock kon ze hem amper verstaan. Ze boog zich naar hem toe en bracht haar oor vlak bij zijn mond. 'Wat zei je?'

'Zeg... haar...' De PI hapte naar adem. 'Zeg haar dat... het eronder zit. Onder die...'

'Goed, ik zal het haar zeggen. Beloofd.' Nat bleef druk uitoefenen, maar het bloed doordrenkte de sjaal. Een seconde later knipperde de PI niet meer met zijn ogen. Hij staarde recht voor zich uit. Opeens liet hij haar los. Zijn hand viel, met de vingers nog gebogen, op de grond.

'Nee!' Nat had een reanimatiecursus gedaan. Hij mocht niet sterven. Ze boog zich naar voren en duwde zijn mond open. Toen blies ze in zijn mond, die zoutachtig smaakte, naar bloed. Twee keer, daarna kwam ze overeind en drukte ze met alle macht op zijn borst.

Een, twee, drie, vier. 'Kom terug!' Nat bleef drukken. De sjaal viel van hem af. Uit de andere wond borrelde het bloed op. Ze bleef drukken en tellen. De oogleden van de PI bewogen niet. Hij reageerde niet op haar geroep. Ze was klaar met de hartmassage en boog zich weer naar voren voor de beademing.

Ze ging door. Ze hoorde een walgelijk gorgelend geluid achter in zijn keel, en in de verte geschreeuw. Opeens was er een explosie. Wat was er aan de hand? Waar kwam dat vandaan? Vanuit de RA? Wat was er opgeblazen?

Nat deed haar best niet in paniek te raken. Ze bleef op zijn borstkas drukken, maar de PI bewoog zich niet. Ze boog zich weer naar voren en blies een korte maar stevige ademstoot in zijn mond, en hield er toen mee op. De arme man was overleden. Ze moest hem laten gaan. Ze had haar best gedaan. Ze moest naar Angus toe. De explosie.

'Ik vind het heel erg,' fluisterde ze. Ze veegde haar ogen droog, en smeerde daarbij iets warms op haar gezicht. Bloed. Ze kwam snel overeind en rende de kamer uit de gang in. De sirenes loeiden nog steeds. De aankondiging dat iedereen zijn cel in moest, werd telkens herhaald. Er kwamen grijze rookslierten haar kant uit.

Ze rende de gang door, ging een bocht om en holde naar het klaslokaal. Er hing dikke rook in de hal die in haar ogen prikte en haar neusgaten vulde. Ze haalde diep adem en moest kokhalzen. Er was brand in de gevangenis en zij zat opgesloten. Net als Angus. Ze zouden levend verbranden.

Opeens hoorde ze een oorverdovende explosie. Nat werd tegen de grond geworpen. Ze kwam op de zijkant van haar hoofd terecht. Haar knieën sloegen hard tegen het beton aan. Ze rolde in shock en met veel pijn tegen de muur aan.

'Natalie!'

Nat deed haar ogen open en zag Angus door de rook naar haar toe rennen. Hij knielde naast haar neer en pakte haar op.

'Edelachtbare.' Hij grinnikte, zijn voorhoofd bloedde, en Nat was zo opgelucht dat het wel een delirium leek. Achter hem stond de PI die ze naar hem toe had gestuurd.

'Deze kant op!' riep de PI. 'Schiet op!' Hij dirigeerde hen door de traliedeur toen een andere PI in een zwart SWAT-uniform hun tegemoet kwam, de deur van het slot haalde en hen zo snel mogelijk uit de gevangenis begeleidde, de kou in.

7

GEHULD IN EEN DUNNE BLAUWE DEKEN zat Nat op een brancard achter in een ambulance met draaiende motor, terwijl een ziekenbroeder de snee in haar wang behandelde. Hij was in de dertig, had peper-en-zoutkleurig haar en eerlijke bruine ogen achter een ziekenfondsbrilletje. Hij droeg een nylon jasje over zijn uniform met een felgekleurd logo erop, maar Nat nam niet de moeite om de tekst te lezen. Ze was de naam van de ziekenbroeder alweer kwijt. Ze zat daar al een uur, en ze was nog steeds een beetje in de war. Ze voelde zich ontdaan, verdrietig en ze was zo moe dat ze zo in slaap kon vallen.

'Nog heel even.' De ziekenbroeder, die lichtpaarse rubberhandschoenen aanhad, bette de wond met wat Neosporin.

Au. 'Dank je wel.'

'Hoe gaat het met je hoofd? Al beter?'

'Ja, bedankt,' zei Nat. Haar hoofd bonkte niet meer zo erg. Haar knieën en achterste waren gevoelig. Ze trok de deken dichter om zich heen om haar gescheurde blouse te bedekken, want het tochtte in de ambulance. Het parkeerterrein bij de gevangenis deed dienst als een tijdelijke ziekenboeg en als verzamelplaats voor de aanwezige politiemensen en de journalisten.

'Goed, daar doen we een mooi verbandje op.' De ziekenbroeder trok een stalen la open, pakte een doos pleisters en maakte die open. Terwijl hij bezig was, zag Nat Angus door de achterruit van de ambulance. Er zat een verband op zijn voorhoofd en hij had nog steeds zijn bebloede shirt aan. Hij stond met twee lange troopers te praten, die hun hoed enigszins schuin op hun hoofd hadden staan. Ze droegen een grijs uniform met een zwart gewatteerd jack en een zware koppel. Angus gebaarde naar de troopers, die met hun armen over elkaar geslagen bij hem weg liepen. Hij irriteerde hen zo te zien, dus hij voelde zich vast al een stuk beter.

Dit is mijn gelukstrui.

Nat dronk wat bronwater. Had Angus dat deze dag gezegd? Ze deed haar best niet aan de PI te denken die doodbloedde op de grond, terwijl er bloed uit zijn mond gulpte. Ze had nooit geweten dat dat kon. Ze had nog nooit iemand zien sterven. Ze kon het maar niet uit haar hoofd zetten.

'Oké, klaar.' De ziekenbroeder drukte de pleister voorzichtig op zijn plaats. 'Je zult een tijdje pijn hebben, maar volgens mij is er niets gebroken. Maar voor alle zekerheid kun je toch maar beter naar het ziekenhuis gaan. Een hersenschudding is niet niks. Zo'n klein dametje en dan in zo'n groot gevecht.'

'Bedankt.' Nat luisterde maar met één oor terwijl ze naar Angus keek. Hij gebaarde nog nadrukkelijker en een van de troopers gebaarde terug. Het leek wel een opname uit de jaren zestig: langharig tuig tegen de politie.

'O, en nog iets.' De ziekenbroeder deed de verbanddoos dicht, stopte hem in de la, en sloot die. 'Je moet je op aids laten testen. Dat bloed op je handen is vast niet alleen van jouzelf.'

Nat keek naar haar handen die de deken vasthielden. Er zat opgedroogd bloed tussen haar vingers, onder haar nagels en op de rug van haar hand, waar het op een macabere tekening leek. Ze wist nu hoe vers bloed rook en zelfs hoe het smaakte, en dat had ze liever niet geweten. Misschien had haar moeder wel gelijk: je hoeft niet alles te weten.

'Wil je nog iets vragen, over het verschonen van de pleister of zo?'

'Ja.'

'Oké, ga je gang.'

'Daarbinnen was een penitentiair inrichtingswerker.' Nat slikte moeizaam. 'Hij was in zijn borst gestoken... en nog ergens. Ik ontdekte hem. Er lag overal bloed... Ik heb mond-op-mondbeademing bij hem gedaan.'

'O, het bloed is van de PI. Nou, ik moet je officieel aanraden om de test te doen, maar onder ons gezegd, hoeft het eigenlijk niet. De bewakers worden elk jaar op aids getest, dus het zou in orde moeten zijn.'

'Nee, dat bedoel ik niet. Ik wilde hem helpen, maar het lukte niet.' Nat wist niet waarom ze de man dit vertelde. 'Ik vroeg me af of ik iets anders had moeten doen...'

'Op die manier,' zei de ziekenbroeder zachtjes. 'Je hoeft je geen zorgen te maken. Ik heb hem gezien toen ze hem eruit haalden. Hij had geen schijn van kans. Het mes zat in zijn borst, je kon niets anders doen.' Hij legde zijn hand op Nats arm om haar te troosten, maar dat deed haar denken aan het moment dat de PI haar bij de arm had gegrepen.

'Wat had ik beter kunnen doen? U bent de expert. Wat had u gedaan?'

'Ik had ook niets voor hem kunnen doen.'

Zeg het tegen mijn vrouw. Nat wilde niet aan die woorden denken. Aan het gefluister.

'Je moet je niet schuldig voelen.' De ziekenbroeder ging op de zwarte bank naast de brancard zitten en keek haar rustig en aandachtig aan. 'Geloof me. Ik heb een heleboel aardige mensen moeten laten gaan. Oude mensen. Iemands moeder. Of kinderen, heel jonge zelfs. Daar raak je nooit aan gewend. Een natuurlijke dood kan ik accepteren, maar een gewelddadige dood is het ergst. Auto-ongelukken zijn het ergst. Iemand die verdrinkt in een zwembad is het ergst.' Hij schudde zijn hoofd. 'Het is allemaal even erg.'

Nat wist nu wat dat betekende. Het was het bloedbad. Mensen die afgeslacht werden als beesten. De PI en de gevangene, allebei dood.

'Het gebeurt hier niet zo vaak, niet zo vaak als in Philadelphia. Maar van Chester County krijgen we ook het wel het een en ander toegeschoven. Als je naar de steekwond kijkt die die man had, dan was het een wonder dat hij nog leefde toen je hem zag.'

Zeg mijn vrouw. 'Hij... heeft iets tegen me gezegd.'

'Heb je zijn laatste woorden gehoord?'

Nat knikte. Ze kon geen woord uitbrengen. Misschien had de PI op iemand gewacht om het te zeggen. Misschien was hij daarom pas gestorven nadat zij hem had gesproken.

'Nu begrijp ik het. Ik snap het. Oké.' De ziekenbroeder zuchtte, en ging vooroverzitten. 'Dat is mij ook een paar keer gebeurd, en het valt niet mee.'

Nat deed haar best rustig te blijven. Ze had even het gevoel dat ze tegen een pastoor sprak. Of dr. Phil.

'Kijk, ik zie het zo,' zei de ziekenbroeder na een poosje. 'Wat er met jou is gebeurd, is heilig. Je hebt iemands meest persoonlijke, intieme woorden gehoord. Maar dat is heel gek, want je bent een vreemde.'

Nat knikte.

'Dat vind jij ook, hè? Dat het gek is?'

Haar studenten zouden het toeval hebben gevonden.

'Moet je horen, een stervende man in een autowrak vertelde me dat hij een dochter had van wie niemand iets af wist. Hij had het geheim willen houden, maar nu moest hij het kwijt. Al was het aan een vreemde.' De ziekenbroeder wachtte even, diep in gedachten. 'Soms geven ze je een boodschap voor iemand van wie ze houden. Hun vrouw, of hun zoon. Ik had vroeger het gevoel dat ik het liever niet had gehoord, dat het een last was. Ik heb om die reden zelfs bijna mijn baan opgegeven.'

Zeg mijn vrouw.

'Maar ik had het erover met een van mijn maten, en die zei: "Draai het om." Je moet er anders naar gaan kijken, want er is een reden waarom ze het tegen jou hebben gezegd. Het was geen last, het was een geschenk.' De ziekenbroeder gaf een klopje op haar arm. 'Oké?'

'Oké,' zei Nat geëmotioneerd.

'Als hij jou een boodschap heeft gegeven, dan moet je die doorgeven. Er zit niets anders op.' De ziekenbroeder glimlachte bijna berouwvol. 'Wat ik tot nu toe heb meegemaakt, is dat de nabestaande jou opzoekt en je aan een verhoor onderwerpt. Daar moet je op voorbereid zijn. Ze willen weten wat zijn laatste woorden waren. Of hij gezegd heeft dat hij van hem of haar hield. Of hij aan ze heeft gedacht. Of het slachtoffer heeft geleden. Ze willen alles weten.' Hij schudde zijn hoofd. 'Als ik je nog een goede raad mag geven, maak het niet mooier dan het is. Je moet ze niet iets vertellen wat ze graag willen horen. Jij bent alleen maar de boodschapper. Je moet de waarheid vertellen.'

Zeg mijn vrouw.

'De weduwe van een man die omkwam bij een auto-ongeluk, vroeg me of hij het over Sonya had gehad. Ik zei: "Het spijt me, maar hij heeft uw naam niet gezegd." Toen zei zij: "Mooi. Ik heet Lillian. Sonya is zijn vriendin."' De ziekenbroeder lachte en Nat kon een glimlachje opbrengen omdat hij zo zijn best deed haar op te kikkeren.

Zeg mijn vrouw. De woorden waren er nog steeds toen ze niet meer glimlachte. Ze zouden daar voorlopig wel blijven.

'In het ziekenhuis kunnen ze je iets voorschrijven om rustig te worden. Ook goed voor de pijn.' De ziekenbroeder gaf haar nog een klopje op de arm. 'Ik kan je geen medicijnen geven, maar voor goede raad heb je geen diploma nodig.'

'Ik voel me prima.' Nat keek door het raam en zag Angus naar de ambulance toe komen, met de twee troopers achter hem aan. Ze vroeg zich af wie er had gewonnen, want niemand zag er blij uit. Ze kwam wankel overeind. 'Daar zijn ze. De troopers en mijn collega.'

'Wacht. Ga nog even zitten.' De ziekenbroeder liet haar langzaam op de brancard zakken. 'Je kunt hier met ze praten. Ik ga wel naar buiten om te zien of iemand me nodig heeft.'

'Heb je de ambulance dan niet nodig?'

'Nee, degenen die naar het ziekenhuis moesten zijn daar al. Als ik opgeroepen word, dan gooi ik je er wel uit.'

'Heel erg bedankt,' zei Nat, en de ziekenbroeder stond op, liep naar de deur en ging naar buiten, waardoor er een stroom ijskoude lucht naar binnen kwam.

Angus stak zijn hoofd naar binnen en Nat hapte naar lucht.

8

Van dichtbij zag Angus' gezicht er niet uit. Zijn rechteroog was helemaal dik en rood. Op zijn linkerwang zat een grote blauwe plek en zwarte hechtdraadjes staken uit zijn lip. Er zat bloed op zijn overhemd. 'Hoe gaat het met de patiënt?' vroeg hij met een bezorgde blik in zijn blauwe ogen. 'Gaat het een beetje?'

'Zo te zien gaat het beter met mij dan met jou.'

'Bedoel je dit soms?' Angus wees naar zijn gezwollen mond en grijnsde. 'Het doet alleen maar pijn als ik lach. Maar er is iets belangrijkers dan mijn knappe ruige kop.' Hij boog zich naar binnen, en hield zich met zijn lange armen vast aan de deur, waardoor hij de twee troopers helemaal buitensloot. 'De troopers zijn hier, de politie van de staat Pennsylvania, ze hebben hier geen gemeentepolitie.'

'Geen gemeentepolitie?' Nat begreep er niets van.

'Dat is heel gewoon op het platteland. Ze kunnen zich geen politiemacht veroorloven, dus zijn ze afhankelijk van de politie van de staat. Ze hebben me ondervraagd, maar ze willen ook met jou praten, vanwege de aanklacht tegen Buford. Ik heb ze gezegd dat het een andere keer beter uitkwam.'

Nat knikte. Buford. Zijn adem. Zijn handen.

'Zeg maar dat je het niet aankunt, dan zeg ik dat ze moeten oprotten.'

'Meneer Holt, daar hebt u niets over te zeggen.' De donkere ogen van de trooper schoten vuur onder de hoed met brede rand, maar zijn stem bleef rustig. 'U bemoeit u met politiezaken. Het is van belang dat we haar nu ondervragen omdat het nog maar pas geleden gebeurd is.'

'U kunt toch wel een beetje rekening met haar houden? Zij is het slachtoffer van een misdaad en jullie hebben haar verklaring helemaal niet nodig. Ik ben ooggetuige. Ik heb jullie al een verklaring gegeven.' Angus ging harder praten, maar de trooper lette niet op hem en richtte zich tot Nat.

'Mevrouw Greco, we weten dat dit heel moeilijk voor u is, en we zullen het zo gemakkelijk mogelijk voor u maken. We zullen u hier ondervragen, dan hoeft u niet mee naar binnen.'

'Het kan ook best morgen of overmorgen,' kwam Angus tussenbeide, maar Nat gaf hem een teken dat het in orde was.

'Ik doe het nu wel. Dan is het maar gebeurd.' Nat wilde geen ruzie. Ze had al genoeg meegemaakt die dag.

'Doe niet zo gek.' Angus perste zijn gehechte lippen op elkaar. 'Je zou in een ziekenhuis moeten liggen, in plaats van een verklaring geven voor een aanklacht die ze toch al kunnen indienen.'

'Ik voel me prima.' Nat trok de deken dichter om zich heen. 'Kom maar naar binnen.'

Angus mopperde zachtjes en kwam vanwege zijn lengte gebukt de ambulance in. Zijn laarzen waren goed te horen op de metalen vloer terwijl hij naar Nat toe liep. Hij ging naast haar op de brancard zitten, die kraakte onder zijn gewicht. Hij was verontwaardigd, maar toen hij naar haar keek, werd zijn blik milder. 'Ik vind dit heel erg. Ik had je nooit meegenomen als ik niet had gedacht dat het volkomen veilig was.'

'Weet ik.' Nat hoorde hoe schuldig hij zich voelde.

'Ik vind het zo erg. Het spijt me verschrikkelijk.'

'We hebben het allebei overleefd, en daar gaat het om,' zei Nat oprecht.

'Hier, dit is voor jou.' Angus legde een gewatteerd zwart jack op haar schoot. 'Voor de terugweg. Van Tanisa. Ik moest het van haar aan jou geven. Ik weet niet wanneer je je eigen jas terugkrijgt.'

'Bedankt.' Nat pakte de jas, en was blij te horen dat met de vrouw alles in orde was. In de tussentijd kwamen de twee troopers de ambulance in en ze sloten de deuren achter zich. Zij moesten ook bukken, en de ambulance wiebelde heen en weer door hun gewicht. Ze gingen op de bank tegenover Nat en Angus zitten, alsof ze met z'n vieren uit waren.

'Ik ben trooper Bert Milroy, van de politie van de staat Pennsylvania,' zei een van de mannen. Hij was een jaar of veertig, had een knap gezicht, kille blauwe ogen en een lange smalle neus die rood was van de kou. Hij gebaarde naar de andere trooper, die dunne lippen had en er jonger uitzag door de acnelittekens op zijn wangen. 'Dit is trooper Russ Johnston. We houden het zo kort mogelijk, want ik weet dat het moeilijk is voor u.' De trooper boog zich naar voren, pakte een opschrijfblokje uit zijn zak en sloeg het bovenblad om. 'Kunt u nu met ons praten? U voelt zich goed, u wilt niet naar het ziekenhuis of zo?'

'Nee hoor.' Nat stak onder de deken haar hand op. 'Kunt u me vertellen wat er gebeurd is? Is het nu helemaal over?'

'Helemaal.' De trooper haalde een Bic-pen uit zijn binnenzak. 'De ordeverstoring was na zestien minuten alweer afgelopen.'

'Na zestien minuten?' Nat moest bijna lachen. 'Het leek een stuk langer.'

'Dat was het ook,' zei Angus botweg.

'Maar wat was er aan de hand?' vroeg Nat. 'Er was een opstand in de RA, toch?'

'Geen opstand, een ordeverstoring.'

Angus grinnikte. 'Er wordt al met de feiten gesjoemeld.'

De trooper was even nadrukkelijk stil. 'Zoals ik al zei, mevrouw Greco, de gevangenen in het RA hadden een bendeoorlog. Er zijn drie mannen omgekomen en een vierde is zwaargewond.'

Zeg mijn vrouw. 'Er is ook een PI gedood.'

'Klopt, en twee anderen zijn zwaargewond.'

'Hoe heette die overleden PI?'

Trooper Milroy keek even in zijn aantekeningen. 'Ray Saunders, geloof ik. Nee, Ron. Zijn voornaam is Ron. Zijn vrouw is net op de hoogte gesteld. Zoals ik al zei, het SWAT-team van de gevangenis had de ordeverstoring binnen de kortste keren een halt toegeroepen, anders was het veel erger afgelopen. We hebben twee mannen gearresteerd in verband met de moorden. Meneer Buford zal zo snel mogelijk worden aangeklaagd,' de trooper keek met zijn ijzig blauwe ogen naar Angus, 'maar we moeten nog even de puntjes op de i zetten.'

Nat was het aan het verwerken. 'Er was een brand. Ik heb rook gezien.'

'Een paar gevangenen hadden hun matras in de brand gestoken.'

'Ik heb explosies gehoord. Hoe kwam dat?'

'Dat heeft het SWAT-team gedaan.'

'Gebruiken die bommen?' Nat was helemaal in de war.

'Nee, dat komt door de *stingers* die het SWAT-team gebruikt,' zei de trooper.

'Wat is een stinger?'

'Die vuur je op de grond af en dan vliegen er duizenden rubberen kogeltjes in het rond.'

'Zoveel nu ook weer niet, Bert,' zei de andere trooper, en Milroy fronste geïrriteerd zijn wenkbrauwen.

'Goed, geen duizenden dan, maar wel veel, en ze komen hard aan. Ze kunnen iemand tegenhouden zonder dat er geweld wordt gebruikt. Het SWAT-team heeft zich uitstekend teweergesteld.' Trooper Milroy hield zijn pen omhoog. 'Kunt u ons in uw eigen woorden precies vertellen wat er is gebeurd vanaf het moment dat u en meneer Holt les gingen geven?'

Nat haalde diep adem en tussen slokjes water door deed ze het akelige verslag. Toen ze moest vertellen dat Buford haar blouse had opengescheurd, kreeg ze het gevoel dat Angus misschien wel gelijk had gehad: dat ze het nog niet aankon om het te vertellen. Haar mond voelde droog aan en ze was bang, hoewel er overal troopers in de buurt waren. Ze voelde zich meteen verwant aan andere vrouwen die zoiets hadden meegemaakt. Stel dat het anders was afgelopen? Hoe kun je doorgaan met je leven als er zoiets is gebeurd? Wat zou Hank hebben gezegd? En haar vader? Stel dat het gebeurd was met Angus erbij? Zou ze hem dan nog op de universiteit in de ogen hebben kunnen kijken, en hij haar? Toen ze alles had verteld, was haar fles water leeg.

'Wat gebeurde er nadat u het lokaal uit was gerend?' vroeg trooper Milroy al schrijvend.

'Ik ging hulp halen.'

'Is dat u gelukt?'

'Ja, er kwam een PI uit een van de kamers. Ik heb hem gezegd wat er aan de hand was, en dat we hulp nodig hadden.'

'Kunt u dat wat duidelijker uitleggen?'

Nat was even stil. Ze moest aan die andere PI denken, die inmiddels een naam had. Ron Saunders. Het bloed. Zijn starende ogen. Ze kon het even niet meer aan.

'Mevrouw Greco?' vroeg de trooper, en Angus keek haar vol meeleven aan.

'Natalie, wil je er mee ophouden?'

'Het gaat wel,' zei ze, maar Angus fronste zijn wenkbrauwen.

'Wacht even.' Hij zei tegen de troopers: 'Wat maakt het nou uit wat er is gebeurd nadat ze door Buford aangerand was? U hebt net haar verklaring opgeschreven zodat u een aanklacht tegen hem kunt indienen. De officier van justitie kan daar vast wel wat mee.'

Nat overwoog het terwijl ze naar hem luisterde. Hij had gelijk: dat hoefden ze helemaal niet te weten, en ze wilde hun niet vertellen wat Ron had gezegd, en zeker niet in een officiële verklaring. Wat hij had gezegd, was alleen voor zijn vrouw bestemd.

Trooper Milroy zei: 'Meneer Holt, we hebben een volledige verklaring nodig, anders moeten we haar nog een keer ondervragen. Als de verklaring volledig is, hoeft er verder niemand van de gevangenis of van het Openbaar Ministerie met u te praten.' Hij zei tegen Nat: 'Mevrouw Greco, het is zo beter voor u.'

'Ik zie nog steeds niet in waarom het belangrijk is.' Angus schudde verontwaardigd zijn hoofd. 'Ze ging hulp halen. Ze zei tegen de PI waar ik was. Buford was me in elkaar aan het slaan toen hij er aankwam. Deze vrouw heeft me het leven gered.'

'Echt waar?' vroeg Nat verrast. Zo had ze het nog niet bekeken. Ze had er nog helemaal geen tijd voor gehad om erover na te denken. 'Jij werd bijna gedood toen je mijn leven wilde redden. We staan dus quitte.'

'Mevrouw Greco, we willen graag verder.' Trooper Milroy schraapte geïrriteerd zijn keel.

'U bent al klaar!' zei Angus, maar Nat knikte geruststellend naar hem. Ze wist wat ze moest doen.

'Vraagt u maar, trooper Milroy. Ik wil dit graag achter de rug hebben.'

'Goed, wat gebeurde er nadat u de PI had gesproken?'

'Ik vertelde hem waar Angus was en hij rende ernaartoe. Toen zag ik in die kamer een gevangene en een PI op de grond liggen. Het zag er allemaal erg bloederig uit.'

'In welke kamer?' vroeg de trooper met gebogen hoofd terwijl hij druk zat te schrijven. Door de brede rand van zijn hoed waren zijn gelaatstrekken niet te onderscheiden.

'Geen idee. Ik keek gewoon welke deur niet afgesloten was. En toen zag ik dat de PI nog niet overleden was. Ik kan reanimeren, dus wilde ik hem redden, maar dat is niet gelukt.'

'Hebt u hem willen reanimeren?' vroeg de politieman.

Angus keek haar verbaasd aan. 'Echt waar, Natalie? Wat goed.'

'Niet echt dus. Het is niet gelukt. Ik heb mijn sjaal gebruikt om het bloeden te stelpen, maar dat lukte ook niet. Niets lukte eigenlijk.' Ik had ook niets voor hem kunnen doen. 'Daarna ging ik weg om te zien of met Angus alles in orde was. We hoorden een explosie, maar de PI leidde ons naar buiten. En dat was mijn verklaring.' Nat wilde een slok water nemen uit de fles, maar die was al leeg. Ze was niet zo'n goede leugenaar en Milroy keek haar aandachtig aan.

'Dat was het?'

'Ja,' zei Nat resoluut, en de trooper knikte en sloeg zijn opschrijfboekje dicht.

De motor van de Kever bromde en de banden raasden over het bevroren asfalt. Nat en Angus reden zonder veel te zeggen terug. Ze wilde Angus niet vertellen wat Ron Saunders had gezegd voordat hij was overleden, want het ging ook hem niets aan. Ze keek naar de bomen en de paarden waar ze langs reden. Het leek ongelooflijk dat zoveel moois maar acht kilometer van een bloedbad kon bestaan. Ze kon het nooit aan iemand uitleggen die het niet zelf had meegemaakt, en al helemaal niet aan Hank. Ze besefte met een schok dat hij niet eens wist waar ze was. Hij was die dag de stad uit, naar een bouwplaats, samen met Paul. Ze pakte haar gsm uit haar handtas.

'Vind je het erg als ik even iemand bel?' vroeg ze, en Angus schudde zijn hoofd.

'Nee hoor. Doe hem maar de groeten.'

Nat glimlachte en toetste Hanks 06-nummer in, maar ze kreeg zijn voicemail, dus zei ze: 'Met mij. Bel me zo snel mogelijk, op mijn mobieltje. Maak je geen zorgen, het gaat verder goed.' Ze klapte de telefoon dicht.

'Heel goed. Je kunt het beter niet over misdaden hebben op de voicemail.'

Nat glimlachte scheef. 'Inderdaad.'

'Nu maar hopen dat we niet bij het journaal komen. Ik heb geen interview gegeven en niemand heeft iets over jou gevraagd.' Angus schudde zijn hoofd. 'Ik vind het heel erg dat dit is gebeurd.'

'Laat maar. Gelukkig ben ik geen studente.'

'Het blijft verschrikkelijk. Ik bedenk nog wel iets om het goed te maken, maar voorlopig moet je eerst naar huis. Je wilt toch niet naar de universiteit?'

'Nee. Ik wil gewoon lekker in bad en met mijn neus in een groot dik boek.'

'Lees jij in bad?' Angus glimlachte. 'Mijn zus doet dat ook.'

'Waarom niet? Het is heerlijk. Al mijn lievelingsboeken hebben bobbelige bladzijden. Een dag als vandaag vráágt om een geschiedenisroman. Met vrouwen in ruches en geroddel bij de thee.'

'Goed, zeg maar waar je woont en dan lever ik je bij je bad af.'

'Fijn.'

'Wonen jullie samen?'

'Zo goed als.'

'Hoe heet je vriend trouwens?'

Nat zei hoe hij heette, maar de hele tijd moest ze aan een andere naam denken.

Ron Saunders.

9

NAT DEED DE DEUR van haar appartement achter zich dicht en liep de gezellige woonkamer in. Ze was nog nooit zo blij geweest om weer thuis te zijn, en dat terwijl ze een echte huismus was. Ze keek tevreden naar haar beige bank vol kussens en bijpassende stoelen, die mooi uitkwamen op een vierkant sisalkleed. Diffuus licht viel naar binnen door het raam met uitzicht op de rivier de Schuylkill. Overal in de kamer stonden boekenkasten, als literair isolatiemateriaal. Een stapel romans lag op een houten tafel – haar stapeltje boeken die ze het liefst wilde lezen – en aan de andere kant van de tafel lag het stapeltje dat ze daarna het liefst wilde lezen. Er had al zo vaak een mok naast de stapel gestaan dat er vaag een kring op het onderzettertje te zien was.

Ze liet haar tas bij de deur vallen, schopte haar schoenen uit en liep door de gang naar de betegelde badkamer, die groot genoeg was voor een klein bad, een toilet, een wastafel en twee stapels boeken die ze kon lezen als er niets anders voorhanden was. De ene stapel lag op de richel boven het toilet, en de andere op de grond naast het bad. Dat waren hoofdzakelijk pockets, want die bleven drijven.

Ze draaide de kraan van het bad open en trok het jack van Tanisa uit. Dat moest ze nog aan haar teruggeven, bedacht ze, en ze deed haar best niet aan bloed of de woorden van de stervende man te denken. Ze deed haar kapotte blouse en beha uit zonder erbij stil te staan waarom ze gescheurd waren, trok haar broek en slipje uit, en keek naar de stapel boeken naast het bad. Josephine Tey, Wilkie Collins, Dorothy Sayers. Allemaal bekend, maar Nat wilde iets opwekkenders. Ze pakte net de nieuwste Janet Evanovich, toen ze zichzelf in de spiegel zag en het boek liet vallen. Haar borsten en buik zaten onder de schrammen. De krabben waren opgezet en ze had overal blauwe plekken.

Bufords nagels. Zijn handen. Op mij.

Nat pakte de zeep en een wit washandje en waste haar borst. Het water was koud, maar ze wilde er niet op wachten tot het warm was. De schrammen schrijnden en ze wreef harder, overal waar hij haar had aangeraakt; het koude water was als een medicijn. Ze bleef zich wassen, totdat haar borst zo rood was geworden dat ze de krabben niet meer kon zien; toen pakte ze een zachte witte handdoek en depte haar borst droog, de aanblik erachter verbergend, zelfs voor zichzelf.

Nat had een bubbelbad en twee lange hoofdstukken nodig om weer bij te komen. Ze waste vanwege de bult achter op haar hoofd, en omdat ze inmiddels weer hoofdpijn had, voorzichtig haar haar. Daarna deed ze wat jodium op de gemeenste schrammen en trok ze een zacht wit T-shirt, een blauwe kasjmier trui en een spijkerbroek aan. Toen ging ze naar haar werkkamer.

De kamer stond vol met boeken, een kostbare collectie detectives, eerste drukken, met natuurlijk haar Erle Stanley Gardner. Nat was gek op verzamelen, was dol op met potlood neergekrabbelde prijsjes op het voorblad en af en toe een stempel. Ze liep boekenveilingen af en vond het prachtig als ze iets op de kop kon tikken uit de tijd dat de bibliotheek nog een kaartsysteem hanteerde. Ze keek trots naar de rij verschoten Nancy Drew-boeken. Ze zou nu eens zelf wat speurwerk gaan uitvoeren. Ze ging aan de computer zitten en logde in op whitepages.com, klikte Pennsylvania aan en tikte 'Ron Saunders' in.

In grote blauwe letters werd aangegeven dat er twaalf hits waren. Ze bekeek ze. Een paar adressen kwamen niet in aanmerking omdat ze te ver weg waren. Twee woonden in stadjes waar ze nog nooit van had gehoord, maar eentje woonde in Pocopson, aan Roselawn Lane 523. Ze wist nog dat ze het bordje voor Pocopson had gezien toen ze onderweg waren geweest naar de gevangenis. Dit was waarschijnlijk het adres van de PI. Er stond ook een telefoonnummer bij vermeld.

Nat bekeek de informatie en zag voor zich wat daar op dat moment gebeurde. Saunders had een vrouw gehad, misschien ook kinderen. Familie en vrienden zouden langsgaan om te rouwen. Het huis zou vol verdriet zijn. Ze moest een boodschap overbrengen, en als troost kon ze alleen maar uitleggen waarom ze de man niet had kunnen redden. Ze keek naar de telefoon naast de computer, en pakte toen de hoorn op.

Maak het niet mooier dan het is.

Ze legde de hoorn weer neer.

'Liefje? Is alles in orde met je?' Hank kwam naar binnen rennen, zijn lange jas wapperde achter hem aan, en Paul kwam er pal achteraan. Hij had haar aan het einde van de middag teruggebeld, en ze had hem alles verteld over de opstand, dus had hij een zakendiner afgezegd en was hij meteen naar huis gegaan. Hij hief zijn armen toen hij haar zag. 'Een gevangenisoproer?'

'Hé, schatje.' Nat legde haar boek neer, stond op van de bank, en kwam hem halverwege de zitkamer tegemoet. Hij sloeg zijn armen om haar heen en drukte haar tegen zijn borst. Zijn wollen jas voelde vertrouwd kriebelig aan en was nog koud van buiten. Ze voelde zich veilig in zijn armen en ademde de buitenlucht, vermengd met sigarenrook, in.

'Wat deed je daar in de gevangenis? Was je daar nou echt?'

'Ik gaf daar les, en toen brak er een opstand uit.'

'BEDOEL JE DIE GEVANGENISOPSTAND UIT HET NIEUWS?' Paul zette zijn handen in zijn zij, waardoor zijn camel jas open ging staan. Hij had een Italiaans pak aan, met een zijden stropdas met een werkje, en hij zag er hevig verontwaardigd uit.

'Sinds wanneer geef jij les in de gevangenis?' Hank hield haar een beetje van zich af en zag tot zijn schrik de wond op haar wang. Ze had het verband eraf gehaald, zoals haar was aangeraden, zodat er lucht bij kon komen. 'Liefje, wie heeft je geslagen? Een van die misdadigers?'

'Het is een heel verhaal.' Nat wilde het hem niet vertellen waar haar broer bij was. Ze liet hem los en stopte haar haar achter haar oor, zodat het niet aan het jodium zou blijven plakken. 'Ik wilde je gisteravond vertellen dat ik er naartoe zou gaan, maar ik kreeg de kans niet.'

'WIE HEEFT JE NAAR DE GEVANGENIS GESTUURD, NAT? ZIJN ZE GEK GEWORDEN?'

'Het is onderdeel van het Praktijklessenprogramma. Ik ben er samen met de leider daarvan naartoe gegaan, en kun je alsjeblieft wat zachter praten?'

'IK BEN VERKOUDEN. MIJN OREN ZITTEN DICHT.'

'Je praat altijd erg hard, Paul.'

'ZO BEN IK NU EENMAAL. WAT IS EEN PRAKTIJKLES-SENPROGRAMMA? IS DAT IETS VOOR KNEUSJES?'

Nat gaf het maar op. 'Het bestaat uit lessen buiten de universiteit en wordt geleid door mijn collega Angus Holt.'

'EN WAAR WAS DIE VENT VERDOMME TOEN MIJN ZUS EEN BLAUW OOG WERD GESTOMPT? IK SLA HEM HELE-MAAL IN ELKAAR! EN WIE HEET ER NOU ANGUS?'

Nats hoofd deed weer pijn. Ze had al geweten dat het zo zou gaan toen ze Paul had zien binnenkomen met Hank. Haar broers waren altijd erg beschermend naar haar toe geweest, en vonden duidelijk dat alleen zij het recht hadden haar in elkaar te timmeren.

Hank streek zachtjes over haar haar. 'Waar waren de bewakers, schatje?'

Die waren er niet? 'Ze waren bezig. Het was niemands schuld.'

'NATUURLIJK WEL!' Paul zwaaide met zijn vinger. 'HET IS DE

SCHULD VAN DIE VENT VAN HET PRAKTIJKLESSENPRO-
GRAMMA OF VAN DEGENE DIE DE BAAS IS VAN DE GE-
VANGENIS. WE ZOUDEN DE UNIVERSITEIT MOETEN
AANKLAGEN!'

Nat kreeg de neiging haar ogen ten hemel te slaan. 'Ja, goed plan als
ik mijn vaste aanstelling nog niet heb.'

'ZE VERDIENEN JE HELEMAAL NIET ALS ZE JE DAAR-
NAARTOE STUREN. ZO WERKT HET NIET.' Paul pakte zijn gsm
en Nat wist wat hij wilde doen.

'Ga nou niet pap bellen.'

'WAAROM NIET?' Paul drukte een sneltoets in. 'HIJ KAN ER
EEN ADVOCAAT BIJ HALEN.'

'Dat kan ik zelf wel, en ik ben helemaal niet van plan om iemand aan
te klagen. Hang nou maar op, Paul.'

'TE LAAT. HIJ IS AL HELEMAAL OVER DE ROOIE. JE
MOET NAAR HUIS GAAN.'

'Ik ben thuis. Ik woon nu hier, al sinds ik volwassen ben.'

'Schatje, praat nu maar even met je ouders,' zei Hank, die zijn hand
op haar schouder legde. 'Ze zijn bezorgd. Ik heb ze gesproken net voordat ik je terugbelde.'

'Heb jij het hun verteld?' riep Nat boos uit. Ze had uitgekeken naar
een rustig etentje thuis en een goed gesprek, maar dat kon ze nu wel
vergeten. 'Ik heb hén niet gebeld, ik heb jóú gebeld. Waarom bel jij ze
dan voordat ik dat doe?'

'Doe niet zo gek.' Hank drukte de gsm in haar hand. 'Praat nou maar
met hem. Het duurt maar heel even.'

'ZEG MAAR DAT ALLES MET JE IN ORDE IS. HIJ MAAKT
ZICH ZORGEN. HIJ HOUDT VAN JE.'

'Ik heb hem gezegd dat we hem zouden bellen als we bij jou waren.'
Hank keek haar verontschuldigend aan, maar Nat was weer helemaal
van slag. Ze moest weer een bubbelbad nemen om bij te komen van zoveel liefde en bezorgdheid.

'Pap?' zei ze in de telefoon.

'Wat is er verdomme allemaal gebeurd?' Haar vader vroeg hetzelfde
als Paul had gedaan, of misschien was het wel andersom. 'Ik hoorde dat
er een opstand in de gevangenis is geweest. Was jij daarbij? En wat deed
jij daar eigenlijk?'

'Er is niets aan de hand. Ik heb alleen maar een snee in mijn wang.'

'Een snéé! Hoeveel hechtingen zitten erin? Je hebt toch hopelijk wel
een goede plastisch chirurg?'

'Het hoeft niet gehecht te worden.'

'Naar welk ziekenhuis hebben ze je gebracht? Hopelijk niet naar een van die slachthuizen in Philadelphia. Die kunnen alleen schotwonden behandelen.'

'Ik ben niet naar een ziekenhuis toe gegaan. Het hoefde niet gehecht te worden. Het is maar een ondiepe snee.'

'In je gezicht is geen enkele snee ondiep. Je wilt er geen litteken aan overhouden. Je bent geen jongen, hoor.'

Doe me een lol. 'Pap, het laat geen litteken achter.'

'Ik bel je moeders huidarts wel even, dokter Steingard, van de club. Zij is de beste. Als je nu weggaat, zit je over een uurtje in haar spreekkamer. Het is in Paoli aan Lancaster Avenue, in hetzelfde gebouw als waarin de tandarts zit. Wij zijn daar dan ook.'

'Pap, ik ben helemaal in orde. Je hoeft de dokter niet te bellen.'

'Je moeder maakt zich vreselijk zorgen, over jou en over Paul. Ga naar de dokter, dan kan ze vanavond tenminste slapen. We zien je daar wel, daarna gaan jij en Hank met ons mee naar huis en eten hier.'

'Pap, hoor eens, ik moet ophangen. Ik hoef niet naar de dokter. Ik hou van jullie.' Nat gaf de gsm weer aan haar broer. 'Ik ga er echt niet naartoe.'

Paul zei in de gsm: 'MAAK JE GEEN ZORGEN, PAP. WIJ KRIJGEN HAAR ER WEL HEEN. TOT STRAKS.'

'Waarom zei je dat nou?' riep Nat woedend uit. 'Ik ga echt niet!'

'VIND JE OOK NIET DAT ZE MOET GAAN?' Paul keek Hank aan, die zich naar Nat toe draaide.

'Liefje, het kan toch geen kwaad? Dan kijkt er een specialist even naar. Als je niet gehecht hoeft te worden, dan zal ze dat ook niet doen.'

'Het gaat niet om de hechtingen.' Nat ontplofte bijna. 'Het gaat erom dat er niets met me aan de hand is.'

'ZE ZIJN AL ONDERWEG. EN DE DOKTER OOK. JE KUNT TOCH NIET ZOMAAR WEGBLIJVEN?'

'Schatje?' zei Hank terwijl hij zijn hoofd schuin hield. 'Doe het dan voor je ouders. Je kunt toch maar beter het zekere voor het onzekere nemen?'

'ZEG DAT WEL,' zei Paul.

Nat zuchtte in stilte. Ze vond het soms erg prettig dat Hank zo goed met haar familie kon opschieten, maar soms vond ze het verschrikkelijk. De keren dat ze bij een gevangenisopstand betrokken was, bijvoorbeeld.

'Nou, goed dan,' zei ze, en ze ging haar jas halen.

Na de Greco Show waren ze rond middernacht weer terug in haar appartement, vol van al het eten en doodop. Hank was meteen naar bed gegaan, en Nat bleef een beetje dralen in de badkamer. Ze wilde een tijdje alleen zijn. De spotjes waren aan in de kleine ruimte en ze bekeek de beruchte snee in de spiegel. Die zag er net zo uit als vier uur geleden, zelfs nadat de beste plastisch chirurg in de regio Main Line eraan had gezeten. De dokter had uiteindelijk gevonden dat het niet gehecht hoefde te worden en had er wat jodium op gedaan.

Nat liep zich op te vreten. Ze pakte de elektrische tandenborstel die ze met kerst van Hank had gekregen en drukte op het groene knopje om de borstel aan te zetten, die zoemend aan het werk ging. Ze poetste haar tanden, terwijl ze met heimwee terugdacht aan haar oude gewone tandenborstel. Na al die Greco-herrie kon ze wel wat rust gebruiken.

Tijdens de maaltijd had ze hun een verkorte versie van de gebeurtenissen in de gevangenis willen geven, maar al na een paar zinnen had haar familie niet meer geluisterd. Ze had een aanklacht kunnen tegenhouden tegen de universiteit, de gevangenis en twee Congresleden, al wisten ze nog niet zeker welke twee. Ze zette de tandenborstel uit en plaatste hem weer op zijn standaard, waar al een korst Colgate op zat. Ze kon het niet nog langer uitstellen. Ze deed haar kasjmier trui en haar T-shirt uit, tot ze alleen haar witte kanten beha nog aanhad, en bekeek zichzelf in de spiegel.

Het was niet meer zo schokkend als eerst, maar nog steeds erg. Haar borst zat onder de rode schrammen en er zaten bloedvlekjes op haar beha, over haar borst naar de tepel. Ze trok de beha uit, en deed een zachte sweater van de universiteit aan die aan een haak aan de deur hing, waarna ze de badkamer uit liep, terwijl ze nadacht over hoe ze Hank over Buford zou kunnen vertellen. Hij zou vroeg of laat haar borst zien, en ze wist niet goed hoe hij zou reageren, of hoe zij zou reageren, als ze gingen vrijen. Ze dacht niet dat ze er een trauma aan had overgehouden, maar evengoed was ze opgelucht dat zijn verjaardag inmiddels voorbij was.

Ze liep de slaapkamer in, die alleen door het lampje op Hanks nachtkastje werd verlicht. Hij lag met zijn rug naar haar toe, met een blote bast, en zijn silhouet benadrukte zijn ronde gespierde schouders, de lijn van zijn biceps en zijn torso die heel sexy uitliep in een slank middel. Hij had al heel wat vriendinnen gehad voordat zij samen iets kregen, zoveel zelfs dat Nat voelde dat haar vader enigszins verrast was toen

Hank iets met haar wilde. Ze kroop naast hem en schoof naar hem toe om hem de tenengroet te brengen.

'Schatje?' vroeg ze, maar toen hoorde ze hem zacht snurken. Ze kwam overeind en keek naar hem. Zijn ogen waren gesloten en hij ademde in het donzen kussen. Ze kon het niet over haar hart verkrijgen hem wakker te maken en ze wilde er eigenlijk liever ook niet over praten. Het was een lange dag geweest, en dat ze er graag onderuit wilde, was heel begrijpelijk. Ze ging weer op haar kant liggen, trok de dekens over zich heen en keek hoe laat het was. Zeven voor halfeen. Twaalf uur eerder had ze in een ambulance met een ziekenbroeder zitten praten.

Gek, toch?

Nat verdrong de gedachte. Het was te laat om Saunders vrouw nog te bellen.

Met een ongemakkelijk gevoel pakte ze een boek.

10

Nats haar was nog vochtig van de douche toen ze in de wachtkamer van vicerector magnificus McConnell zat, nadat ze al vroeg door hem ontboden was. Ze had een zwart met wit wollen pakje aan, zodat ze er hopelijk uitzag als iemand die al snel een vaste aanstelling zou krijgen, en een roze zijden blouse met die hoog sloot, zodat de schrammen niet te zien waren. Ze was al vroeg op haar werk geweest omdat ze toch niet had kunnen slapen: elke keer dat ze zich die avond had omgedraaid, hadden haar ribben pijn gedaan. Haar hoofd deed zeer door de buil en ze had een vleeskleurige pleister op haar wang geplakt, in de hoop dat iedereen dacht dat ze een pukkel wilde verbergen. Ze moest die dag lesgeven, en vragen beantwoorden over de gevangenisopstand vond ze daar niet echt bij horen.

Ze keek om zich heen; ze was al sinds haar eerste werkdag niet meer in deze kamer geweest. Dit gedeelte van de universiteit moest nog gerenoveerd worden, en dus zaten er aan het plafond nog steeds lelijke ovale ornamenten, als vliegende schotels. Er hingen olieverfschilderijen van voormalige rectors magnificus aan de muur en het vloerkleed was vaalblauw. Een blauwe bank stond tegen de muur, met daarnaast twee fauteuils met bijpassende blauwe bekleding. Nat zat in een van de stoelen. Tegen de muur ertegenover stonden twee zwarte bureaus, allebei verlaten. De secretaresse van de rector magnificus en die van de vicerector magnificus waren er nog niet, en McConnell liet Nat wachten terwijl hij aan de telefoon was. Ze kende dit soort machtsspelletjes van toen ze nog bij Morgan Lewis werkte. Daar was ze weggegaan omdat ze niet tegen het gedoe van rechtsgedingen kon en ook niet tegen de machtsspelletjes op zo'n groot kantoor.

'Goedemorgen, Natalie,' zei Angus achter haar, en toen ze zich omdraaide, voelde ze aan de pijn in haar ribben dat ze dat maar beter niet kon doen.

'Au.'

'Dat heb ik wel gehoord, hoor.' Angus liep langs haar stoel en plofte neer op de bank, vlak naast Nat. Zijn blauwe ogen straalden, ook al was het ene dik, en de zwarte hechtingen konden zijn grijns niet in bedwang houden. 'Hoe gaat het?'

'Heel slecht.'

'Wat erg.' Zijn grijns verdween. 'Dat vind ik echt erg.'

'Hou maar op. Hoe gaat het met jou?'

'Hetzelfde.' Zijn verband was ververst en de blauwe plek op zijn juk-been was inmiddels donkerrood. Ze vroeg zich af hoe hij de trui over zijn hoofd had gekregen, een grof gebreide Ecuadoriaanse trui van grij-ze wol, die hij droeg op een spijkerbroek en nieuwe cowboylaarzen met puntige neus. Zou hij bloed hebben gekregen op zijn Frye-laarzen? Ze vroeg het hem maar niet. Hij boog zich naar haar toe. 'Dus McConnell heeft jou ook gebeld?'

'Hij zei dat ik meteen langs moest komen.'

'Tegen mij zei hij "onmiddellijk". Waar is die vent eigenlijk?' Angus keek om de open deur van McConnells kantoor en zag hem telefone-ren. 'Wat is hij aan het doen? Nietjes bestellen?'

'Wij worden op het matje geroepen.'

'Dat weet ik. Maar nu hij denkt dat hij de doge van Venetië is, is hij vast helemaal onuitstaanbaar.' Angus grinnikte. 'Ik heb je gisteravond nog gebeld, maar je was er niet.'

'Ik heb geen bericht ontvangen.'

'Ik heb ook niets ingesproken. Dacht niet dat meneer Greco daar blij mee zou zijn.'

Nat glimlachte weer. 'Je had het gerust kunnen doen. Hij is totaal niet jaloers.'

'Heel verstandig van hem.' Angus stopte een lok blond haar terug in zijn paardenstaart. 'Ik wist niet dat je er al zo vroeg zou zijn, anders had ik je vanochtend hier gebeld. Ik maakte me zorgen over je. Het was een afschuwelijke dag gisteren.'

'Ik voel me prima.'

'Echt waar?' Hij fronste zijn wenkbrauwen.

'Ja, joh, laat nou maar.'

'Ik heb trouwens de lessen in de gevangenis opgeschort.' Hij keek grimmig. 'Niemand van mijn studenten gaat daarnaartoe totdat ik weet wat er is gebeurd en waarom Buford en Donnell bij mij in de klas za-ten. Ik wil weten hoe ze toestemming hebben kunnen krijgen. Dat is heel vreemd, want –'

'Angus? Nat?' McConnell stond opeens op de drempel en hij gebaar-de dat ze binnen konden komen, dus stonden ze op en liepen achter hem aan. Voor zijn bureau stonden twee met leer beklede stoelen en hij wees ernaar: 'Ga toch zitten.'

'Graag, Jim.' Angus liet Nat eerst plaatsnemen en ging toen zelf pas zitten. Ze keek om zich heen en zag dat er niets was veranderd sinds ze hier vier jaar geleden haar sollicitatiegesprek had gehad, of waarschijnlijk zelfs sinds 1795. Aan de muur hingen prenten van de vossenjacht en de fauteuils waren allemaal bekleed met oud leer en matte bronzen nagels. Een lamp met een zwarte kap had een voet in de vorm van een kleine bronzen tuba en de tafels waren van walnoothout. Juridische losbladigen en wetboeken stonden op de boekenplanken en op McConnells grote notenhouten bureau lagen stapels papieren, brieven en zelfs een paar in leer gebonden boeken, waardoor zijn zwarte laptop er zeer misplaatst uitzag.

'Fijn dat jullie er zijn.' McConnell ging aan zijn bureau zitten. 'Omdat Sam er niet is, zal ik de zaak behandelen.'

Is het hoofd er niet?

'Zoals jullie misschien weten, is hij op vakantie. Hij is verleden week vertrokken.'

Dat wist ik wel.

Angus zei: 'Er valt niet veel te behandelen, Jim. Ik ben volledig verantwoordelijk voor wat er in de gevangenis is gebeurd, en ik heb mijn lessen daar al opgeschort, in afwachting van een onderzoek. Ik vind het heel erg dat Nat gewond is geraakt en ook dat de universiteit nu misschien negatief in de belangstelling staat.'

McConnell knikte. 'Dat komt wel. Wat is er eigenlijk precies gebeurd?'

Angus gaf hem een verslag, en Nat bleef rustig terwijl hij een korte versie gaf van de aanval, de opstand, en wat er daarna was gebeurd. Toen hij klaar was, zag McConnell er bezorgd uit. Hij klopte peinzend op zijn blauw met groene universiteitsdas en streek toen door zijn grijze haar.

'Dit is een zeer ernstige zaak.'

'Dat klopt, maar het is voorbij.' Angus gebaarde naar Nat. 'Zij heeft het het ergst voor haar kiezen gekregen, en ze heeft wat tijd nodig om ervan bij te komen, zowel fysiek als emotioneel. Je zou haar een week vrijaf moeten geven.'

Nat kwam tussenbeide. 'Dat is helemaal niet nodig, maar bedankt.' Ik heb een maand vrijaf nodig.

McConnell keek haar aan en glimlachte vriendelijk. 'Dat was me nogal wat, wat je hebt meegemaakt. Voorlopig laat je je Shakespeareopvoeringen zeker wel even achterwege?'

'Nee.' Nat glimlachte moedig om te tonen dat ze uit het juiste hout gesneden was om professor te zijn.

'Ik ben dol op Shakespeare en je had helemaal gelijk toen je het verschil tussen recht en gerechtigheid benadrukte.' McConnell was even stil. 'Maar je snapt hopelijk wel dat we niet door kunnen gaan met het college als er zo weinig animo voor is.'

Mijn kindje! 'Maar ik heb het zelf bedacht, en ik geef het als aanvulling op mijn andere lessen.' Gratis dus.

'Dat weet ik. Maar als je tijd over hebt, kun je wel wat anders voor de universiteit doen.' McConnell tuurde door zijn bifocale bril met schildpadmontuur naar een paar vellen papier op zijn bureau. 'Scott neemt een sabbatical om zijn boek af te maken, en we hebben iemand nodig om les te geven in taxaties. Daarmee kun je je veelzijdigheid bewijzen als geleerde en als docent rechten.'

Ik heb nog liever verkering met Kyle Buford. 'Ik zou het graag doen, in combinatie met het seminar.'

'Dat was niet echt de bedoeling, maar daar hebben we het nog wel over.' McConnell draaide zich naar Angus. 'Waar waren we gebleven? De opstand in de gevangenis was een direct gevolg van jouw Praktijklessenprogramma. Hoeveel van dat soort programma's hebben we eigenlijk?'

'Zes inmiddels. We geven les in burgerlijk recht, ondernemingsrecht, bemiddeling, voogdijzaken, zakenrecht en straf- en strafprocesrecht.'

'Burgerlijk recht is het best bezocht, nietwaar?'

Angus knikte trots. 'Ja, onze studenten geven advies aan arme mensen met betrekking tot huisvesting, bijstand bij invaliditeit, gezondheidswetten, onderwijs, voogdijzaken en consumentenwetten.'

'Alleen in de gevangenis van Chester County is er bij zo'n programma iets voorgevallen, toch?'

'Ja, dat klopt.'

'Goed.' McConnell schraapte zijn keel. 'Nog afgezien van de verwondingen die jullie twee hebben opgelopen, maak ik me uiteraard ook zorgen over de schade aan de universiteit. De reputatie en negatieve publiciteit.'

'Publiciteit?' herhaalde Angus, maar Nat wist wat McConnell daarmee bedoelde, want zij had daar bij Morgan Lewis het een en ander over opgestoken.

Zelfs een advocaat had wel eens een advocaat nodig.

McConnell zei: 'Ik had vanmorgen diverse ingesproken berichten van een paar ouders van studenten van die Praktijklessenprogramma's die in het verleden ook naar de gevangenis zijn geweest. Ze maken zich zorgen, en dat is begrijpelijk, dat hun zoon of dochter aan gevaar blootgesteld is geweest, of misschien zal worden. Ik heb hen ervan verzekerd dat het programma in de gevangenis is vervallen.'

Angus zag er verslagen uit, zijn mond hing een beetje open. 'Ik heb het programma tijdelijk opgeschort. Ik wil het niet laten vervallen.'

'De ouders willen dat nu eenmaal.'

'Die geven geen les.'

'Als je daar een student naartoe stuurt en hij raakt gewond, dan kan de universiteit aangeklaagd worden wegens ingebrekestelling.'

'Ik heb al maatregelen genomen om de studenten te beschermen, en ik geef ook om hen, hoor.' Angus schoof naar voren in zijn stoel, zijn hoofd was knalrood. 'Het Praktijklessenprogramma is tijdelijk opgeschort.'

'Dat is helaas niet aan jou.'

'En ook niet aan jou,' pareerde Angus. 'Ik neem het wel met Sam op.'

'Hij is niet te bereiken.'

'Ik heb zijn gsm-nummer.'

'Je gaat je gang maar. Hij is met Carolyn en de kinderen in Kenya op safari. Tijdens zijn afwezigheid maak ik de dienst uit.'

'Jim, dit is belachelijk!' riep Angus, en Nat was bang dat zijn hechtingen zouden scheuren. 'Er is nog nooit iets in de gevangenis gebeurd, en onze beste studenten zijn daarnaartoe geweest, die geven de gevangenen al acht jaar advies.'

'Dat is goed voor de gevangenis, maar niet voor ons.'

'Natuurlijk wel. Die studenten hebben zo meer over verdedigen geleerd dan in een leslokaal. Zij vertegenwoordigen echte gevangenen en echte zaken. Zij stellen alle beroepen op, zoeken de deskundigen erbij. Dat is een waardevolle ervaring.'

'Dat kunnen ze ook hier leren, Angus.' McConnell keek naar zijn vingers. 'Ik kan de ouders niet zomaar laten praten. En daarom zal ik voortaan alle Praktijklessenprogramma's regelen en jij hoeft je daar niet meer mee te bemoeien.'

'Ben ik ontslagen?' riep Angus woedend uit terwijl hij overeind sprong.

'Hè?' vroeg Nat verbijsterd.

'Doe niet zo emotioneel, Angus.' McConnell bleef rustig. Hij keek hem door zijn bril aan, zonder met zijn ogen te knipperen. 'Je bent niet ontslagen. Je geeft nog steeds gewoon les, je mag de studenten van de Praktijklessenprogramma's spreken en je kunt ze hier binnen de universiteit nog begeleiden. Ik neem alleen de Praktijklessenprogramma's buiten de universiteit over. Ik moet ervoor zorgen dat ze veilig genoeg zijn voor onze studenten.'

Nat kwam tussenbeide. 'Vicerector magnificus McConnell, Jim.' Maakt het uit. 'Angus heeft de lessen goed geregeld en als we als universiteit zo heftig op de situatie reageren, maken we het alleen maar erger.'

Angus knikte. 'Jim, je weet niet eens wat de Praktijklessenprogramma's inhouden. Hoe kun je ze dan regelen? Dit gaat niet over de lessen, het gaat om de mensen. Echte studenten die bezig zijn met rechtszaken voor echte mensen.'

'Ik weet hoe ik dingen goed moet regelen. Wat voor dingen dat ook zijn. Als je het mij vraagt, heeft dit kunnen gebeuren doordat jij maar wat deed.'

Angus zag er verslagen uit toen hij besefte dat hij had verloren. Nat had medelijden met hem. Zijn lange haar, zijn cowboylaarzen en zijn imago hadden hem de das omgedaan, en ze zag hem opeens op een andere manier. Hij had gelijk gehad toen hij zei dat hij in zijn eigen wereld leefde. De studenten mochten dan dol op hem zijn, maar McConnell vond hem maar niets, en hiermee had hij de oorlog verklaard.

'Ik neem het wel op met Sam, als hij terug is,' zei Angus die met moeite zijn woede in bedwang hield. 'Hij weet hoe belangrijk de Praktijklessenprogramma's voor de universiteit zijn. Hij heeft zelf het geld ervoor geregeld, en voor de renovatie.'

'Bedankt,' zei McConnell, maar Angus stormde de deur al uit.

Nat keek hem na, en ze voelde met hem mee. Hij had de Praktijklessenprogramma's zelf ontwikkeld en verbeterd. Het was zijn kindje, en hij was er erg goed in. Ze draaide zich naar McConnell om net op het moment dat de telefoon ging.

'Bedankt, Nat,' zei de vicerector magnificus, en hij wuifde haar weg met zijn hand voordat hij opnam.

Nat kwam stijfjes overeind en verliet hoofdschuddend het kantoor. Alleen zij kon zo naïef geweest zijn te geloven dat er op een universiteit geen politiek werd bedreven.

Omdat iedereen zoveel boeken had staan, was ze om de tuin geleid.

II

NAT ZAT ZOGENAAMD geconcentreerd in haar kleine moderne kantoortje te werken. Ze had Angus al twee keer gebeld, maar hij belde niet terug. Ze was naar hem toe gegaan na haar college, maar hij was al weg geweest. McConnell had al een e-mail verstuurd aan iedereen dat hij het toezicht op de Praktijklessenprogramma's buiten de universiteit op zich nam, waardoor iedereen wild aan het speculeren was geslagen. Collega's die Nat nog nooit hadden gesproken, hielden haar staande om de sappige details te weten te komen. Ze kwam eronderuit door te zeggen dat ze onderzoek moest doen voor haar artikel en legde om dat te bewijzen haar bureau vol met aantekeningen en zette een beker vol met donuts naast haar laptop, die in diepe winterslaap was. Met andere woorden, ze had amper iets uitgevoerd.

Ze keek op haar bureauklokje: 12.05 uur. Ze had het telefoonnummer van mevrouw Saunders bij zich, maar ze had nog niet genoeg moed verzameld om haar te bellen, hoewel ze om 10.23 uur bijna zover was en wederom om 10.43 uur. Ze had er met Hank over willen praten, maar die was al vroeg weggegaan. Ze wist niet goed of ze wel moest bellen. Ze had het gevoel dat het haast had, al sloeg dat nergens op.

Haar blik dwaalde over de houten stoelen voor haar bureau, en toen naar de lichteiken boekenkasten, die vol stonden met wetboeken, casussen en juridische boeken. Llewellyns *Bramble Bush*, Holmes' *The Common Law*, Breyers *Active Liberty*. Hoewel de aanblik van de boeken haar normaal gesproken troostte, lukte het dit keer niet en bleef ze maar denken aan mevrouw Saunders, Angus en de dag ervoor. Er had geen journalist gebeld, waar ze erg blij om was. Maar toch. Ze startte de computer op en meldde zich aan op philly.com. Ze moest een tijd zoeken voordat ze iets vond: 'Ordeverstoring snel neergeslagen in de gevangenis van Chester County.'

Nat moest bijna lachen. Wat had Angus ook alweer gezegd? Er wordt al met de feiten gesjoemeld. Ze klikte op de link en het verhaal kwam op haar scherm, een alinea lang:

Een ordeverstoring in de gevangenis van Chester County is gisteren binnen zestien minuten de kop ingedrukt, helaas nadat een penitentiair inrichtingswerker en drie gevangenen om het leven waren gekomen. De ordeverstoring begon in de RA, de rehabilitatieafdeling, met een matras die in brand was gestoken, maar werd onderdrukt door het gebruik van 'stingers', waarmee rubberen kogels worden afgeschoten die niet dodelijk zijn. De slachtoffers zijn penitentiair inrichtingswerker Ron Saunders (38) uit Pocopson, en de gevangenen Simon Upchurch (34) uit Chester, Herman Ramirez (37), en Jorge Orega (32), allebei uit Avondale. Het incident wordt onderzocht.

Nat fronste haar wenkbrauwen. Het artikel wekte de indruk dat alle doden in de RA waren gevallen, wat niet klopte, en dat Saunders gedood was in het strijdgewoel, terwijl hij heel ergens anders was vermoord. Maakte dat uit? Ze las het artikel opnieuw door en zag een link waar ze op klikte. 'Het grote voorbeeld van een penitentiair inrichtingswerker', stond er op haar scherm te lezen. Het was een verwijzing naar Saunders. Ze nam een slokje koude koffie en las het artikel.

Ron Saunders stierf zoals hij geleefd had: in dienst van anderen. Toen een paar gevangenen een brandje stichtten in de RA, de rehabilitatieafdeling waar gewelddadige gevangenen zijn ondergebracht, reageerde Saunders als eerste op de melding. Dat hij anderen wilde helpen, werd zijn dood, zelfs in een kleine ordeverstoring. Saunders was al elf jaar penitentiair inrichtingswerker, en werkte ook als vrijwillige brandweerman in Pocopson en was bij de inwoners van het stadje bekend vanwege zijn inzet. Hij laat een vrouw, Barbara, en drie kinderen, Timothy, John en James, achter. Er zal een herdenkingsdienst voor vrienden en bekenden worden gehouden, en de familie heeft verzocht in plaats van bloemen te geven, donaties te doen aan de Boys' and Girls' Clubs in West Chester.

Ook dit begreep Nat niet. Zo kwam het over alsof Saunders in de RA was gedood. Ze schudde haar hoofd, dat weer pijn deed. Saunders' vrouw heette Barbara en hij had drie kinderen. Nat kon het niet langer meer uitstellen. Ze pakte het velletje papier waar het telefoonnummer op stond, en toetste het nummer in. Haar hart bonkte en ze hoorde een harde klik toen de verbinding tot stand kwam.

'Ja?' vroeg een zo te horen oudere vrouw.

'Hallo, u spreekt met Nat Greco. Ik hoop dat ik niet stoor, maar is dit het nummer van Ron Saunders, de penitentiair inrichtingswerker?'

'Dat klopt.'

'Van harte gecondoleerd. Mag ik u vragen of mevrouw Saunders thuis is?'

'Ze kan niet aan de telefoon komen. Ik ben haar moeder. U bent toch niet van de krant?'

'Nee, nee, helemaal niet. Ik geef rechtscolleges. Ik was in de gevangenis aanwezig toen de rellen uitbraken.' Nat slikte moeizaam. 'Ik was bij meneer Saunders toen hij... toen hij...'

'O, was u dat?' zei de vrouw met gedempte stem. 'Ze hadden ons verteld dat er iemand bij hem was. Was u erbij, toen hij stierf?'

'Ik wilde hem redden.' Nat raakte weer aangeslagen. 'Het spijt me heel erg, dat het me niet is gelukt.'

'Ach, nee, liefje, dat hindert niet,' zei de oudere vrouw sussend. 'Zo bedoelde ik het niet. Barbara, mijn dochter, was zo blij dat Ron niet alleen was toen hij overleed. En ik ook.'

Nat werd wat rustiger. 'Ik wil graag een keertje met mevrouw Saunders spreken. Over de telefoon of onder vier ogen, als het haar uitkomt. Wat ze maar wil.'

'Ze wil u heel graag ontmoeten en spreken. U bent de laatste die Ron heeft gezien. Zou u hiernaartoe willen komen? Ze kan nog niet weg, en de kinderen zijn hier ook natuurlijk.'

Die arme kinderen. 'Maar natuurlijk, ik kom graag.'

'Wanneer? Ze wil u graag zo snel mogelijk spreken. We hadden het er net nog over, dat we maar hoopten dat u echt bestond en dat het niet alleen maar een gerucht was.'

'Ik kan langskomen wanneer u maar wilt. Ik kan de hele week.'

'Heel aardig van u. Vandaag dan?'

Slik.

'Het zou een hele troost zijn voor Barbara, en die kan ze goed gebruiken. Als het kan, dan graag in de loop van de middag. Hoewel u het vast erg druk hebt.'

'Nee hoor, dat valt wel mee. Ik ben in de stad, en als ik nu vertrek, kan ik er over een uurtje zijn. Ik heb het adres.'

'Tot straks dan. We zijn de hele dag thuis.'

'Dank u,' zei Nat, en ze hing op. Van uitstel komt afstel. Ze keek op internet voor de routebeschrijving en was die net aan het printen toen er werd geklopt. Ze keek op. Angus stond op de drempel van haar kantoor in een dikke trui en met een scheve grijns. Als hij van slag was door het gesprek met McConnell, dan wist hij dat goed te verbergen.

'Dus dit is je kantoor, hè?' vroeg hij, om zich heen kijkend. 'Gezellig. Leuk. Licht. Rustig.' Terwijl hij de boekenplanken bekeek, pakte Nat de routebeschrijving onopgemerkt uit de printer. Angus gebaarde naar het grote raam achter haar stoel, dat uitkeek op Sansom Street met alle trendy winkels en restaurantjes. 'Wat een hip en cool uitzicht. De White Dog is mijn lievelingsrestaurant. Scharrelprofessors is onze specialiteit.'

'Waar kijk jij op uit?' Nat besefte opeens dat ze geen idee had waar Angus' kantoor was. Ze zou echt meer buiten de deur moeten komen.

'Ik zit in de kelder, maar wel erg mooi. We hebben het zelf opgeknapt. Kom een keertje kijken.'

'Eens zien. Posters van Che Guevara, Lenin, Woodstock, vogels op een gitaar.'

'Hoe weet jij dat nou?' Angus moest lachen, maar Nat had geen zin meer in plagen. Hij moest toch best wel aangeslagen zijn.

'Gaat het?'

'Na de degradatie, bedoel je?'

'Dat was geen degradatie.'

'Ontmanning dan.'

Nat glimlachte en Angus moest ondanks alles lachen.

'Het gaat prima. Ik heb Sams gsm gebeld, maar kreeg hem niet te pakken. Alleen in het oerwoud komt hij onder geld inzamelen uit.'

Nat keek hem aan. 'Ik vind het heel erg.'

'Maakt niet uit. Sam regelt het wel. Hij weet hoe belangrijk die Praktijklessenprogramma's zijn, en ik heb ze opgezet. Alles komt in orde als hij weer terug is.' Angus haalde zijn schouders op. 'Heb je de krant gelezen?'

'Het verslag erover is bepaald niet volledig, en ook niet erg accuraat.'

'Nee, hè? Ik snap best dat ze geen paniek willen zaaien, maar dit slaat nergens op.'

'Die stomme stingers komen me m'n neus uit zo langzamerhand.'

'Zeg, heb je zin om te gaan lunchen?' vroeg Angus, maar Nat twijfelde.

'Nee, ik kan niet. Ik wilde net weggaan. Ik moet iets doen.'

'Oké.' Angus' gezicht betrok een beetje onder zijn baard. 'Een andere keer dan?'

'Ja.'

'Dit is geen versierpoging, hoor.'

'Weet ik toch.'

'Ik ben al helemaal over je heen.'

'Mooi zo.'

'Ik vond je zelfs nog geen eens zo aardig, totdat je voor me in de bres sprong bij die oen van een McConnell.'

Nat lachte en Angus' grijns verscheen weer op zijn lippen.

'Kom maar een keertje langs op mijn kantoor. Je zat er helemaal naast wat de inrichting betreft. Geen enkele Che Guevara-poster.'

'Jessica Alba dan?'

'Bingo!' Angus lachte. 'Ik loop even met je mee, oké? Ik wil een broodje falafel kopen.'

'Goed.' Nat pakte haar handtas uit de la van haar bureau, en voelde zich schuldig omdat ze hem niets over Saunders had verteld. Hij was de enige die echt kon begrijpen hoe het die dag was geweest. Maar als ze het hem vertelde, dan zou ze moeten toegeven dat ze tegen de politie had gelogen. Opeens deed ze de deur van haar kantoor dicht en gebaarde Angus dat hij op de stoel bij haar bureau moest plaatsnemen. 'Ga even zitten, wil je?'

Angus nam verbaasd plaats. 'Wil jij me soms ook ontmannen?'

'Nee, maar ik moet je wel iets vertellen. De waarheid en niets dan de waarheid.' Nat liep naar haar bureau, ging zitten en vertelde hem het hele verhaal over Saunders, die nog geleefd had toen ze bij hem kwam ondanks zijn verwondingen. Angus ging tijdens het verhaal steeds verdrietiger kijken, en Nat had er moeite mee om niet in huilen uit te barsten. 'Wat ik je niet heb verteld, is dat Saunders voordat hij overleed, nog wat tegen me heeft gezegd. Zijn laatste woorden. Het was een boodschap voor zijn vrouw. Ik wilde het niet tegen de politie zeggen. Het ging hun niet aan.'

'Snap ik,' zei Angus terwijl hij over zijn baard streek. 'Het gaat mij ook niet aan.'

Precies. 'Maar ik moet het wel aan zijn vrouw vertellen. Daar wilde ik net naartoe gaan. Naar hun huis.'

'In de buitenwijk? Dat moest je dus gaan doen?' Angus glimlachte. 'Je bent een erg slechte leugenaar, Nat. Je gedroeg je zo schuldig dat ik dacht dat je vreemdging, en ik ben niet eens je vriend.'

Nat moest lachen. Het was zo leuk met hem. De zon scheen op zijn haar en gaf het gouden accentjes die ze nog niet eerder had gezien. Hij had de dag ervoor zijn haar gewassen of hij was echt een stuk en waarschijnlijk geen drugsverslaafde. Na de vorige dag en deze ochtend, voelde ze respect voor hem.

'Ik vind het ook heel bijzonder dat je hem hebt willen reanimeren.'

'Ik had veel meer moeten doen.'

'Nee. Dat is niet eerlijk.' Angus schudde zijn hoofd. 'Dat mag je niet van jezelf verwachten. Dan vergeet je wat je wél hebt gedaan.'

'Wat dan?'

'Je was er voor hem toen hij stierf.'

Dat had zijn schoonmoeder ook gezegd aan de telefoon. 'Weet je, het is soms genoeg als je er bent. Gewoon er zijn. Niets willen doen. Niets willen regelen. Gewoon er zijn.' Angus was even stil.

'Godsamme, het lijkt wel zen.'

'Onze eigen Steven Seagal.'

'Sorry hoor, maar ik heb theologie gestudeerd. Ik was er bijna in doorgegaan.'

'Echt waar?'

'Ja, niet te geloven, hè? Maar goed, je gaat dus nu naar die mensen toe? Dat lijkt me een goed plan. Je moet het toch een keer doen. Het waren de laatste woorden van die man voordat hij overleed.'

'Klopt.'

'Wil je dat ik meega? Ik ken die omgeving beter dan jij. En ik ga er niet bij zitten als je met de weduwe gaat praten.'

'Heb je tijd dan?'

'Ik moet even een paar telefoontjes plegen, maar dat kan onderweg wel. Je zou dit niet in je eentje moeten doen, en ik ben degene die jou erbij heeft betrokken. Het is wel het minste wat ik voor je kan doen.'

Nat glimlachte geroerd. 'Ik betaal de falafel.'

12

De lucht was strakblauw en het was zo koud dat zelfs de zon afstand hield. Het huis van de familie Saunders stond als enige aan het kronkelige weggetje en was omringd door bevroren sneeuw, onderbroken door een paar donkere, kale bomen met zwaarbeladen takken. Nat zette haar rode Volvo aan de kant van de straat, achter een hele rij auto's die onder de pekel zaten. Ze draaide de sleutel om en keek naar Angus, die in de passagiersstoel zat.

'Zo te zien is er veel visite,' zei Nat ten overvloede. 'Ik vraag me af of het wel slim is om nu te gaan.'

'Die moeder wilde toch dat je vandaag kwam?' Angus glimlachte haar bemoedigend toe. 'Het lukt je wel.'

'Hartelijk dank voor het vertrouwen.' Nat pakte haar tas van de achterbank en ze stapten uit. Er was geen stoep, dus liepen ze over de straat, die net schoongeveegd was. Langs de kant lagen bergjes sneeuw die eruitzagen als hoopjes suiker. Nat hield haar camel jas dicht bij de hals; ze miste haar lekkere wollen das, die ze had achtergelaten in de gevangenis. Angus stak zijn handen in de zakken van zijn spijkerbroek, hij had alleen zijn trui en baard om hem warm te houden.

Ze liepen de straat door, hun adem vormde wolkjes en hun schoenen kraakten door de pekel en het ijs. Nat werd steeds zenuwachtiger naarmate ze dichter bij het huis kwamen, een bescheiden wit optrekje met groene kozijnen en een gele garagedeur. Op de oprit naast het huis stonden een al wat oudere Honda en een Toyota suv, en in de tuin stond een metalen schommel bedekt met sneeuw, te wachten op de zomer. Nat ging voorop terwijl ze aan de zijkant van de weg liepen. Ze hoorde mensen naarmate ze dichter bij het huis kwamen.

'Maak je geen zorgen,' zei Angus toen ze bij de witte metalen deur kwamen, en Nat klopte aan. Even later deed een jonge vrouw met rossig haar gekleed in een zwarte gebreide trui en een spijkerbroek de deur open. Ze keek eerst naar Nats gehavende gezicht en toen naar dat van Angus.

'Ik ben Nat Greco, en dit is mijn collega Angus Holt.'

'O, jeetje, natuurlijk. Aangenaam kennis te maken,' zei de vrouw ingetogen. Ze gaf hun allebei een hand. 'Jennifer Paradis. Kom erin.' Ze deed een stap opzij, hield de deur open en gebaarde dat ze binnen konden komen. 'Mijn moeder verwacht jullie al. Ze is in de keuken.'

Nat bedankte haar en ze liepen achter haar aan een gezellige gelambriseerde woonkamer in, die vol was met mensen. De mannen stonden met elkaar te praten met een plastic bekertje in de hand en de vrouwen stonden ook bij elkaar, met een papieren bordje dat bijna bezweek onder de broodjes rosbief en hamburgers en forse porties stoofschotel. Op een enorme tv werd een aflevering van *SpongeBob* vertoond met het geluid uit voor een groepje kinderen die met grote ogen zaten te kijken. Twee jonge meisjes lagen op hun buik op een bruin wollig vloerkleed druk te kleuren in een kleurboek. Nat en Angus liepen tussen de mensen door en werden van top tot teen opgenomen terwijl ze langskwamen. Angus' paardenstaart en grote blauwe plek hadden veel bekijks, maar naar Nat glimlachten de nabestaanden alsof ze haar kenden.

'Het zijn allemaal PI's,' fluisterde Angus, en Nat zag een kale man die naast de tv stond naar haar wuiven. Hij kwam naar haar toe lopen en gaf haar een hand.

'Ik heb gehoord dat u Ron hebt willen redden. Hij was een vriend van mij, en ik ben dankbaar dat u dat hebt gedaan. Wij allemaal, trouwens.'

'Graag gedaan.' Nat was verrast. Ze liepen door en kwamen bij een kleine eetkeuken waar de zalige geur van gebakken ham hing. Er stonden overal ovenschalen met troostrijk eten: gebakken aardappelen, macaroni met kaas, lasagne met spinazie, plakken rosbief, hoewel het niet echt hielp.

'Mama, ze is er,' zei Jennifer, en een oudere vrouw met een rode leesbril op, en een zwart vest en zwarte stretchbroek aan, keek op van de gootsteen waar ze net een blik anasasschijven liet uitlekken.

'O, hemel, mevrouw Greco, wacht even.' Ze zette het blikje neer en zette haar bril, die aan een koordje hing, af zodat hij op haar boezem bleef hangen. Ze droogde haar handen snel af aan een dunne theedoek en pakte Nats hand beet. 'Ik ben Clare Gracy, de moeder van Barb. Wat fijn dat u er bent, en nog bedankt voor wat u voor Ron hebt gedaan.'

'Heel graag gedaan, en gecondoleerd.' Nat stelde Angus voor terwijl een klein jongetje een ander knulletje achternazat in de keuken en schreeuwde om zijn GameBoy. Jennifer ging hen achterna.

'Mijn kleinkinderen hebben een hoop energie. We geven ze te veel te eten.' Mevrouw Gracy glimlachte en keek toen weer naar Nat en Angus. 'Lieve hemel, ze hebben jullie goed te pakken gehad.'

'Het valt wel mee.' Nat werd weer nerveus. 'Is uw dochter thuis?'

'Barb ligt boven te rusten, maar ze wil u graag spreken.'

'Als het haar te veel is, kom ik graag een andere keer langs.'

'Nee, ze ligt op u te wachten. Kom maar mee.' Mevrouw Gracy draaide zich om naar Angus en wees naar het eten. 'Ik ben zo terug en dan maak ik een broodje ham voor u klaar. Die is in honing gebakken.'

'Bedankt, maar ik heb al gegeten.' Angus knipoogde naar Nat. 'Ik wacht hier wel op je.'

Mevrouw Cracy ging haar voor de keuken uit en weer door de menigte en Nat voelde alle ogen in haar nek prikken toen ze de trap op liep naar de eerste etage. Mevrouw Gracy zei: 'Het licht is uit, want Barb heeft last van migraine als ze van streek is. Het is de tweede deur.'

'Arm mens. Wat naar voor haar.'

'Ze heeft er al van jongs af aan last van. Licht is strikt verboden. En ze mag ook geen cafeïne en chocola.' Mevrouw Gracy liep door de gang en Nat botste bijna tegen haar op toen de oudere vrouw bleef staan en een deur openduwde. 'Barb, liefje?' fluisterde ze. Over mevrouw Cracy's schouder heen zag Nat dat het buitengewoon donker in de slaapkamer was, de lichtwerende luxaflex kwam bijna helemaal tot op de vensterbank.

'Wat is er, mam?' vroeg een zwakke stem.

'Ze is er. Hoe gaat het met je?'

'Wel goed. Het is nog niet komen opzetten. Laat haar maar binnenkomen. Gaat het goed met de kinderen?'

'Ja hoor. Die GameBoy was een schot in de roos.'

'Mag ik haar spreken? Is ze hier?'

'Ze staat hier.' Mevrouw Gracy pakte Nat bij de elleboog en duwde haar naar voren.

'Hoi, Barb. Ik ben Nat Greco.' Ze liep de slaapkamer in en voelde zich een indringster.

'Kom maar binnen. Ik ben de prinses van de duisternis.' Barb Saunders ging tegen de twee kussens in het kingsize bed zitten. Ze had een wijd grijs trainingspak aan en streek met haar hand door haar korte blonde haar. 'Ga maar, mam, bedankt.'

'Wil je nog water, liefje?'

'Ik heb nog.' Barb gebaarde naar Nat. 'Kom maar. Ik doe de lamp niet aan vanwege de migraine. Ik wil nu geen aanval krijgen.'

'Ik vind het heel erg voor je.' Nat kwam de kamer binnen en bleef bij het bed staan terwijl de deur zachtjes achter haar werd dichtgedaan. De slaapkamer was eenvoudig ingericht, met een eiken ladekast tegen de linkermuur en een grote spiegel erboven. Foto's en een bruin sieraden-kistje stonden op de kast, een wit mannenoverhemd hing uit een plas-tic wasmand op het wollen kleed, en ernaast lag een speelgoedhelikop-ter. Er stond een rol toiletpapier op het bed en op het gebloemde sprei lagen overal propjes wc-papier. Nat wilde er niet bij stilstaan hoe lang Barb Saunders al aan het huilen was. Ze zei: 'Ik vind het niet prettig om je nu al lastig te vallen.'

'Nee, echt, je bent de enige die ik wil spreken. Toen ik over je hoor-de, hoopte ik al dat je me zou bellen.' Barb pakte de propjes op en klop-te op het bed. 'Wil je hier komen zitten? Mijn hoofd doet zo'n pijn dat ik niet overeind kan komen.'

'Ja, hoor. Doe maar geen moeite.' Nat ging ongemakkelijk op de rand van het bed zitten. In het schaarse licht zag ze het ronde gezicht van een knappe vrouw, met dikke ogen, die waarschijnlijk blauw waren, en een kleine wipneus die er ook enigszins gezwollen uitzag. Haar fraai ge-vormde mond was vertrokken van verdriet. 'Ik vind het heel erg, van je man.'

'Bedankt. O... hemel.' Barb reikte naar haar voorhoofd en Nat zag dat ze ineenkromp in het donker, haar voorhoofd gefronst door de pijn.

'Gaat het?'

'Wacht even. Heb je parfum op?'

'Ja.' Nat hoefde daar niet over na te denken, ze had altijd parfum op. Dit keer van Sarah Jessica Parker.

'Nee, hè?' Barb wreef weer over haar voorhoofd en ging voorzichtig liggen.

'Wat is er?'

'Dat soort luchtjes veroorzaakt bij mij migraine.'

'O, wat erg. Sorry!' Nat kwam meteen overeind en deed een paar stap-pen bij het bed vandaan. 'Dit is misschien ook niet zo'n geschikt mo-ment. Zal ik een andere keer terugkomen?'

'Maar ik wil... met je praten. Ik wil weten... hoe het is gegaan. Jij was toch bij hem? Toen het gebeurde? Ik bedoel... toen hij stierf?'

'Ja, ik was erbij.' Nat was ontdaan. Kon ze nou nooit eens iets goed doen? 'Hoor eens, ik kan maar beter een andere keer terugkomen.'

Barb kreunde zacht, door de frustratie en pijn. 'Ik heb te laat een Imi-trex genomen, en nu werkt het niet meer.'

'Dit is te veel voor je. We kunnen het beter maar niet doen nu. Ik kom een andere keer wel terug. Wanneer je maar wilt. Ik wil jou ook graag spreken.'

'Morgen wordt hij opgebaard en daarna is de begrafenis. De dag erna dan?'

'Prima.' Nat zou er de tijd voor vrijmaken. Ze zou komen. Het speelgoedhelikoptertje. De weduwe die zoveel pijn had. Saunders' overhemd in de wasmand. Het deed haar veel verdriet, en ze had de arme man niet eens gekend. Ze liep naar de deur. 'Ik kom terug. Geen enkel punt.'

'Wil je mijn moeder even halen?'

'Doe ik. Tot ziens.' Nat deed de slaapkamerdeur open en liep snel de gang op.

Ze was opgelucht, maar voelde zich tevens verslagen.

13

Nat en angus liepen moeizaam door de mensenmenigte heen naar de deur, nadat ze mevrouw Cracy hadden verteld dat Barb haar nodig had. Er waren inmiddels nog meer mensen en Nat was al bijna bij de deur toen ze een bekende zag. Ze wist niet meteen waar ze hem van kende, en toen zag ze hem opeens weer voor zich. Zijn bruine haar was in de war geweest. Hij had er bang en geschokt uitgezien. Het was de PI die de kamer uit was gekomen waarin Saunders en de gevangene waren gestorven.

Nat kwam terug in het heden. De PI was klein maar gespierd, hij had een blauw flanellen overhemd aan en een zwart vest, en stond naast de deur met een Aziatische vrouw te praten. Zijn golvende bruine haar was zo te zien met water naar achteren gekamd. Hij had kraaienpootjes, en een rode bult op zijn rechterwang, vlak bij zijn oog. Angus had hem ook gezien, want hij liep naar hem toe. De PI wilde hem een hand geven, maar Angus omhelsde hem stevig, wat de man stijfjes onderging. De mensen keken nieuwsgierig toe.

'Natalie, dit is Joe Graf.' Angus keek enthousiast om naar Nat. 'Deze man kan een ongelooflijke rechtse uitdelen. Hij sloeg Buford zo neer. Echt knock-out dus.'

Nat stelde zich voor. 'Ik moet u ook nog bedanken, meneer Graf. U hebt mij gisteren de gevangenis uit gekregen. Ik weet niet wat er gebeurd zou zijn als u er niet was geweest.'

'Ach, dat is mijn werk.' Graf glimlachte nauwelijks, zijn mond was een rechte streep, alsof hij zich schaamde voor zijn gebit. Hij draaide zich om naar de kleine Aziatische vrouw naast hem, die er bedroefd uitzag. 'Dit is mijn vrouw Jai-Wen.'

'Aangenaam kennis te maken. Wat jammer dat het op zo'n trieste dag moet zijn.' Nat gaf haar een hand en de vrouw zei met een zwaar accent gedag.

Graf schudde zijn hoofd. 'Ron is door mij daar gaan werken, weet u. We hebben daar elf jaar samen gewerkt.'

'Hij was de beste.' Jai-Wen had tranen in haar ogen. Ze droeg haar zwarte haar in een paardenstaart en had een rode jas aan, een spijkerbroek en witte sneeuwlaarzen. 'Ik kan gewoon niet geloven dat hij er niet meer is. Barb en ik maakten ons altijd zorgen dat er iets zou gebeuren met Joe en Ron, met alle mannen trouwens.'

'Zullen we even naar buiten gaan?' zei Graf opeens. 'Ik wil trouwens toch even roken.'

'Prima, ja,' zei Angus. Ze namen afscheid van Jai-Wen en liepen naar buiten. De koude lucht kwam hem tegemoet en ze deden de deur achter hen dicht. Nat liep het trapje af naar de besneeuwde stoep en Angus stak zijn handen weer in zijn zakken.

'Koud, hè?' Graf haalde een pakje Winstons en een groene Bic-aansteker uit zijn jas tevoorschijn.

'Tien graden kouder dan in de stad.' Angus schuifelde met zijn voeten.

'Dat is altijd zo.' Graf schudde een sigaret uit het pakje en stak hem op, waarna hij een scherpe rookwolk uitblies. 'Iedereen wil weten wat er gisteren is gebeurd. Veel mensen hier werken in de gevangenis. Iedereen is erbij betrokken.'

'Dat geloof ik graag,' zei Angus. 'Ik had nooit gedacht dat er een opstand zou uitbreken, of dat er zoiets zou gebeuren als met Natalie. Ik mag van geluk spreken dat je er net op tijd aankwam. Ik ben langer dan Buford, maar ik kon hem niet aan. Echt, die vent is me een partij sterk.'

'Hij doet aan gewichtheffen, daar komt het door. Hij is altijd bezig in de fitnessruimte.'

'Dat wil ik wel geloven.' Angus glimlachte niet. 'Ik wist meteen al dat het fout zat. Wat ik niet begrijp, is hoe hij in mijn klas terechtgekomen is. Donnell en hij zijn er nooit eerder bij geweest. Machik hoort me de kandidatenlijst toe te sturen, maar zij hebben er nooit op gestaan.'

'Ik zal het er met hem over hebben.' Graf nam een trek en inhaleerde diep.

Nat wilde van onderwerp veranderen. 'Joe, ik had graag meer willen doen voor Ron. Het spijt me dat dat niet is gelukt.'

'Hij was gewoon aan het werk, dat vind ik zo erg. Dat is zo oneerlijk.' Graf schudde zijn hoofd, en hoestte een rookpluim uit. 'Er had niets mogen gebeuren. We begeleidden Upchurch naar het kantoortje voor een onderhoud omdat hij betrapt was met marihuana en een aantekening had gekregen. Toen ging de sirene.'

Nat kon het zich herinneren, en rilde. De sirene. De afsluiting. Buford.

'Opeens pakt hij een metalen strip, zo eentje die in de zool van werkschoenen zit, en steekt Ron ermee in zijn borst.' Graf kneep zijn ogen tot spleetjes tegen de rook en de zon. 'Upchurch was een lastpak, maar ik had nooit gedacht dat hij iemand zou vermoorden. Vervolgens wilde hij mij neersteken, en we vochten en toen kreeg ik die strip te pakken.'

'Wat verschrikkelijk,' zei Nat ontdaan.

Graf keek naar de grond, rookte en zei niets, en Nat en Angus keken elkaar aan. Nat wilde opeens dat ze ook rookte. Dan zou het gesprek wel wat vlotter verlopen, maar het zou wel haar dood worden.

Graf schraapte zijn keel en hief eindelijk zijn hoofd op, zonder te glimlachen. 'Ik heb gehoord dat u een reanimatiepoging hebt gedaan, mevrouw Greco.'

'Zeg maar Nat. Ja, dat heb ik gedaan, maar het was al te laat.'

'Was die sjaal van jou?'

'Ja, ik wilde het bloeden ermee stelpen, maar dat lukte niet.'

'Dat heb je ook gedaan?' Graf produceerde een verdrietige glimlach. 'Waar was je in hemelsnaam mee bezig?'

Nat knipperde met haar ogen, verrast door de vijandelijkheid in zijn stem. 'Geen idee. Ik wilde het bloeden tegenhouden. Dat heb ik vroeger op kamp geleerd.'

'Op kamp?'

'Zomerkamp.' Nat wist dat dit stom overkwam, maar het was nu eenmaal zo.

'Je bent lang bij hem bezig geweest. Ik keek nog achterom, maar je was er niet. Toen ik me realiseerde waar je mee bezig was, kreeg ik weer wat hoop.' Graf liet zijn hoofd zakken, en blies weer een rookwolk uit. Nat keek toe terwijl de rook omhoogkronkelde en als een geest door de koude wind werd weggeblazen.

'Ik ben er een hele tijd mee bezig geweest. Maar het was gewoon te laat.'

'Ik dacht dat hij dood was, anders zou ik hem nooit hebben achtergelaten.'

'Dat snap ik.' Nat begreep dat Graf zich net zo schuldig voelde als zij. Hij vroeg zich ook af wat er zou zijn gebeurd als hij het anders had gedaan. 'Het maakt niet uit dat jij of ik hem wilde redden. Het lukte gewoon niet.'

'Ze zeggen dat ik hem in de steek heb gelaten, maar dat is niet zo. Ik dacht dat hij dood was.'

'Dat is zo, hij was toch ook dood?'

'Niemand denkt dat je hem in de steek hebt gelaten, Joe,' zei Angus. 'Je bent een held. Je hebt ons allebei gered.'

Graf snoof en rook kringelde uit zijn neusgaten. 'Zo zien andere mensen het anders wel.'

Angus fronste zijn wenkbrauwen. 'Hoe bedoel je?'

'Ik bedoel er niets mee, professor, maar ik heb jullie twee gered en mijn eigen collega achtergelaten.'

'Maar dat is helemaal niet waar,' zei Nat. 'Hij was dood, en ik ging naar je toe en smeekte je of je Angus wilde halen. Je moest wel gaan. Ik was zo wanhopig. Als je niet was gegaan, had Angus het ook niet overleefd.'

'Dat dacht ik ook.' Graf knikte, en kneep zijn ogen samen. 'Ron zag eruit alsof hij dood was, weet je. Hij was in zijn hart gestoken, en daarom ging ik weg. Ik was in shock toen ik je zag. Je riep dat je hulp nodig had, en dus hielp ik je. Ik heb er niet aan gedacht om te kijken, zoals jij. Ik heb niet naar een polsslag gevoeld. Dat had ik wel moeten doen.'

'Dat heb ik ook niet gedaan,' zei Nat, om hen een beter gevoel te geven. Ze had zonder het te willen Graf in een kwaad daglicht gesteld door Saunders te helpen.

'Ze zeggen dat hij niet dood was. Dat hij je smeekte om hem te redden. Dat hij niet wilde sterven.'

Nat verstijfde. Had hij iets gehoord? Had de ziekenbroeder hem iets verteld? 'Nee, zo is het niet gegaan. Ik ben naar hem toe gegaan omdat hij kreunde, maar daar bleef het bij. Hij heeft niets tegen me gezegd.'

Angus keek haar goedkeurend aan.

'Dat dacht ik al,' zei Graf emotieloos, en Angus legde zijn hand op de schouder van de PI om hem te troosten.

'Laat haar maar, Joe. Het was toch fijn dat ze bij hem was? Ze heeft hem willen redden.'

'Ja, dat is zo. Ze heeft gedaan wat ze kon.' Graf keek Nat door de rook heen aan. 'Sorry, als Rons beste vriend: hartelijk dank dat je hem hebt bijgestaan.'

Nat glimlachte en zei: 'Graag gedaan.'

'Nu maar hopen dat je die zwarte klootzak die hem heeft vermoord niet ook hebt geholpen.'

Zo. Nat schrok ervan.

'Rustig aan een beetje,' zei Angus snel, maar Graf keek hem woedend aan.

'Wat weet jij er nou van, professor? Wat weet jij er nou van?' Graf wees met de half opgerookte sigaret naar Angus. 'Je komt één keer per week langs, likt hun hielen, zegt dat ze rechten hebben. Jij hebt verder niet met hen te maken. Wat weet jij er nou werkelijk van, hè?'

Angus stak met een ernstig gezicht zijn handen op. 'Niet schieten, Joe. Je reageert je af op mij.'

'Jij hebt ook schuld! Hoe zat het met Rons rechten, hè? Hoe zat het met zíjn rechten?' Graf gooide opeens de brandende sigaret naar Angus, die hem automatisch ontweek. Nat sprong weg en de peuk viel op de grond.

Angus wees naar Graf. 'Ik laat het zo, Joe, omdat het een rotdag is. Maar de volgende keer pak ik je.'

'Goh, ik ben nu al bang,' kaatste Graf terug, maar tegen die tijd had Angus Nat al bij de arm beetgepakt en liepen ze naar de straat.

Toen ze buiten gehoorafstand waren, vroeg Angus: 'Gaat het?'

Nee. 'Ja, hoor.'

'Dat had ik dus niet verwacht.'

'Ik ook niet. Misschien meende hij het niet. Hij is duidelijk van streek.'

'Nee, hij is duidelijk een racist. Hoe ging het trouwens met de weduwe?'

'Wel goed.' Nat weidde er niet over uit. Ze had het te druk met weghollen.

'Mooi. Vind je het erg als we eerst ergens anders naartoe gaan? Het is niet ver weg.'

'Waar dan?'

'Het is geen afspraakje,' zei Angus met een strakke glimlach, en ze liepen snel naar de Volvo, waarna hij antwoord gaf op haar vraag.

14

Het ritje naar de gevangenis was maar net lang genoeg om de verwarming in Nats auto op gang te krijgen, laat staan om samen de reactie van Graf te bespreken. Ze reed naar het witte bewakersgebouw, en dezelfde jonge bewaker kwam naar buiten. Deze keer stond zijn hoed recht op zijn hoofd en trok hij een officieel gezicht.

Nat draaide het raampje naar beneden. 'Hoi, ik ben Nat Greco en dat is Angus Holt.'

'Sorry, er mag niemand naar binnen.'

'Ik ben het, Jimmy.' Angus boog zich naar voren om zijn gezicht te laten zien en de ogen van de bewaker werden groot.

'Ik had al gehoord dat je erbij was, maar shit, zeg! En u? Bent u ook gewond geraakt?'

'Alleen maar een paar blauwe plekken en een dikke lip.'

'Klootzakken! Ik heb gehoord dat het over sigaretten ging. Het zijn béésten.' Jimmy zei het vol verachting en hij keek even naar Nat, en wendde toen snel zijn blik weer af. Ze kon zijn gedachten lezen: u werd bijna verkracht, en ze bloosde. Ze geneerde zich zonder te weten waarom. Jimmy werd weer de professionele bewaker. 'Sorry hoor, ik herkende de auto niet. Ik moet jullie wel om een identiteitsbewijs vragen. Dat moet nu eenmaal. Niet iedereen mag naar binnen, natuurlijk.'

'Dat snap ik.' Angus ging verzitten om zijn portefeuille uit zijn achterzak te pakken en Nat pakte haar rijbewijs en gaf beide aan de bewaker.

'Wacht even. Ik moet het nummer opschrijven en ik heb geen pen bij me.' Jimmy draaide zich mopperend om en liep terug naar het bewakersgebouw.

'Ze staan hier op springen,' zei Angus terwijl hij naar de gevangenis keek.

Nat keek ook. Er stonden overal politiewagens, een verrijdbaar laboratorium, en zwarte sedans, die de oprit geheel blokkeerden. Het parkeerterrein was vol. 'Wat is er volgens jou aan de hand?'

'Ze zijn bewijs aan het verzamelen, in verband met de moorden. Ze nemen foto's, bekijken de tapes uit de beveiligingscamera's, luisteren naar de bandjes, als ze die hebben, maar hier betwijfel ik dat.'

Jimmy kwam terug met hun identiteitsbewijzen. 'Alsjeblieft.'

'Bedankt.' Nat pakte haar rijbewijs aan en stopte het weer in haar portefeuille en gaf Angus die van hem aan.

'Is de directeur er, Jimmy?' vroeg hij.

'Nee, hij is een tijdje geleden weggegaan.'

'En de onderdirecteur?'

'Die ging met hem mee.'

'Machik?'

'Die is er wel.'

'Fijn. Tot straks.'

'Beterschap,' zei Jimmy, die een stap naar achteren zette. 'Voor jullie allebei.'

Nat zette de auto op een leeg plekje neer, en ze stapten uit en liepen de weg op. Er stonden een paar mannen in een donkere lange jas op de ijskoude oprit bij de politiewagens te praten met de politie, hun hoed diep over hun ogen getrokken. Nat nam aan dat de mannen met lange jas van de FBI waren, want ze herkende een van de agenten, die de dag ervoor in de bestuurdersstoel van de sedan had gezeten. Hij zwaaide toen Nat en Angus aan kwamen lopen.

'Mooi blauw oog, Holt,' riep hij; zijn stem droeg ver in de koude lucht. 'Ik krijg nog geld van je.'

'Waarvoor dan?' riep Angus terug.

'Ik had gewed dat je er niet heelhuids uit zou komen, en dat klopte.' Hij lachte, en Angus en de andere mannen ook, iedereen behalve Nat. Haar hart ging sneller kloppen toen ze dichter bij de gevangenis kwam.

'Ja, hè? Wie had dat gedacht.' Angus keek even naar Nat en zijn grijns verdween. 'Heren, dit is Natalie Greco, mijn collega.'

'Aangenaam, Natalie. Ik ben Edward Sparer.' De agent drukte haar hartelijk de hand, en toen viel zijn oog op het verband. Hij werd meteen ernstig, en ze wist dat hij hetzelfde dacht als de bewaker bij de poort.

'Waar waren jullie gisteren toen ik jullie nodig had?' vroeg Nat luchtig, en ze moesten lachen, waardoor de spanning werd gebroken.

'Ik ben blij dat het verder goed met je is,' zei Edward glimlachend. 'Is het toch goed gekomen, hè? Van Holt trekken we ons niets aan.'

'Dank je wel, schatje,' zei Angus. 'En, wat is er aan de hand? Hoe lang duurt het nog voordat er mensen naar binnen mogen, weet je dat?'

'Dat willen ze niet zeggen, maar ik denk vandaag nog. We hebben al een stap terug gedaan.'

'Dat is normaal voor jullie.'

'Jullie belastinggeld wordt goed besteed.'

Angus snoof. 'Hoeveel krijgen jullie van mij betaald om op die vent te passen?'

'Ha! Je bedoelt zeker dat we hier in Nergenshuizen onze ballen eraf zitten te bevriezen?' pareerde Sparer, en iedereen lachte. 'We worden onderbetaald. Ik zou een moord doen voor een lekkere biefstuk.'

'Wanneer komt het voor?'

'Op 8 februari. Zeg, die Williams heeft zich gisteren goed gedragen. Zat netjes te wachten en kwam zelfs niet in de buurt van de RA.'

'Je zult wel trots zijn.' Angus gaf hem een klopje op zijn rug, ze zeiden gedag en Nat en Angus liepen verder tussen de geparkeerde auto's door. Angus nam haar bij de arm en leidde haar de trap op naar de metalen deur die zo vrolijk rood geschilderd was. Hij drukte op de bel, en hield zijn hoofd voor het raampje. De deur werd opengedaan door een gezette vrouw van middelbare leeftijd, die met haar gestifte lippen glimlachte. Ze was verder ook zwaar opgemaakt en haar geverfde rode haar had een ouderwets permanentje.

'Angus! Hoe gaat het met je?' vroeg ze met een blik op het verband. De foundation op haar voorhoofd barstte bijna door haar bezorgde frons. 'Arme knul! Wat hebben ze gedaan? Kom erin, kom erin!'

'Dank je, Joanie.' Angus omhelsde haar even, en stelde toen Nat aan haar voor. Ze heette Joan Wilson. 'Kurt is er, hoorde ik. Kan ik hem spreken? Het is belangrijk.'

'Ik zal even kijken, maar reken er maar niet op. Het is erg druk vandaag.' Joan liep als een bezorgde moederkloek weg. Nat keek om zich heen in het kantoortje, want daar was ze de vorige dag niet binnen geweest. De gang kwam uit in een grote gelambriseerde hal waarin houten kantoorstoelen stonden. Op een tafel stond een goedkope lamp en er lagen wat verkreukelde tijdschriften op. De Amerikaanse vlag prijkte in een standaard naast een plaquette voor de Werknemer van de maand, en een softballbeker stond op een tafeltje waardoor het meer leek op een stomerij dan op een gevangenis.

'Angus?' Nat wilde uitzoeken waar ze Saunders had zien liggen. 'Deze ruimte is net zo breed als de gang door de gevangenis, toch?'

'Ja. Dit is dezelfde gang, alleen zitten we nu aan de onbeveiligde kant.' Angus wees naar rechts. 'Daar is de vergaderkamer.' Toen naar links. 'En daar zijn de kantoortjes. Het kantoor van de directeur is achter ons en daarnaast is dat van de onderdirecteur. Dan heb je Kurt Machiks kantoor, aan de gang waar Joan in liep. Hij is de assistent-onderdirecteur.'

'Bedankt.' Nat wist nu waar alles was. Zij bevonden zich onder in de poot van de T, en die vormde een grote lange gang die door de hele gevangenis liep. Ze probeerde te bedenken waar de kamer was waarin Saunders was overleden. Hier in de buurt, onder aan de T. Daar hadden de lijken gelegen. Niet bij de RA, die helemaal achter in de gang was, boven aan de T. Hoe kon iemand dat door elkaar halen?

'Angus!' zei een galmende stem. Nat draaide zich om en zag een lange, dunne man met een mager bebrild gezicht en bruine ogen zijn kantoor uit stappen en de deur achter hem dicht doen.

'Ha, Kurt. Fijn dat je tijd voor ons wilt vrijmaken.' Angus stelde Nat voor de zoveelste keer die dag voor. 'Mevrouw Greco werd gisteren tijdens de les door Kyle Buford aangevallen.'

'Lieve hemel! Wat vind ik dat erg.' Kurt Machik fronste zijn wenkbrauwen, zodat zijn voorhoofd in het midden samengeknepen werd, alsof zijn dunne huid niet helemaal over zijn schedel paste. Hij had bruin haar, grijs aan de slapen, kortgeknipt als een borstel, en hij droeg een donker pak, een wit overhemd en een donkerblauwe das met een dasspeld in de vorm van een muzieksleutel.

'Kunnen we je even in je kantoor spreken, Kurt? Dit kan maar beter onder ons gebeuren.'

'Ik wilde net wat gaan eten. Gaan jullie mee?' Machik draaide zich als een robot stijfjes om naar Nat. 'Het is wel wat vroeg, maar we beginnen al om zes uur 's ochtends, dus de lunch wordt om halfelf geserveerd.'

'Nee, dank je,' zei Angus, maar Machik schudde zijn hoofd.

'Ik heb verder geen tijd. Ik zit vandaag de hele dag vol, door wat er gisteren is gebeurd. Kom maar mee, en kijk uit waar je loopt. De verbouwing maakt het er niet makkelijker op.'

Ze liepen achter hem aan langs een doos tegels en sloegen een hoek om naar de gezellige eetzaal. Er stond een grote tafel midden in de ruimte, waar een plastic roodgeruit tafellaken op lag. Witte kastjes stonden tegen de muur en de magnetron had zijn eigen kastje. Op de witte koelkast hing een briefje waarop stond: BLIJF VAN MIJN SLIM-FAST AF, GEORGE! In een grote pan op het fornuis stond hete kippensoep te borrelen, die de kamer vulde met heerlijke geuren en de ramen deed beslaan. Door de vitrage stroomde zonlicht en de ramen keken uit op de bouwkeet en besneeuwde altijdgroene bomen.

'Wilt u soep, mevrouw Greco?' vroeg Machik, die een kartonnen beker omhooghield.

'Zeg maar Nat. Ja, graag.'

'Mooi. We hebben ook groene salade en hamburgers.'

'Wie kookt er hier?'

'De gevangenen.' Machik gaf Nat een kartonnen beker soep.

Getver. 'Bedankt.' Nat nam de soep aan, ging aan de tafel zitten en pakte een witte plastic lepel uit een koffiepot. Ze nam een slokje soep die zout was, maar heerlijk smaakte, zeker voor gevangenisvoer.

'En, hoe luidt het vonnis?'

Schuldig, natuurlijk. 'Heerlijk, bedankt,' antwoordde Nat, terwijl Angus een stoel pakte en ging zitten, ondertussen een lok blond haar achter zijn oor strijkend.

'Kurt, ik ben erg boos over wat er gisteren in de klas is gebeurd. Heb jij toestemming verleend aan Buford en Donnell om erbij te zijn? Niemand mag meedoen totdat ik mijn goedkeuring heb gegeven.'

'Ik kan me niet herinneren dat ik toestemming heb gegeven.' Machik nam een hap van zijn hamburger. 'Je weet dat er een wachtlijst is. Over het algemeen is dan degene bovenaan aan de beurt en dan stuur ik jou zijn dossier.'

'Dat bedoel ik nou. Ik heb het nagekeken, en ik heb van iedere gevangene een dossier en een brief waarin staat wie graag les wil hebben. Die brieven zijn door jou ondertekend. Maar er zit geen brief bij over Buford of Donnell.'

'Echt door mij ondertekend of een stempel?'

'Een stempel, volgens mij. Maar ga je nu Joan de schuld ervan geven? Of het nu door een stempel of door jou persoonlijk ondertekend is, er is gewoon geen brief.'

'Zoals ik al zei: ik kan me ook niet herinneren dat ik hun toestemming heb gegeven.'

'Maar iemand heeft het wel gedaan, en jij bent de enige die toestemming geeft. Hoe kun je je dat nu niet herinneren?' beet Angus hem toe. 'Zo lang geleden kan dat niet zijn geweest. Norris en Bolder, de gevangenen die ze vervingen, zijn een maand geleden vrijgelaten. Dus als je toestemming hebt gegeven, moet dat in de afgelopen maand zijn gebeurd.'

'Niet per se. Ik geef al toestemming voordat er plek is. Het kan dus een tijd geleden zijn geweest, en ik krijg een heleboel papieren onder ogen in twee maanden tijd.' Zo te horen maakte Machik zich geen zorgen, maar hij legde de gevangenishamburger toch neer. 'Ik weet niet hoe het is gegaan, maar ik zal het voor je nagaan.'

'Voor míj?' viel Angus uit. 'Wat dacht je van voor jezelf? En voor Natalie? Wat dacht je ervan om je eens te bekommeren om het feit dat ze wel dood had kunnen zijn? En dat het Praktijklessenprogramma in gevaar is gebracht? Wat dacht je van de gevangenen, verdomme nog aan toe!'

'Ik zei toch dat ik erachteraan zou gaan? Dat ga ik echt doen.'

'Kurt, dit is te gek voor woorden. Wij zijn niet de enigen die gevaar liepen. Iedereen liep gevaar, en zeker omdat het tijdens een opstand gebeurde.'

'Het was geen opstand.'

'Hou toch op.' Angus zakte onderuit in zijn stoel. 'Wat een gelul. Ik was erbij en geen van ons beiden had eruit gekund nadat ze de boel hadden afgesloten. Als Natalie Graf niet naar mij toe had gestuurd, was ik dood geweest.'

'Ik begrijp hoe je je voelt, en ik zal het onderzoeken. Neem dat maar van mij aan. Echt. Je hoort nog van me.' Machik wendde zich tot Nat. 'Uiteraard krijg ik nog een volledig rapport over wat er is gebeurd, en zodra het onderzoek is afgerond, krijgen jullie er een exemplaar van. Zal ik er ook eentje naar je advocaat sturen?'

'Mijn advocaat? Die heb ik niet.' Nat kreeg van Angus een schop onder tafel.

'O, nee?'

'Nog niet, bedoelt ze,' zei Angus snel. 'En waarom ga jij ervan uit dat ik geen aanklacht ga indienen, Kurt?'

'Je geeft om de gevangenis. Je hebt de afgelopen jaren veel tijd in onze gevangenen gestoken.'

Angus was even stil. 'Weet je wat? Ik geef je zwart op wit dat ik je niet zal aanklagen, en dan krijg ik van jou dat rapport aan het einde van deze week.'

'Dat kan ik niet doen, Angus.'

'Natuurlijk wel.'

Machik nam een slokje uit zijn plastic beker met water, die door de druk van zijn lange vingers in het midden ingedeukt werd.

Nat zei: 'Ik wil graag iets weten. Op het nieuws werd verteld dat de omgekomen gevangenen en Ron Saunders in de RA zijn aangetroffen. Maar dat klopt niet.'

Machik nam nog een slok. 'Ik weet eigenlijk niet wat er werd verteld.'

'In het artikel werd de gevangenisdirecteur aangehaald.'

'Hij dacht misschien op dat moment dat het zo was. Ik weet niet wanneer hij werd geïnterviewd.'

'Hoe kan dat nou? Ik heb Saunders zelf gezien en hij lag niet eens in de buurt van de RA. Zo'n vergissing maak je gewoon niet, en zeker niet als je de gevangenis zo goed kent als de directeur.' Nat gebaarde naar de muur achter haar. 'De kamer waarin ze lagen, is precies aan de andere kant van die muur, als ik de plattegrond goed in mijn hoofd heb. Er moet nog bloed op het kleed zitten, misschien zelfs op de muren. Ik kan het je laten zien.'

'Niet vandaag. We hebben de boel nog afgesloten, dus je mag daar niet naartoe. Maar ik kan je wel vertellen dat ze niet altijd een gedetailleerd perscommuniqué geven, zoals je misschien wel snapt.'

'Waarom dan niet?'

'Vanwege de veiligheid. Om geen paniek te zaaien.'

Angus vroeg: 'Maar ze hebben toch het recht om het te weten?'

'Niet dus.' Machik kwam langzaam overeind. De sfeer in de kamer was omgeslagen, en Nat en Angus stonden ook op. 'Ik moet weer aan het werk. Ik zal met de directeur spreken en dan horen jullie het wel.'

'Wanneer gaat de boel weer open?' vroeg Angus. 'Een van mijn cliënten heeft een beroep aan het einde van de week. Ik moet hem spreken want ik heb zijn papieren nodig.'

'Weet ik nog niet. Bel maar voordat je langs wilt komen.' Machik pakte zijn bord – zijn hamburger was maar gedeeltelijk opgegeten – en gaf Nat een hand. 'Nogmaals, ik vind het heel erg wat er met je gebeurd is. Maar leuk kennis met je gemaakt te hebben.'

'Insgelijks,' zei Nat, maar liegen was nog steeds niet haar sterkste kant.

15

Nat stond een bosje verlepte waterkers in de gootsteen af te spoelen terwijl ze wachtte op Hank. Hij had gebeld om te horen hoe het met haar ging, en ze had hem gezegd dat ze hem tijdens het eten alles zou vertellen, maar hij was te laat. Ze schonk de gekoelde chardonnay in een dun kristallen glas en stopte een cd van een luisterboek in de cd-speler: Frank McCourt die zijn memoires *Meester* voorlas. Ze deed de waterkers in het vergiet, nam een slok van de koude, droge wijn en zuchtte opgelucht toen McCourt ging voorlezen. Zijn charmante Ierse accent klonk als Gaelische muziek in de smalle keuken.

'Daar zijn ze. Ik ben er niet klaar voor. Dat kan ook niet. Ik ben nog maar net begonnen als leraar en moet nog alles leren.'

Nat haalde de natte waterkers uit het vergiet, stopte het in de slacentrifuge, klapte het deksel dicht en draaide het rond. Met elk eenvoudig karweitje raakte ze steeds verder verwijderd van de huilende weduwe en de gevangenisstaf, van prikkeldraad en steekwonden. De sla was gecentrifugeerd en ze nam nog een slokje wijn, terwijl ze door het raam naar buiten keek. Ze zag de wassende maan staan aan een inktzwarte lucht met daaronder de stad.

Ze haalde de waterkers uit de slacentrifuge, verdeelde de blaadjes over twee witte porseleinen borden en schepte daar een bergje kreeftensalade op, met een likje mayonaise, knapperige selderij en verse citroen. Ze pakte de pepermolen van de plank en bestrooide de salade met verse peper; de pittige geur van de peperkorrels maakte het gerecht af. Ze liep met de twee borden naar de tafel en bekeek alles met de kritische blik van een recensent. Ronde kersenhouten tafel. De smaakvolle gloed van twee ivoorwitte kaarsen, die niet walmden. Echt linnen servetten, ook ivoorwit. De rode stukken kreeft gaven het geheel net de juiste flamboyante uitstraling. Dé plek om uit te leggen wat er allemaal was gebeurd.

Ze ruimde het aanrecht leeg, borg het servies op, en veegde de granieten werkbladen schoon totdat ze donker glansden. Ze nam tevreden een slokje chardonnay. Eindelijk was ze tot rust gekomen in haar rustige appartement, daarbij geholpen door de uitstekende schrijver Frank McCourt. Op de cd verwoordde hij precies haar eigen gevoelens over haar werk, hoewel ze hem nooit had ontmoet. Dat was, natuurlijk, de betovering van boeken.

'Schatje!' riep Hank keihard bij de deur.

'ZET DE TV AAN. SCHIET OP! HET IS BELANGRIJK!' Dat was haar broer Paul, nog harder dan anders.

Was Paul er ook? 'Wat is er aan de hand?' Nat zette ongerust haar wijnglas neer. Er was vast iets op het nieuws. Misschien iets over de gevangenis. Ze liep naar de tv, een zilverkleurige Samsung, die op de ontbijtbar stond.

'ZE GAAN AL IN DE VERLENGING!' brulde Paul, die samen met Hank naar haar toe kwam rennen, zodat ze bijna botsten toen de mannen de keuken in kwamen stormen, richting de tv.

'Liefje, waar is de afstandbediening? Snel!' Hank smeet zijn aktetas en sporttas op de ontbijtbar, waarbij hij haar wijnglas omgooide. Het brak zodat de chardonnay over de bar en langs de zijkant naar beneden stroomde.

'Hank! Doe toch voorzichtig.' Nat greep wat keukenpapier.

'Oeps. Sorry, schatje! Waarom is het hier zo donker? Waar zit de schakelaar?'

'LAAT MAAR ZITTEN!' Paul stond bij de tv en drukte op de aanknop. De platte tv ging aan en de door kaarsen verlichte keuken werd opeens overspoeld door fel knipperend licht terwijl Paul zapte met de afstandbediening alsof het een videospelletje was.

'Doe voorzichtig met de tv, Paul,' zei Nat; ze vond zelf dat ze overkwam als de grote zus anno 1986. Ze drukte het keukenpapier op het plasje wijn en pakte toen de rol om de vloer schoon te maken, voordat de wijn tussen de planken was gesijpeld.

'HIJ SCHIET, HIJ SCOORT!'

'Perféct!' Hank gaf Paul een high five terwijl Nat het natte keukenpapier in de vuilnisemmer gooide. Er lagen stukjes dun glas op de ontbijtbar te glinsteren in het kaarslicht. Ze zou ze nooit allemaal kunnen vinden in het donker.

'Kijk uit dat je je niet snijdt, jongens.' Nat deed de grote lamp aan, knipperde met haar ogen tegen het felle licht en pakte de rol keukenpapier maar weer.

'Sorry, liefje,' zei Hank met een klopje op haar schouder. De tv lichtte door de blauwe en rode flitsen zijn profiel goed uit. 'Maar dat is de coolste wedstrijd die ik ooit heb gezien.'

Nat zette het audioboek uit. 'Wanneer is afgelopen?'

'DRIBBELEN! HIJ IS ERMEE AAN HET DRIBBELEN, SCHEIDS!' Paul wees woedend naar de tv.

'En wat doet mijn gekke broertje hier? Hank?' Nat zag dat Paul niet meer verkouden was.

'Geef die bal door, eikel!' Hank schreeuwde ook tegen de tv. 'Doorgeven dan! Godsamme, wat is dat toch een klojo!'

'GEEF DIE BAL DOOR! NEE, SCHEIDS! WAAR WAS DE FOUT DAN, SCHEIDS? BEN JE ACHTERLIJK OF ZO?'

'Hank?' Nat moest haar stem verheffen om over de wedstrijd heen te komen. 'Ik vroeg je wat.'

'Sorry. De vergadering liep uit. Wat eten we? We sterven van de honger!' Hank bleef naar de tv kijken. 'Fade away! Ja!'

'We? Blijft Paul eten?' Nat maakte zich geen zorgen dat ze haar broer op zijn tenen zou trappen. Zijn ego was geheel en al kogelwerend.

'Als we hem eten geven, gaat hij weer weg,' zei Hank, met zijn blik op de wedstrijd.

'JA! EEN DRIEPUNTSVELDDOELPUNT! WE GAAN GOEEEEED!'

Nat schonk zichzelf nog een glas wijn in. Ze nam een slokje en schakelde mentaal over naar plan B. Ze zou Paul wat kreeftensalade geven en dan zouden Hank en zij wel eten als hij weg was. In elk geval had Hank honger. Zelfs in het felle licht zag de kreeftensalade er heerlijk uit.

'Ik zou een moord begaan voor een hamburger,' zei Hank tegen de tv, de verrichtingen op het basketballveld volgend.

'HAMBURGERS MET KAAS! AUGURK! ALLES EROP EN ERAAN! JA!'

Nat knipperde met haar ogen. 'Ik heb de volmaakte kreeftensalade klaargemaakt.'

'We hebben bij de lunch al kreeft gegeten, schatje.' Hank stak zijn handen in de lucht. 'O, schiet op, Iverson! Je moet nu een doelpunt maken!'

Kreeft bij de lunch? 'Wie eet er nou kreeft bij de lunch?'

'JA! WAT EEN SCHOT! IN EEN KEER! HEB JE DAT GEZIEN? WAANZINNIG!'

'We hebben met een paar cliënten in Palm gegeten.'

'Waarom is Paul hier?'

'We zijn met één auto gegaan. Hij zette me even af. Heb je hamburgers?'

Nat zuchtte inwendig. In de gevangenis hebben ze hamburgers. Zullen we daarnaartoe gaan?

93

'Schieten dan, lui varken!'

'A.I. MET DE FADE AWAY. JA! ECHT, DIT GAAT STRAKS IN DE TIEN MINUTEN VERLENGING!'

Nat liep naar de koelkast om gehakt te pakken.

Nadat de Sixers de Celtics in vijftien minuten verlenging hadden verslagen, en Paul en zijn grote mond eindelijk naar huis waren gegaan, zaten Nat en Hank aan de tafel, zij met een kopje thee en hij met een flesje Heineken. Ze vertelde hem de gecensureerde versie van wat er met Buford was gebeurd, toen over Saunders' overlijden en zijn laatste woorden en het bezoekje aan de weduwe.

'Goh, wat erg, schatje.' Hank keek haar meelevend aan met zijn bruine ogen, zijn glimlach eindelijk verdwenen. 'Het had heel erg voor je kunnen zijn afgelopen.'

'Weet ik.'

'Die Buford, stel dat hij helemaal was geflipt? Hij had je wel kunnen vermoorden.'

Alsof ík dat niet weet. 'Daar ben ik eigenlijk al bijna overheen. Ik vind het erger om met die vrouw te praten.'

Hank krabde op zijn hoofd, waardoor zijn mahoniebruine haar in de war raakte. 'Zit het eronder? Wat bedoelde hij daarmee?'

'Zijn testament misschien, of geld? Ik heb geen idee, maar het is te hopen dat zij het wel weet als ik het haar vertel.' Nat nam een slokje van de afkoelende thee. 'Ik zie er zo tegen op om er weer naartoe te gaan.'

'Waarom bel je dan niet? Vertel het haar over de telefoon.'

'Ik heb gezegd dat ik zou terugkomen.'

'Vrouwen...' Hank glimlachte en nam een flinke slok uit het groene flesje, en toen vertelde Nat hem over haar bezoek aan de gevangenis en wat er in de krant had gestaan, en daar ging het mis. Hank zette het flesje neer. 'Ze hoeven volgens mij toch niet in de krant te zetten waar de lijken lagen.'

'Waarom niet?'

'In de eerste plaats omdat het walgelijk is. In de tweede plaats wil geen enkel bedrijf dat de lugubere details uitgebreid bekend worden, zeker niet als ze daardoor voor gek staan.'

'Maar het is toch geen bedrijf? Het is een gevangenis, een staatsgevangenis. Ze zijn verantwoording verschuldigd aan de mensen, niet aan een directeur of zo.'

'Wat maakt dat nou uit?'

Nat moest aan Angus denken. 'Vind je niet dat de mensen in de omgeving recht hebben op de waarheid? De vraag is, wie dat bepaalt.'

'Maar waarom zou je het die mensen vertellen? Daar raken ze alleen door van streek. Ze liepen toch geen gevaar?'

'Maar het klopt gewoon niet.'

'Nou en?'

'Niets nou en. De waarheid moet gewoon gezegd worden. Ze hebben een vals beeld geschetst. Ik was erbij en het was een chaos.'

'Nou, het is gelukkig voorbij.' Hank hield zijn hoofd schuin en grijnsde. 'Praat jij nu maar met de weduwe en dan hoeven jij en die vent – hoe heet hij ook alweer? – Angus, er niet meer achteraan te rennen en kunnen jullie weer aan het werk gaan.'

'We rennen er niet achteraan.'

'Wat doen jullie dan?'

'We onderzoeken het.'

'Dat is jouw taak niet, schatje.'

'Ben je soms jaloers?'

'Je weet wel beter.' Hank glimlachte, want ze wist inderdaad wel beter.

'Ook al heeft hij een blonde lange paardenstaart en heeft hij me mee uit gevraagd?'

'En jij hebt vast nee gezegd. Jij houdt van mij, en dat weten we allebei. Dat kan toch ook niet anders?' Hank stond op met het lege flesje in zijn hand. 'Trouwens, die snee op je wang ziet er sexy uit, slecht meisje dat je er bent.'

Nat perste er een lachje uit. Wacht maar tot je mijn borst ziet.

'Is Angus ook gewond geraakt?'

'Ja, in zijn gezicht.'

'Mooi zo. Als ik hem ontmoet krijgt hij een klap voor zijn kop van me.' Hank snoof. 'Gebeurt er ook eens wat in die saaie rechtsbedoening.'

'Doe niet zo raar.'

'Hij neemt je mee naar de gevangenis, en dan moet jij hem nog redden ook? Die man moet door een meisje gered worden?'

Nat fronste haar wenkbrauwen. 'Dat meen je toch niet, hè?'

'Nou, het is toch zo?'

'De gevangenen doen de hele tijd aan fitness, Hank. Angus is een professor in de rechten, en hij is voor mij in de bres gesprongen.' Alleen heb ik je dat nog niet verteld.

'Godver, jij stond je mannetje beter dan hij! Je bent een echte Greco! Ha!'

Nat voelde zich in de verdediging gedrongen. En schuldig omdat ze Hank niet alles over Buford had verteld. Hij zou het in bed wel zien.

'Ga je mee?' vroeg ze, terwijl ze opstond.

'Dat is beter.' Hank sloeg zijn arm om haar heen, en op dat moment ging de telefoon.

'Als dat Paul is...' Nat pakte de hoorn op. Het was een mannenstem, maar niet die van Paul. 'Hallo?'

'Professor Greco?'

'Spreekt u mee.'

'Bemoei je met je eigen zaken. Blijf weg uit Chester County, trut.'

16

De VOLGENDE DAG was Nat bezig met lesgeven, maar ze kon zich niet concentreren. Ze had een nieuw marineblauw mantelpakje aangetrokken om op gang te komen, maar ze had de energie er niet voor. Ze had amper geslapen doordat ze zich druk maakte over het telefoontje en de ruzie met Hank. Hij dacht dat het telefoontje bedoeld was om haar weg te houden bij Barb Saunders en zij dacht dat het telefoontje over de gevangenis ging, dat een van Bufords vrienden of familieleden had gebeld. Ze waren gaan slapen zonder te vrijen, wat betekende dat Nat de krabben onder haar trui nog een nacht langer kon verbergen. Het was vreemd en nieuw dat ze zoveel voor Hank verborgen hield.

'Dus, zoals jullie weten,' ging Nat door, 'betekende Brown vs. Board of Education het einde van "apart maar toch gelijk" in het onderwijsstelsel. De zaak was een mijlpaal in de geschiedenis van het recht. Het is nu moeilijk te geloven, maar ooit was het in dit land heel gewoon dat zwarte en blanke kinderen naar verschillende scholen gingen, zolang de scholen maar werden aangemerkt als gelijk.'

Nat keek naar haar studenten, die er allemaal ongewoon alert uitzagen. Anderson, keurig gekapt en bereidwillig, lette goed op, net zoals Carling, Gupta en Chu. Ze hadden over de gevangenisopstand gehoord en de pleister van Nat was bewijs dat zij erbij was geweest. Ze vroeg zich af of Angus de avond ervoor ook een telefoontje had gehad. Ze had hem gebeld voor de les begon, maar hij had niet opgenomen.

'Het hooggerechtshof in de zaak-Brown erkende dat discriminatie permanent een onderklasse van mensen creëert, wat indruiste tegen het recht op gelijke bescherming zoals vastgelegd in de Grondwet.' Nat was er niet bij met haar gedachten, en zelfs zij vond haar stem saai overkomen. 'Hopelijk zien jullie de zaak-Brown als een logisch gevolg op onze discussie over Shylock en wat discriminatie teweeg kan brengen.'

'Professor Greco?' Carling stak zijn hand op. Hij had een zwart gebreid mutsje op, net zoals Josh Hartnett altijd droeg.

'Ja?'

'Zullen we weer een stukje opvoeren? Dan ben ik Brown en u bent het Board of Education.' Carling grinnikte en de klas lachte met hem mee.

'Nee, liever niet.' Opeens kreeg Nat een inval. 'Meneer Carling, hebt u uw leesopdracht voor vandaag gedaan?'

'Natuurlijk. Dat moest wel, na de afgelopen keer. Ik wilde het risico niet lopen om een lager cijfer te krijgen.'

Dat had dus goed gewerkt. 'Waarom komt u dan niet naar voren om de zaak voor te leggen?'

'Meent u dat nou?' Carlings grijns verbreedde zich en de mond van de andere acht studenten viel open.

'Waarom niet? Jullie leggen in andere klassen toch ook zaken voor?'

'In de grote klassen wel, zeker.'

Au. 'Dat gaan we hier dan ook eens doen. Klein maar dapper, niet-waar? U wilt graag leraar worden. Ga uw gang.'

'Cool!' Carling sprong zowat op uit zijn stoel en de studenten praat-ten boven hun laptops geanimeerd tegen elkaar. Wykoff en Gupta ga-ven elkaar een high five, om een alleen aan hen bekende reden.

'Mensen,' zei Nat, 'luister goed naar de professor.' Ze liep van het po-dium af en Carling kwam aanslenteren met de betreffende papieren. Hij had een Sean John-sweatshirt aan en een wijde spijkerbroek die naar be-neden zakte toen hij naar de lessenaar liep, waar hij de touchscreen wel-lustig bekeek.

'En vet coole knoppen.'

'Afblijven!' Nat ging zitten.

'Goedemorgen, jongens en meisjes,' begon Carling, en Nat hoopte maar dat ze geen stomme vergissing had begaan.

'Vraag mij maar wat, professor Carling!' riep Wykoff. 'Ik heb de lees-opdracht gedaan!'

'Ik ook!' schreeuwde Marilyn Krug, maar Carling gebaarde dat ze hun mond moesten houden.

'Toe, kinderen, niet zo schreeuwen.' Carling keek naar Nat en zij stak haar duim op. Hij rechtte zijn schouders. 'We gaan het hebben over Brown vs. Board of Education. Nou, in de zaak-Brown...'

Nat luisterde terwijl Carling een zeer verdienstelijke samenvatting gaf van de zaak, waarbij zij zo af en toe een opmerking plaatste. In de tus-sentijd maakte ze zich zorgen over het telefoontje en het gesprek de dag ervoor met Machik. Ze wilde dolgraag Angus spreken.

Na het college ging ze op zoek naar het kantoor van het Praktijkles-senprogramma, dat helemaal verstopt in een hoekje in de kelder zat. Ze liep door de glazen deur naar binnen en kwam in een grote ontvangst-hal uit, die gemeubileerd was met kersenhouten tafels en stoelen. Aan de hal lag een aantal elegante kantoren, met banken en fauteuils in mokkatinten die mooi harmonieerden met de gele muren en een gedessineerd tapijt. De verlichting was gedimd en zacht, meer het Ritz-Carlton dan een universiteit. Er hingen een paar studenten rond, die zaten te praten en wetboeken inkeken, en Nat zag diverse visserstruien, compleet met paardenstaart, spijkerbroek en cowboylaarzen. Dit was duidelijk het uniform en Angus was de anarchistische leider.

'Is professor Holt er ook?' vroeg ze aan een studente die op haar af kwam. Het meisje had grote bruine ogen, donker haar dat tot op haar middel kwam, en droeg een witte Indiase blouse en een spijkerbroek.

'Hij is er wel, maar hij wil niet gestoord worden,' zei ze en ze nam Nat van top tot teen op.

'Ik ben professor Greco. Ik werk hier.'

'Dat weet ik.'

Nu even niet, meisje. 'Pardon.' Nat zag drie deuren achter het meisje en op eentje stond HOOFD PRAKTIJKLESSENPROGRAMMA, en ze beende ernaartoe.

'Ho. U mag hem niet storen.' Het meisje kwam achter haar aan, maar Nat klopte al op de deur.

'Angus, ik ben het, Nat.'

'Natalie?' De deur ging open. Angus was aan het bellen met zijn gsm. Hij had een bonte Ecuadoriaanse trui en een spijkerbroek aan en had een vers verband op zijn gezicht. Hij wenkte haar naar binnen, deed de deur achter hen dicht en gaf aan dat het gesprek nog wel even zou duren. Ze ging in een van de stoelen zitten bij de ruwhouten grenen tafel die als bureau dienstdeed. Er stond niets op, behalve een mok van Amnesty International met pennen en geslepen potloden, een oranje iMac en drie stapels correspondentie, met op elke brief een gele Post-it. Het bureau was verder leeg, en dat voor een socialist.

Angus zei in de gsm: 'Zeg, we kunnen het verzoek online aanvragen. Dan hoef je alleen maar voor rechter Pratter te verschijnen, het verzoek in te dienen en uit te leggen dat de gevangene er niet bij kan zijn omdat het programma is opgeschort.'

Nat keek om zich heen; tot haar verbazing had ze het helemaal mis gehad over de inrichting. Boeken, rapporten en tijdschriften stonden keurig netjes in het gelid in schone eiken boekenkasten. Mappen waren in een lage archiefkast op alfabetische volgorde gerangschikt. Er hing nergens een Che Guevara-poster; maar ze zag wel mooi ingelijste kleurige prints van piraten, zeekapiteins en ridders. Ze waren gesigneerd met

N.C. Wyeth. Nat stelde het psychologisch profiel van hun verzamelaar bij: een socialist met heldenverering.

'Zet er dan een vennoot op, Jake. Hoeveel zaken moet jij dit jaar pro Deo doen? Dit gezin heeft geen verwarming en het is min vier graden buiten.'

Er hingen diploma's op discrete plekken naast het raam, eentje van het Williams College en een ander van Harvard, en eentje voor 'Sally' van de Gehoorzaamheidscursus voor honden van Delaware County. Op een tafel naast een iPod-speler en een box met jazz-cd's en bandjes lagen zwarte schriften opgestapeld. Een witte Sony-tv stond op een plank met het geluid uit en op het scherm was een praatprogramma te zien.

'Fantastisch! Bedankt, joh.' Angus klapte de telefoon dicht en streek een lok haar uit zijn gezicht. 'Sorry voor het wachten. Ik moet dat verzoek zien te regelen, en dat is praktisch onmogelijk op zo'n korte termijn.'

'Kunnen de kinderen niet helpen? Waarom moet papa al die telefoontjes plegen?'

'Hier kunnen ze niet mee helpen.' Angus leunde tegen de archiefkast. 'Ik bel iedereen die me nog iets schuldig is. Die vent aan de telefoon werkte voor Pepper en was mijn kamergenoot op de universiteit.'

'Wie is die Alanis Morrisette daar buiten? Ze wilde me niet binnenlaten.'

'Deirdre? Ze is een beetje beschermend.'

'Ze is een beetje verliefd.'

'Ze bewondert me, maar ze is niet verliefd.' Angus hield zijn hoofd schuin. 'Waarom ben je zo chagrijnig? We zijn toch niet in elkaar geslagen of voor rotte vis uitgemaakt vandaag? Maar het is natuurlijk nog vroeg dag.'

Nat besefte dat ze vreemd genoeg jaloers overkwam. 'Ik ben gisteravond gebeld, door een man die zei dat ik weg moest blijven uit Chester County.'

'Ik ook. Heb je nummerherkenning?'

'Die had hij afgeschermd.'

'Ja, bij mij ook.' Angus fronste zijn wenkbrauwen. 'Maar waarom heeft hij jóú gebeld? Jij bent een slachtoffer. Jij vertegenwoordigt niemand daar.'

'Dat telefoontje is niet omdat ik iemand vertegenwoordig, het heeft te maken met de opstand, en misschien zelfs met Barb Saunders.'

'Oké. Gek hoor.'

'Het zou best een van Bufords vrienden kunnen zijn, of een familielid. Hij wil misschien niet dat ik tegen hem getuig.'

'Zou kunnen, maar dat denk ik niet. Het komt pas over een jaar of zo voor.' Angus schudde zijn hoofd. 'Ik snap nog steeds niet waarom hij jou heeft gebeld. Jij had niets te zoeken in Chester County. Ik wel.'

'Ik ook.' Nat had hem nog niet over de dag ervoor verteld. 'Ik zou deze week weer naar Barbara Saunders gaan. Ik heb haar nog niets verteld. Ze was er nog niet klaar voor.'

'Wil je soms zeggen dat hij je daarom belde? Omdat hij niet wil dat je met haar praat? Hoezo dan niet?'

'Nee, dat denk ik niet. Zij en ik zijn de enigen die weten dat ik haar gisteren niets heb verteld.'

'O.' Angus dacht even na. 'En Joe Graf? Hij was niet bepaald weg van je.'

'Leek het op zijn stem?'

'Zo goed ken ik zijn stem nu ook weer niet.'

'Ik ook niet,' zei Nat. 'Waarom wil hij niet dat we daar naartoe gaan?'

'Misschien omdat hij dan eraan herinnerd wordt dat hij niets voor Saunders gedaan heeft, of omdat hij niet goed overkwam. Wie zal het weten? Ik moet vandaag weer naar de gevangenis toe. Ik mag met mijn cliënt praten. Ik ben benieuwd of Graf weer aan het werk is.'

'Dat betwijfel ik. Ga je wel?'

'Ja, natuurlijk, ik zal wel moeten. Maar jij niet.' Angus sloeg zijn armen over elkaar. 'Waarom bel je Barb Saunders niet, in plaats van er helemaal naartoe gaan? Dat kan best, gegeven de omstandigheden. Of je schrijft haar een brief.'

'Of een e-mail, met als onderwerp: de laatste woorden van je man.'

Angus glimlachte. 'Wat vindt meneer Greco ervan dat je ernaartoe gaat?'

'Hank? Hetzelfde als jij.' O, wacht eens, we praten niet met elkaar.

Angus' mobieltje ging en hij keek op het schermpje. 'Sorry, ik moet opnemen.' Hij klapte de gsm open. 'Frank, fijn dat je me terugbelt. Mijn Praktijklessenprogramma gaat voorlopig niet door en ik heb iemand nodig om vandaag om twee uur een verzoek bij Padova voor me te regelen. Kun jij?'

Nat keek om zich heen. Op de tv was *The View* afgelopen en was nu het nieuws te zien. Er kwam een presentatrice in beeld en er werd doorgeschakeld naar een woonkamer. Een jonge vrouw zat met tranen in haar ogen op een bank te praten in een microfoon met het logo van de zender erop.

'Hij zit vast omdat hij drugs in zijn bezit had,' zei Angus. 'Cocaïne, harddrugs dus. Maar het is een goeie jongen. Hij werd gesnapt toen hij in het toilet van een club, de Privato, een lijntje aan het snuiven was. O, ja? Ga er dan maar niet meer naartoe, tenzij je daar niet naar de wc gaat.'

Het duurde even totdat Nat de vrouw op tv herkende. Het was Barb Saunders' zus Jennifer. Het was de woonkamer van de familie Saunders. Dit moest een vervolgreportage zijn na de moord op Ron Saunders in de gevangenis.

'Angus, kijk eens.' Nat stond op, liep naar de tv en zette het geluid aan.

'Wacht even, Frank.' Angus keek naar de tv. 'Ik bel je zo terug.'

De voiceover zei: 'De weduwe en haar drie kinderen waren bij de begrafenis toen de inbreker toesloeg. Hij ging ervandoor met twee computers, contant geld en sieraden. Het is toch verschrikkelijk dat mensen misbruik maken van zo'n tragedie, maar de politie zegt dat het niet ongebruikelijk is. Inbrekers lezen de overlijdensberichten en weten dat het huis op dat moment verlaten zal zijn.'

'Is er bij haar ingebroken?' Nat keek toe terwijl de camera de overhoopgehaalde woonkamer filmde. Kinder-dvd's en prentenboeken waren van de planken gerukt. De laden van het computerbureau lagen op de grond. De bank was kapotgesneden waardoor de roze vulling eruit puilde. De kamer lag helemaal overhoop. Alsof iemand ergens naar had gezocht.

Het zit eronder.

De presentatrice kwam weer in beeld. 'Meer nieuws: een brand in een warenhuis in Togo...'

'Niet te geloven toch!' Nat zette het geluid zacht, liet het nieuws bezinken en Angus liep naar zijn laptop.

'Kijken wat het hele verhaal is,' zei hij, en Nat kwam bij hem staan.

Hij tikte wat in en had al snel het artikel voor zich. De kop vermeldde: INGEBROKEN BIJ WEDUWE IN CHESTER COUNTY TIJDENS BEGRAFENIS, en in het verhaal stond hetzelfde als het journaal al had gemeld, met daarbovenop dat er 378 dollar was gestolen. Nat leefde mee met Barb, die dat ook nog eens moest meemaken. Toen viel haar opeens iets in.

'Er is iets geks aan de hand,' zei ze. 'Dit is niet zomaar een inbraak, het heeft vast te maken met de opstand, en misschien ook met de telefoontjes.'

'Weet je, volgens mij was het helemaal geen inbraak. Volgens mij was iemand ergens naar op zoek.'

Bingo. 'Waarom denk je dat?' Nat wilde weten hoe hij erover dacht. Hij wist nog niets van de boodschap die Saunders haar had gegeven.

'De banken waren kapotgesneden. Inbrekers doen dat niet. Ik zie dat ook bij drugszaken. Drugsdealers verstoppen geld in de kussens. Concurrerende bendes kijken daar dan ook als eerste, net als de politie.'

Twee weten meer dan een. 'Weet je wat Saunders tegen me zei voordat hij stierf? Hij zei: "Zeg mijn vrouw dat het eronder zit."'

'Meen je dat nou?' Angus' blauwe ogen werden groter, nu ze niet meer zo opgezwollen waren.

'Ja, echt.'

'Dus jij denkt dat datgene waar ze naar op zoek waren, onder de grond zit?'

'Misschien wel. Maar wat zou het kunnen zijn? Ik zat aan geld te denken, of een testament. Maar door jou denk ik nu meer richting drugs of drugsgeld.'

'Het zou natuurlijk kunnen dat Saunders corrupt was.'

'Dat geloof ik niet.' Nat dacht aan Barb, het bescheiden huis en de kinderen met hun GameBoy. 'Natuurlijk zijn er corrupte bewakers, maar van hem en van zijn gezin kan ik dat niet geloven.'

'Je weet helemaal niets van Saunders, je weet niet wat hij deed toen hij nog leefde. Drugsgeld kan iedereen corrumperen.' Angus gaf haar zijn gsm, die nog warm aanvoelde. 'Bel meteen Barb Saunders. Door die inbraak, of wat het ook was, hoort ze te weten dat er iets onder de grond zit. Als de inbrekers het niet al hebben gevonden, natuurlijk.'

'Je hebt gelijk.' Nat klapte het mobieltje open, toetste het informatienummer in, kreeg het nummer en belde. Tot haar verrassing werd er niet opgenomen maar kreeg ze het antwoordapparaat. Een mannenstem had het bericht ingesproken, en ze besefte dat het Ron Saunders was. Geschrokken wachtte ze op de piep om een bericht achter te laten, maar het bandje was vol. 'Er wordt niet opgenomen,' zei ze slecht op haar gemak. 'Ik blijf wel bellen. Vroeg of laat krijg ik wel iemand te pakken.'

'Ze zal wel niet met de pers willen praten.' Angus stak zijn gehechte lip naar voren. 'Ik kan wel even bij haar langsgaan als ik terug naar huis rij van de gevangenis en het haar vertellen.'

'Dus je gaat echt?'

'Maar natuurlijk. Ik ben wel vaker bedreigd. Dat hoort bij het vak. De meeste bedreigingen komen van huisbazen. Dat zijn eersteklas egotrippers. Daarom is Donald Trump zo. Het gaat niet om het geld, het gaat om macht.'

'Zal ik met je meegaan?'

'Hoezo?' Angus keek haar ernstig aan.

'Ik wil wel zien wat er daar aan de hand is. Eens rondkijken. Het is allemaal zo verdacht, en ik vind het erg voor Barb.' En ik voel me net een echte detective.

'Dan blijf je dus niet weg uit Chester County.'

'Nee, maar het is overdag, en we zijn samen.'

'Ik vind het maar niets.'

'Jij hebt niets over me te zeggen.'

Angus glimlachte. 'Wat zal meneer Greco er wel niet van vinden?'

'Hij heeft ook niets over me te zeggen.' Bovendien ga ik het hem niet vertellen.

'Ik zal je dit keer beter beschermen. Dat moet ook wel.'

'Hoezo?'

'Omdat we vrienden zijn, en zoveel vrienden heb ik niet.'

'Oeps. En Deirdre dan?'

Angus sloeg zijn ogen ten hemel en Nat stond op om mee te gaan.

17

Het was koud en de lucht was bewolkt, maar het uitzicht tijdens de rit was nog steeds prachtig: de ongerepte sneeuw en de zwarte bomen met grijze schaduwen tegen een loodgrijze hemel. Angus zat bijna de hele rit te bellen en Nat belde Barb Saunders weer, maar kreeg nog steeds geen gehoor. Ze belde liever nog een keer dan ernaartoe gaan. Ze wilde niet onaangekondigd aankomen. Ze keek naar het landschap en deed haar best niet aan Barb Saunders of aan het telefoontje dat ze had gekregen te denken. Uiteraard keek ze wel minstens honderd keer in de zijspiegel.

Angus reed naar de ingang en Nat zag dat alles weer bij het oude was. Ze hoefden hun identiteitsbewijs niet aan Jimmy te laten zien, die ook weer goedgehumeurd was. Op het parkeerterrein stonden auto's met draaiende motor, in afwachting van het bezoekuur. Angus zette de auto neer en ze liepen in de kou naar de oprit, die nu niet vol stond met busjes van het mobiele misdaadlaboratorium of met zwarte sedans. Ze zwaaiden naar de FBI-agenten en gingen net zoals die dag de gevangenis binnen door de voordeur. Nat hing haar jas in de garderobe voordat ze echt de gevangenis in gingen.

Tanisa begroette hen met haar gebruikelijke grijns. 'Niet te geloven. Je hebt het dus overleefd, engerd.'

'En jij ook!' Angus tilde haar in een stevige omhelzing op en ze schopte met haar zwarte werkschoenen in de lucht.

'Zet me neer, verdorie!'

'Nog bedankt voor het jasje,' zei Nat met een impulsieve omhelzing.

Tanisa deinsde lachend terug. 'Hé, ik ben aan het werk hoor, stelletje blanken! Wat hebben jullie in hemelsnaam?'

'We zijn gewoon blij,' zei Nat. 'Als ik had geweten dat ik hiernaartoe zou gaan, had ik het jasje meegenomen. Je krijgt het nog wel.'

Tanisa gebaarde dat het niet belangrijk was. 'Laat maar zitten! Je mag het jasje hebben, hoor. Ik heb gehoord dat je Ron hebt willen redden. Dat was waanzinnig.'

'Bedankt.'

'Ik vind het echt verschrikkelijk.' Tanisa deed de deur achter hen op slot en schudde haar hoofd. Haar haar piekte onder haar pet uit. 'Hij was een prima vent. Ik kon geen vrij krijgen om naar de begrafenis te gaan, en nu hoor ik ook nog dat er is ingebroken. Dat is toch niet te geloven?'

'Echt vreselijk.'

'Ik vind het heel erg voor Barb en de kinderen. Wat zal die vrouw zich ellendig voelen.'

Nat dacht aan de verduisterde slaapkamer. 'Ken je haar?'

'Ik heb haar een paar keer gezien. Erg aardig. Ik wilde haar die avond condoleren, maar ze lag ziek in bed.'

Angus zei: 'Ik ben blij dat jij het gered hebt, Tanisa. Ik maakte me echt zorgen.'

'Tsj. Daar is wel wat meer voor nodig dan een paar blikjes stront.'

'Hoe bedoel je?'

'Heb je het niet gehoord? Hoe ze die matrassen in de fik gestoken hebben?' Tanisa trok haar neus op. 'Ze hebben god weet hoe lang stront verzameld en die toen in brand gestoken. Walgelijk! Stel dat ze dat virus hadden gehad dat rondwaart, waar je dood aan kunt gaan? Als ze brandende stront naar me toe hadden gegooid, zou ik die meteen hebben teruggegooid, en er nog wat stront van mezelf bij hebben gedaan!' Tanisa's glimlach verdween. 'Maar goed, we draaien weer. Wie wil je spreken, Angus?'

'Willie Potts.'

'Volgens mij zit hij al op je te wachten. Ik ga even kijken.' Tanisa begeleidde hen door de metaaldetector, en even later waren ze in het beveiligde gedeelte van de gevangenis.

Nat werd zenuwachtig toen ze in de hitte de bedompte antiseptische geur rook. Nog even en ze zouden in de brede gang staan, een paar stappen verwijderd van het klaslokaal waar ze door Buford aangevallen was. Ze vermande zich en liep achter Angus aan langs de regelkamer, en bleef toen staan. Het was totaal veranderd. De gang was helemaal opnieuw ingericht. Hij was de helft smaller gemaakt, en de gang waaraan de kamer lag waarin Saunders was gestorven, was afgesloten door een witte muur. De nieuwe gang liep door de hele gevangenis. Nat was stomverbaasd en wist opeens waar het naar rook. Verf.

'Waar zijn de kantoortjes?' Angus keek om zich heen, net zo verbaasd als zij.

'Hier was vroeger de gang.' Nat streek met haar hand over de muur en keek toen naar haar vingertoppen. Die zaten vol met witte verf, alsof er vingerafdrukken van haar waren afgenomen, maar dan met witte inkt. 'Ze hebben de gang waar de kamer aan lag waar Saunders en de gevangenen zijn vermoord, dichtgemaakt met een muur.'

'Ja, ze zijn de boel aan het verbouwen,' zei Tanisa die aan kwam lopen met een gevangene. Hij leek een jaar of vijfentwintig, een tengere zwarte man met een geschoren hoofd.

'Ha die Willie,' zei Angus snel terwijl hij de man een hand gaf. 'Ga daar maar zitten, ik kom er aan.'

'Prima.' De gevangene liep naar een informele ontmoetingsruimte bij het klaslokaal.

'Tanisa, daar was toch vroeger een gang?' vroeg Nat.

'Ja, maar daar komen straks allemaal nieuwe kantoortjes. Dat zou pas in de tweede fase gebeuren, maar ze hebben het vooruitgeschoven naar fase één. De hoge pieten wilden zeker meteen een nieuw kantoor.'

'Wanneer hebben ze het plan veranderd?' vroeg Nat, net op het moment dat ze Machik door de smalle nieuwe gang op hen af zag lopen. Zijn donkere jasje wapperde open, maar zijn gestreepte das, met de muzieksleutel erop, bleef op zijn plaats.

'Angus! Natalie!' riep hij zwaaiend.

Tanisa draaide zich om. 'Goedemorgen, meneer,' zei ze tegen hem.

Angus gaf hem een hand. 'Wat is er gebeurd met de oude kantoortjes, Kurt?'

'Hallo,' zei Machik tegen Nat. 'Hoe gaat het met de wond? Een stuk beter, hoop ik.'

'Ja hoor, maar ik ben net zo verbaasd als Angus. Waar is de kamer waarin Ron Saunders werd vermoord? Achter die muur?'

Machik bleef glimlachen. 'We zijn aan het renoveren. Er komen daar een paar kantoortjes. Als het volgend jaar af is, hebben we twee nieuwe balies, een grotere ziekenboeg en drie nieuwe klaslokalen.'

'Dus de kamer waar we het gisteren over hadden, is er niet meer?'

'Nee, dat klopt. Ze zijn gisteren weer aan het werk gegaan.'

'Door de opstand?'

'Het was een ordeverstoring.'

Als je het maar vaak genoeg zegt ga je het zelf nog geloven.

'Maar nee, dat was altijd al de bedoeling.'

'In fase één of twee?' vroeg Nat.

Machiks ogen werden kleiner achter zijn bril. 'Waar heb je die termen gehoord?'

Nat dacht snel na. Ze wilde Tanisa niet in de problemen brengen. 'Ik ben de dochter van een aannemer. Greco Construction, ooit van gehoord?'

'Ja, dat heb ik zeker,' zei Machik verrast.

'Nou, dat is familie van mij. De meeste bouwwerkzaamheden hebben een fase één, waarin de ramen, de riolering en de elektriciteit worden gedaan, en dan is er een fase twee: het stuken van de muren, gronden, verven, dat soort dingen. Fase drie is voor de vloerbedekking, de puntjes op de i.'

Tanisa keek van Nat naar Machik en weer terug.

'Fase één,' zei Machik.

Waarom liegt hij erover? 'Als ze het gisteren hebben afgebroken, dan ligt het bebloede tapijt vast nog in de container. Het was blauw.'

'Volgens mij is de container vanochtend geleegd.' Machik fronste zijn wenkbrauwen. 'Ik snap niet waarom jij je daar zo druk over maakt.'

Omdat jij staat te liegen. 'Er zijn twee mannen vermoord in die kamer. Dat weet ik. Ik was erbij. Het is een plaats delict.'

'Natalie, de moord op Ron Saunders was een klap voor ons, zoiets is nog hier nooit gebeurd. Mijn vrouw en ik, en de directeur en zijn vrouw Elena, zijn vanochtend naar de begrafenis geweest. Maar we moeten door. De gevangenis moet draaiende worden gehouden. Dit was een plaats delict, maar de moordenaar is dood. Er kan niemand vervolgd worden.' Machik zei stijfjes: 'De RA is ook een plaats delict – en die wordt trouwens nog een dag of twee gelaten zoals hij was – en daar richten we ons onderzoek op. Begrijp je?'

'Ja,' zei Nat, maar ze begreep het niet. Ze begreep niet waarom Machik loog over de volgorde van de verbouwing, en waarom ze de kamer weg wilden hebben. Het sloeg nergens op. Ze zei: 'Heb je gehoord dat er bij Barb Saunders is ingebroken?'

'Ja. Vreselijk, toch?' Machik zei tegen Angus: 'Goed. Angus, als je Willie Potts wilt spreken, hij zit op je te wachten. Hij moet over een kwartier weer terug in zijn cel zijn.'

'Hoezo?' Angus fronste zijn wenkbrauwen. 'We zijn er nog maar net.'

'Hij wordt overgeplaatst.' Machik keek op zijn horloge. 'Mensen, ik moet weer aan de slag. Tanisa, loop even met Angus en Natalie naar meneer Potts, oké?'

'Ja, meneer.' Tanisa gebaarde naar hen.

Angus draaide zich om naar Machik. 'Werkt Joe Graf vandaag?' vroeg hij.

'Nee. Hij heeft wel een vrije dag verdiend, vind je niet?'

'Zeker,' zei Angus terwijl Nat en hij elkaar aankeken.

18

'Sorry dat het zo lang duurde, Willie,' zei Angus. Hij stelde Nat voor en legde het dossier op de witte formicatafel, waarvan er zes in de geverfde muur waren ingebouwd. De tafels staken uit de muur en hadden plastic kuipstoeltjes eromheen staan, zodat het meer op een wegrestaurant leek dan op een gevangenis, als je de geüniformeerde cipier die bij de muur stond even wegdacht.

'Hindert niet,' zei Willie knikkend. Hij had een gekreukelde bruine dossiermap voor zich liggen. 'Hoe gaat het met je lip, Angus?'

'Goed. Waar zat jij tijdens de opstand?'

'Ik had me onder mijn bureau verstopt.'

Ze lachten en Angus draaide zich om naar Nat. 'Willie werkt in de computerkamer; die zat vroeger wat verderop.'

Willie voegde eraan toe: 'We zitten nu aan de gang en zijn bezig alle computers weer aan te sluiten. Het is gekkenwerk. Die snoeren lijken wel spaghetti.'

'Waarom halen ze je cel leeg, Willie?' vroeg Angus, terwijl hij het dossier opensloeg, door de papieren bladerde en een beëdigde verklaring eruit haalde.

'Mijn celmaat heeft problemen met de Mexicanen.'

Angus draaide zich naar Nat. 'Als ze op zoek zijn naar smokkelwaar of als er iemand overgeplaatst wordt, dan wordt de cel van de gevangene helemaal leeggehaald. Ik heb je geloof ik al verteld dat ze de gevangenen af en toe verhuizen om rivaliteit tussen de verschillende bendes in toom te houden. Zo is er minder kans op een vechtpartij, maar ook minder kans op een vriendschap.'

'Ik ben mijn eigen vriend,' zei Willie. 'Dat is gewoon het beste.'

'Dat is zo. Goed, we hebben maar weinig tijd. Ik heb de verklaring opgesteld naar aanleiding van wat we verleden week hebben besproken. Als je hem even leest, kun je hem daarna ondertekenen.' Angus schoof het vel papier naar Willie toe en zei tegen Nat: 'Willie werd voor de tweede keer opgepakt wegens rijden onder invloed en hij heeft bijna zijn straf uitgezeten.'

Willie keek op. 'Nog elf dagen.'

'Hij heeft een ontwenningskuur gevolgd en nu geeft hij die zelf. Hoe lang sta je al droog, vriend?'

'Zeshonderdacht dagen.'

'Gefeliciteerd,' zei Nat, die zich afvroeg hoe het zou zijn om zo exact het aantal dagen te weten. Nuchtere dagen. Ze had geluk: zij was alleen maar aan boeken verslaafd.

'Op vrijdag dienen we een verzoek tot vrijstelling in voor Willie, dan komt zijn veroordeling wegens rijden onder invloed niet op zijn staat van dienst te staan. Omdat hij hier op kantoor heeft gewerkt, heeft hij kans op een baantje buiten, maar hij moet nog wel zijn rijbewijs terug zien te krijgen zodat hij kan rijden.'

'Prima zo, Angus. Heb je een pen voor me?'

'Wacht even.' Angus stond op en zei tegen Nat: 'Ik moet even weg. Ben zo weer terug. Zij mogen geen pennen hebben, en wij ook niet hier.'

'Oké.' Nat ging verzitten toen hij de kamer verliet en besefte toen dat ze alleen met de gevangene was. Twee dagen geleden zou ze daar nog bang door zijn geworden, maar na de rel vreemd genoeg niet meer. 'Je zult wel blij zijn dat je vrijkomt.'

'Zeg dat wel. Dan zie ik mijn vrouw en kinderen weer, en mijn oma.' Willie straalde. 'Maar ik heb geen spijt. Ik heb hier veel aan gehad, en ook aan Angus. Hij heeft dat baantje op kantoor voor me geregeld. Daar heb ik Microsoft Word en Excel geleerd.'

'Wat doe je hier dan?'

'Ik hou de gegevens bij, zodat ze weten wanneer iemand vrijkomt en ook wanneer er iemand naar de ziekenboeg gaat, de tandarts, aantekeningen, dat soort dingen.'

Aantekeningen. Waar had ze dat meer gehoord? Toen wist ze het weer: Graf had gezegd dat Ron Saunders en hij voor de opstand een gevangene hadden gesproken over zijn aantekening. 'Wat is een aantekening?'

'Een straf, zeg maar. We krijgen een slechte aantekening.'

'Krijg jij zo'n aantekening door als een gevangene een aantekening krijgt?'

'Ja, mevrouw.'

'Zeg maar Nat. Hoe gaat dat in zijn werk?'

'De PI vult een formulier in en geeft me dat aan door het raam in het kantoor. Ik noteer dat, en klaar.' Willie haalde zijn knokige schouders in zijn T-shirt op.

'En dan zegt de PI dat tegen de gevangene?'

'Nee, andersom. De gevangene weet als eerste dat hij een aantekening heeft gekregen, voordat de PI me daar twee kopieën van geeft. Ik schrijf het op en doe een exemplaar in het strafdossier en een in het dossier van de gevangene.'

Nat dacht na over wat Graf had gezegd. 'En dan praat de PI er met de gevangene over?'

'Soms wel. Dan gaan ze naar de kamer van de bewakers en leggen ze uit wat er is gebeurd.'

Hmm. 'Kun jij je herinneren dat je een aantekening hebt gekregen voor een gevangene die tijdens de opstand is vermoord?' Nat was zijn naam vergeten. Ze had zich zo op Saunders gericht dat de andere slachtoffers er niet toe hadden gedaan.

'Ramirez?'

'Nee.'

'Upchurch?'

'Ja, die. Heb je voor Upchurch een aantekening gekregen, op dezelfde dag misschien als van de opstand, of de dag ervoor?'

'Ik dacht het niet, zo uit mijn blote hoofd.'

'Kun je je normaal gesproken elke aantekening herinneren?'

'Meestal wel. Zo groot is het hier niet. Er zitten ook geen echte boeven, behalve dan in de RA.'

Nat kon zich nog iets herinneren wat Graf had gezegd. 'Heeft Upchurch ooit een aantekening gekregen omdat hij betrapt was bij het roken van marihuana?'

'Een aantekening voor marihuana?' Willie kneep verbaasd zijn ogen samen. 'Dat kan ik me niet herinneren. Wel voor een grote mond.'

Waarom had Graf daarover gelogen? 'Was dat net voor de opstand?'

'Geen idee, dat weet ik niet meer.'

'Kreeg hij daar vaak een aantekening voor?' Nat dacht na. Graf had gezegd dat Upchurch een lastpak was.

'Ja, heel vaak.'

'Van Ron Saunders?'

'Nee.' Willie wierp een blik achterom, maar de PI stond zo ver weg dat hij hem niet kon horen. 'Upchurch kon prima met Saunders opschieten. Graf gaf hem altijd een aantekening. Graf zat hem altijd dwars.'

Aha. 'Meer dan de andere PI's?'

'Zeker weten. Hij had de pik op hem.'

'Hoe weet je dat? Kende je Upchurch?'

'Nee, hij zat niet in mijn cellenblok. Ik kende hem door die aantekeningen, van Graf.'

'Hoe weet je dan dat Graf de pik op hem had, en dat het niet andersom was?'

'De meeste PI's zijn wel oké.' Willie keek weer achterom en boog zich toen naar voren en fluisterde: 'Maar als Graf vermoord was, had er niemand een traan om gelaten.'

'Waarom heeft Upchurch dan Saunders vermoord en niet Graf?' Nat fluisterde ook, maar net op dat moment kwam Angus terug met Tanisa en een mannelijke PI.

Angus gaf Willie een pen. 'Je hebt nog een minuut om je handtekening te zetten. Je moet weer terug naar je cel.'

Verdorie! Nat beet op haar tong. Angus had geen slechter moment kunnen uitkiezen.

'Goed.' Willie nam de pen aan en zette zijn handtekening.

'Heb je nog vragen?'

'Denk je dat het gaat lukken?' Willie stond op en gaf de verklaring aan Angus, die hem aanpakte en in het dossier stopte.

'We doen ons best, vriend.'

Tanisa zei: 'Willie, John begeleidt je terug. Ik moet deze advocaten zien te lozen.'

'Goed.' Willie liep weg zonder om te kijken en Tanisa liep met Angus en Nat, die diep in gedachten was, naar de deur bij de nieuwe muur. Daar bleven ze staan wachten terwijl Tanisa de deur van het slot deed. De PI was erg stil voor haar doen, er was alleen het gerinkel van de sleutels te horen.

'Bedankt, Tanisa.' Angus raakte even haar arm aan.

'Ja, bedankt,' zei Nat. 'Dat jasje krijg je nog.'

'Laat toch zitten.' Tanisa keek naar de grond toen ze de volgende deur openmaakte en hem voor hen openhield. 'Ik zou jou moeten bedanken.'

'Welnee,' zei Nat, die begreep wat ze bedoelde. Ze haalde haar jas en liep met Angus door de gang, door de metaaldetector en de deur uit. Buiten was het bitterkoud. Nat keek door het prikkeldraad naar de lucht die inmiddels helemaal betrokken was. Naaldbomen met een laagje sneeuw erop gaven de horizon een stekelige aanblik, en ze waren omringd door een grote witte vlakte.

'Ze hebben de kamer dus weggerenoveerd.' Angus stak zijn handen in zijn zakken. 'Ik snap er niets van.'

'Volgens mij willen ze iets verbergen,' zei Nat. Ze liepen over de oprit en zwaaiden naar de FBI-agent die aan het telefoneren was in zijn auto. 'Ik heb een paar sappige nieuwtjes van Willie gehoord.'

'Wat dan?'

'Dat vertel ik je onderweg wel.' Nat gaf hem een knipoog.

'Heb je het naar je zin?'
En Nat moest, tot haar grote verbazing, toegeven dat dat inderdaad zo was.

Op de kronkelige weg terug door Brandywine zaten ze vast in het verkeer. Voor hen stond, zo ver Nat kon zien een hele rij auto's met de rode achterlichten aan en wolkjes witte rook uit de uitlaat. Ze nam de gelegenheid te baat om Barb Saunders te bellen, maar kon alleen een boodschap inspreken met het verzoek haar terug te bellen. Ze zat onrustig heen en weer te schuiven in haar lange jas en keek naar de vallende schemering. Als het zo doorging, zou ze pas heel laat thuis zijn en dan zou ze Hank het een en ander moeten uitleggen. Ze kon zich niet herinneren wat er gebeurde als Nancy Drew iets moest uitleggen aan Ned. Ze hoopte maar dat het goed uitpakte.

'Het is waanzinnig druk,' zei Angus. 'Er is vast een ongeluk gebeurd. Het hele verkeer zit muurvast.'

'Er is maar een rijbaan, daar komt het door.'

'Zo gauw het kan, ga ik van deze weg af. De I-95 is hier vlakbij. We kunnen natuurlijk even ergens wat gaan eten, en als de file opgelost is weer verdergaan.' Angus keek haar aan. 'Maar dat is dan geen afspraakje.'

'Het kan evengoed niet. Ik moet naar huis.'

'Oké.' Angus schakelde naar de tweede versnelling. Dit keer kwam zijn hand niet tegen haar knie aan, die bevroren was, ook al had ze een panty aan. Hij zei: 'Eens kijken. Graf zei dat Saunders en hij Upchurch een aantekening gaven omdat hij betrapt was met marihuana, maar Willie zei dat dat niet waar is. Ik geloof Willie. Dat is een slimme gozer.'

'Goed, maar waarom zou Graf over die aantekening liegen? Of denk je dat hij zich gewoon vergist heeft?'

'Nee, hij vergiste zich niet. Hij loog omdat wij niet mochten weten dat Upchurch en hij problemen hadden.'

'Mee eens, en daarom ben ik ook achterdochtig.' Nat dacht erover na. 'Bovendien slaat het nergens op dat Upchurch Saunders aanviel als hij een hekel heeft aan Graf.'

'Nee, dat klopt. Het ziet er niet goed uit.' Angus schudde zijn hoofd, en bleef het verkeer in de gaten houden. 'Het kan toch niet zo zijn...'

'Wat?' vroeg Nat, maar ze wist wel wat hij wilde zeggen.

'Dat de moord op Upchurch niet zo is gegaan als Graf heeft gezegd,' zei Angus ernstig. 'Machik weet dat natuurlijk en daarom wil hij niet naar buiten brengen wat er in die kamer is gebeurd. Ze hebben de plaats delict dusdanig aangepakt dat er zelfs geen spatje bloed meer te vinden zal zijn. Ze hebben vast een lijkschouwing op Upchurch verricht, dat gebeurt bij elke moord, en ik vraag me af wat daaruit is gekomen.'

'Hoe bedoel je?'

'Bij een lijkschouwing kunnen ze zien hoe de steekwond is toegebracht. Je weet wel: uit welke hoek is gestoken, welke wond het eerst werd toegebracht; ze kunnen het zowat reconstrueren.'

Nat dacht daarover na. 'Graf zei dat Upchurch Saunders aanviel en toen hem, en dat hij, Graf, zichzelf kon redden door Upchurch te doden.'

'Ja, als je afgaat op wat Willie heeft gezegd, dan slaat dat nergens op. Als Upchurch iemand zou willen neersteken, dan zou dat toch Graf zijn geweest. Weet je, ik heb vaak te maken gehad met zaken rond geweld in gevangenissen.'

'Ja?'

'Stel dat Upchurch Graf bedreigde en dat Saunders Graf te hulp schoot? Misschien is Saunders zelfs voor Graf gaan staan om hem te redden. Graf zag zijn vriend neergestoken worden en vermoordde vervolgens in blinde woede Upchurch. PI's zijn ook maar mensen, net als soldaten.'

Nat was in gedachten terwijl de Kever een paar centimeter naar voren reed en het steeds donkerder werd.

'Het zou ook best kunnen dat Upchurch Graf helemaal niet bedreigde toen hij gedood werd,' ging Angus door. Hij leek helemaal op te gaan in deze gedachtegang. 'Upchurch kan wel op zijn knieën om zijn leven hebben gesmeekt. Dat soort dingen komt bij een lijkschouwing naar boven. De wond zou verschillen wanneer er met die metalen strip van bovenaf zou zijn gestoken of op gelijke hoogte.'

'We kunnen zelfs nog verder gaan,' zei Nat, razendsnel nadenkend. 'Stel dat Upchurch helemaal niemand heeft aangevallen? Stel dat Graf Upchurch in koelen bloede heeft vermoord? Dat hij het allemaal zelf heeft gepland? Dat hij achteraf die metalen strip in zijn hand heeft gestopt?'

'Hè?' Angus keek haar met grote ogen aan. 'Waarom zou Graf dat hebben gedaan?'

'Geen idee. Om dezelfde reden waarom hij Upchurch koeioneerde: ze hadden een hekel aan elkaar.'

'Nu ga je wel erg ver, Natalie. We weten te weinig om dat te kunnen veronderstellen.'

'Maar stel dat het zo is gegaan?'

Angus dacht even na. 'Waarom is Saunders dan vermoord?'

'Graf heeft hem opgeofferd. Hij was nodig om aan te tonen dat Upchurch hem aanviel en hij zichzelf moest verdedigen.'

'Dus Graf heeft Saunders vermoord?' Angus' mond viel open. 'Dat is te gek voor woorden! Ze waren bevriend. Dat heeft hij zelf gezegd.'

'We weten dat hij een leugenaar is.'

'En een klootzak en een racist. Maar daarom is hij nog geen koelbloedige moordenaar. Zo gaan PI's toch niet te werk? Ze vallen elkaar, net als politieagenten, niet af. Net als soldaten, trouwens.' Angus' auto reed weer een stukje naar voren in de file. 'Weet je, we vergeten nog iets. We kunnen er zó achter komen wat er in die kamer is gebeurd.'

'Hoe dan?'

'Er hangen overal videocamera's in de gevangenis. Heb je die zilverkleurige bolletjes met spiegeltjes aan het plafonds zien hangen? Daar zitten camera's in.'

Dat had Nat niet gezien.

'Ik weet dat ze de opstand op band hebben staan. De politie vertelde me dat ze die banden aan de officier van justitie van Chester County zou geven, als bewijs. Dus dan moeten ze ook een band hebben van die kamer.'

Nat ging rechtop zitten, en zag al een band voor zich waarop de wrede dubbele moord stond en zijzelf die Saunders reanimeerde. Wilde ze dat zien? Kon ze er wel naar kijken?

'In welke kamer was het eigenlijk?'

'Weet ik niet. In een van de kantoortjes.' Opeens wist Nat het weer. 'Willie zei dat ze gevangenen meenamen naar het kantoortje van de bewakers om over hun aantekeningen te praten.'

'Oké,' zei Angus knikkend. 'Dat gaan we doen. We gaan de band vragen van het kantoortje.' De Kever was eindelijk bij de bocht aangekomen, en Angus sloeg af een andere weg op. Daar kon het verkeer gewoon doorrijden en Nat had het gevoel dat ze meteen beter kon ademhalen.

'En hoe pakken we dat aan? Die band geven ze ons echt niet zomaar.'

'Als Graf me niet had gered, zou ik hem aanklagen.'

'Hoezo?'

'Ik zou hem aanklagen namens Upchurch, de gevangene die is gedood, wegens schending van zijn burgerrechten en onredelijk gebruik van geweld. Omdat ik denk dat Graf Upchurch ten onrechte heeft gedood, nadat Upchurch Saunders had vermoord.'

'Dat zou je dan namens de eiser moeten doen, toch? En zijn familie?'

'Klopt. Dan moet ik ze wel zien op te sporen.'

'Dat zou dan zo'n aanklacht worden waarbij de inbreker de huiseigenaar voor de rechter sleept. Zo'n aanklacht waardoor advocaten erg populair worden bij het grote publiek.'

'Bedankt.' Angus' ogen glinsterden ondeugend. De Kever reed lekker door en Nat werd helemaal vrolijk toen ze het bordje I-95 zag. Er was nog een kans dat ze haar sexy vriendje kon houden, en dat was heel mooi.

Angus zei: 'Vroeger zou ik er al mee bezig zijn geweest, maar nu heb ik veel meer verantwoordelijkheden. Ik moet een goede band met de gevangenis houden, vanwege het Praktijklessenprogramma.'

'Maar ik niet. Ik kan de gevangenis aanklagen, omdat ze Buford en Donnell in je klas hebben toegelaten. Omdat ze de andere gevangenen onvoldoende hebben beschermd, en ons ook. Ze zullen wel zeggen dat het overmacht was, maar dan hebben we in elk geval al wat gedaan.'

'Niet slecht.' Angus knikte. 'Daar maakte Machik zich zorgen over, en terecht.'

'Dus vertellen we hem dat we een aanklacht gaan indienen en dan geven we hem de kans erover te onderhandelen.' Nat schoof naar voren terwijl het plan zich in haar hoofd ontvouwde. 'Wij willen de banden, en in ruil daarvoor zien we af van vervolging. In wezen is dat een prima ruil. Als hij niet wil, weten we dat er iets gruwelijk verkeerd zit. Wie wil er nu geen prima ruil? En als er niets op de band staat wat kwaad kan, dan zal hij zeker instemmen.'

'Wat een uitstekend idee! Hij kan geen kant op.' Angus dacht even na. 'Maar waarom willen we de banden eigenlijk hebben? Wat voor reden geven we hem?'

'We zeggen dat ik daardoor sneller over het trauma heen kom.' Het was niet helemaal als grapje bedoeld, maar Angus moest lachen.

'Je bent een genie in het kwaad. Wil je soms de alleenheerschappij over de aarde?'

'Nee hoor, hoogstens –'

'Prima, doen we.' Ze kwamen op de inrit bij de I-95 en reden de hoofdweg op. Er leidden drie rijbanen naar het noorden van Philadelphia en het verkeer reed hard. De hemel werd verlicht door het licht van autolampen, huizen en gebouwen. Het was al bijna donker. Ze reden langs billboards van mooie mensen met een brede glimlach, die werden uitgelicht door spotjes. De Kever reed de linkerbaan op en Nat dacht dat ze zelfs voor Hank thuis zou kunnen zijn.

'Dit gaat een stuk sneller,' zei ze blij. Ze keek naar haar gsm, maar er was geen sms'je van Barb Saunders binnengekomen.

'Dit is een prima weg.' Angus keek geïrriteerd in zijn achteruitkijkspiegel. 'Jammer alleen van die bumperklever.'

'Niet op letten. Die haalt ons wel in.'

'Aardig, hoor.'

'Komt door al dat gepraat over messengevechten.' Nat rilde.

Angus gaf gas, maar de auto achter hen bleef hun interieur met fel licht beschijnen. Nat draaide zich om en kneep haar ogen tot spleetjes tegen de koplampen, die hoger zaten dan anders, boven een grote chromen grille.

'Het is een grote wagen, een soort suv,' zei ze.

'Volgens mij is het een pick-up. Hij gaat van de ene naar de andere rijbaan. Waarschijnlijk dronken. Niet te geloven dat Willie dit ooit heeft gedaan.' Angus gaf weer gas. De witte strepen op de weg flitsten langs als één lange lijn. De pekel sloeg tikkend tegen de onderkant van de Kever.

'Rustig aan.' Nat hield zich vast aan de handgreep. 'Laat hem maar inhalen.'

'Rot een keer op, man!' riep Angus in de achteruitkijkspiegel en de Kever werd eindelijk in duister gehuld. Op de baan rechts van hen kwam een gaatje vrij en de pick-up schoot in de lege plek.

'Mooi.' Nat kon weer rustig ademhalen. 'Ik heb even vuil naar hem gekeken.'

'Kijk maar uit voor professor Greco.'

Nat keek nog eens en zag dat het een zwarte pick-up was, de aanduiding F-250 en een Calvin-sticker duidelijk zichtbaar. De Kever en de pick-up raasden naast elkaar door de schemering. Het asfalt glom in de koplampen. Een laagje ijzel op de weg knipoogde luguber. Net voordat het ongeluk gebeurde, zag Nat het als een déjà vu. De pick-up kwam op het beijzelde stuk terecht. Zij gilde. De pick-up raakte de Kever zijdelings met een donkere flits van metaal, zodat allebei de wagens met een akelig schrapend geluid in de vangrail terechtkwamen, waarbij de vonken ervanaf spatten.

BAM! De airbags van de Kever openden zich. Nat kreeg een warm plastic kussen in haar gezicht, waardoor ze tegen de rug van haar stoel werd gedrukt. De auto slipte naar voren, Angus had geen macht meer over het stuur. Ze bleef gillen en hoopte dat de Kever tot stilstand zou komen. Ze kon alleen nog plastic zien. Ze kon alleen nog haar eigen gegil horen. De wereld bestond uit warmte en angst en een vreemd luchtje.

De Kever kwam eindelijk hortend en stotend langzaam tot stilstand. Angus had waarschijnlijk de handrem aangetrokken. Nat werd in het kussen geworpen. Haar schouders kwamen tegen het raampje aan. Er zat overal poeder. En toen was alles afgelopen. Nats airbag zakte in elkaar en ze keek naast zich.

Angus zat voorover tegen zijn airbag aan en bewoog niet.

19

DE ONDERZOEKSKAMER was klein en tegen de muur stonden witte metalen kastjes. Aan de andere kant was een roestvrijstalen gootsteen met daaronder een assortiment desinfectiemiddelen. In een stalen emmer aan de muur naast de onderzoekstafel zat een bloeddrukmeter. De hartmonitor stond uit, het zwarte scherm vol met bewegingloze groene en rode strepen. Een plastic infuuszak waar BAXTER op stond, hing aan een stalen haak in de muur en liet een zoutoplossing in Angus' elleboog druppelen. Hij lag op het dunne kussen, zijn blauwe ogen onder een schoon verband. Hij had nog een wond erbij op zijn jukbeen, een gebroken rib, en er werd onderzocht of hij behalve zijn gekrenkte ego verder nog inwendig letsel had.

'Wat een zak!' zei Angus. Als hij zich al slapjes voelde, was dat niet te merken. 'Als hij mans genoeg was geweest om te stoppen, had ik hem in elkaar geslagen.'

'Vrede, man.'

'M'n rug op met vrede!' mopperde Angus. 'Door die vent hadden we wel dood kunnen zijn!'

'Dat is zo, maar doe nu maar rustig aan.' Nat zat op een metalen stoel naast zijn bed. Behalve een pijnlijke neus en een knallende hoofdpijn had zij er niets aan overgehouden. Ze was vreemd rustig, misschien omdat Angus zo overstuur was, of omdat een auto-ongeluk lang zo eng niet was als een poging tot verkrachting. Haar camel jas zat onder het poeder uit de airbag, en ze was bij het ongeluk een schoen kwijtgeraakt. Haar garderobe kon dit soort dingen allemaal niet aan.

'Dronken klootzak. Doorrijden na een aanrijding. Die man zou afgeschoten moeten worden!' zei Angus.

'Je was toch tegen de doodstraf?'

'Behalve voor dronken bestuurders. Daar maak ik een uitzondering voor.'

'En Willie dan? En je principes?'

'Willie is de uitzondering die de regel bevestigt, en mijn principes doen pijn als ik me beweeg.' Angus ging boos verliggen in het kleine bed en uit de hals van het ziekenhuishemd stak heel sexy wat roodblond borsthaar, waar Nat bewust niet naar keek.

'Doe nou toch rustig. De dokter heeft gezegd dat je stil moet blijven liggen, weet je nog? Hij is bang dat je milt misschien gescheurd is.'

'Walgelijk! Komt er dan miltsap uit? Waar de meisjes bij zijn?'

Nat glimlachte. 'Nee, maar als hij gescheurd is, dan krijg je een splenectomie.'

'Zie je wel, ik wíst dat ik een splenectomie nodig had! Dat roep ik al jaren. Wat is een splenectomie eigenlijk?'

'Je wilt helemaal geen splenectomie, Angus. Je hebt gehoord wat de dokter heeft gezegd. Het zou gevolgen kunnen hebben voor je lymfeklieren. Je zou eerder iets kunnen oplopen.' Nat zei maar niet wat de dokter verder had verteld. Ze hoopte maar dat dat geen punt was. Ze ging ervan uit dat Angus niet goed had geluisterd naar de dokter toen hij hem onderzocht. 'Volgens mij moet je opgenomen worden. Is er echt niemand die ik moet bellen?'

'Nee, niemand, alleen mijn werk dan. Ik bel morgen het Praktijklessenprogramma wel over Willlies papieren.' Angus werd eindelijk stil en hij keek even naar Nat. 'Is met jou alles in orde?'

'Ja, hoor.'

'Heb je die meneer van je gebeld?'

'Meneer Hank.'

'En wat zei hij?'

Nee, hè? 'Dat gaat je niets aan.' Nat wilde er liever niet aan denken hoe verdrietig Hank was geweest toen ze hem had verteld waar ze was en dat ze bij Angus was. Ze had het gevoel dat ze hem had bedrogen, hoewel dat helemaal niet zo was. Ze had hem moeten vertellen waar ze naartoe ging. Ze had zo langzamerhand wel moeten weten dat de waarheid altijd boven water kwam. Je zou toch zeggen dat Machik en zij beter moesten weten.

'Eerst die opstand, nu dit.' Angus ging weer liggen. 'Is dit mijn straf, Natalie?'

'Waarvoor?'

'Voor wat ik verkeerd heb gedaan in mijn leven.'

'Natuurlijk niet.'

'Ik heb hoofdpijn.'

'Doe je ogen dicht.' Hij sloot zijn ogen en Nat dimde het felle grote licht en ging zitten. 'Waarvoor zou je dan gestraft moeten worden? Je vertegenwoordigt de moegestreden, arme, verdrukte massa. Jij hebt meer dan genoeg karma. Pro-Deokarma.'

'Ja, hoor.' Angus opende zijn ogen alsof hem opeens iets was ingevallen, of omdat de gebroken rib in zijn milt zat te porren.

'Wat is er?'

'Ik zit net te bedenken,' zei Angus, en hij kwam met een pijnlijk gezicht overeind zitten. 'Stel dat het geen ongeluk is geweest.'

'Ons ongeluk, bedoel je?' Nat wist niet zeker wat hij bedoelde.

'Ja. Stel dat die pick-up ons expres aanreed? Stel dat het te maken heeft met die telefoontjes van gisteren?'

Blijf weg uit Chester County. Nat had geen idee of Angus paranoïde was of geniaal.

'Kijk eens wie we daar hebben,' zei een mannenstem bij de deur. Nat draaide zich om. Twee troopers in uniform met een dikke zwarte jas erover stonden voor de deur. Dezelfde troopers die haar na de opstand in de gevangenis hadden ondervraagd.

'Hallo,' zei Nat terwijl ze opstond. Ze dacht na over wat Angus had gezegd. Stel dat het geen ongeluk was geweest?

'Bert Milroy, professor,' zei de trooper, die zijn zwarte handschoen uittrok en haar een hand gaf. Hij zag er vermoeid uit en zijn magere neus was nog steeds rood van de kou, alsof hij twee dagen lang buiten had gestaan. Hij wees met zijn duim naar de jongere trooper die naast hem stond, degene met de vage littekens. 'Trooper Johnston.'

'Leuk u weer te ontmoeten,' zei de trooper terwijl Milroy naar het bed toe liep.

'Hoe gaat ie, Holt?'

'Niet zo goed.'

'Dat was me een ongeluk, zeg. Het had een kop-staartbotsing tot gevolg. Gelukkig zijn er geen doden gevallen. Er waren vier auto's bij betrokken, jij, en nog eentje waren total loss. De I-95 is daar nog steeds afgesloten.' Trooper Milroy trok zijn opschrijfboekje uit zijn broekzak en haalde een pen onder zijn jas vandaan. 'De andere bestuurders zeiden dat een Ford F-250 pick-up, uit 2002 waarschijnlijk, zwart, onverantwoord reed. Kunnen jullie dat beamen?'

'Ja,' zeiden Angus en Nat in koor. De trooper bladerde in het boekje, en maakte toen staande een paar aantekeningen terwijl hij heen en weer wiebelde op zijn glimmende schoenen waar de sneeuw op smolt.

'Hebben jullie het kenteken gezien, mensen?'

'Hij kwam uit Delaware,' zei Angus. 'Maar ik heb het kenteken niet gezien.'

'Ik ook niet,' zei Nat.

'Een van de andere bestuurders wel, dus dat gaan we natrekken.' Trooper Milroy zei tegen Nat: 'Hebt u de bestuurder gezien? U zat op de passagiersstoel, toch?'

'Dat klopt, maar ik kan me niet herinneren dat ik hem heb gezien.' Nat haalde het zich voor de geest. 'De pick-up was hoger dan de vw. Het raam was donker.'

'Ondoorzichtige ruiten?'

'Geen idee. Hij had wel een Calvin-sticker.'

'Die ken ik.' Agent Milroy maakte een aantekening, en stopte de pen en het opschrijfboekje weer in zijn zak. 'Bedankt, mensen.'

'O, en nog wat,' zei Angus, zijn keel schrapend. 'Natalie en ik dachten dat de pick-up ons misschien bewust heeft aangereden. We hebben gisteravond allebei een belletje gekregen waarin ons werd gezegd uit Chester County weg te blijven. We zijn vandaag naar de gevangenis gegaan en kregen op de terugweg een ongeluk.'

'Het is allemaal wel erg toevallig,' droeg Nat haar steentje bij, hoewel ze er nog niet helemaal van overtuigd was.

'Denken jullie dat de bestuurder van de pick-up jullie wilde vermoorden?' Trooper Milroy trok onder de brede rand van de hoed een wenkbrauw op, maar zijn toon bleef neutraal. 'Daar is geen bewijs voor, en jullie weten dat je niet zomaar dingen mag aannemen. Vanavond, met al die ijzel, zijn er al vijf ongelukken geweest. Een met dodelijke afloop.'

Angus zei: 'Hij reed de hele tijd achter ons. Op onze bumper.'

'Dat gebeurt zo vaak op dat stuk weg, en we hebben van de andere bestuurders vernomen dat hij voortdurend van rijbaan wisselde. Hij was gewoon dronken.'

Nat dacht erover na. 'Hij was niet dronken genoeg om er na het ongeluk bij te blijven. Hij is weggereden. Ik snap niet hoe dat hem is gelukt, als zijn airbag was uitgeklapt.'

'Misschien heeft hij hem uitgezet,' opperde de andere trooper. 'Mijn vrouw heeft zo'n kleine Ranger pick-up en die heeft de airbags uitgeschakeld omdat het gevaarlijk is voor de baby, in zijn autostoeltje.'

Trooper Milroy keek hem geërgerd aan en Angus snauwde: 'Die man reed bepaald niet als een goede vader.'

'Jullie hebben dus allebei een telefoontje gehad?' vroeg trooper Milroy. 'Wat werd er gezegd?'

'Een man zei dat we weg moesten blijven uit Chester County.'

'Hebben jullie dit bij de politie van Philadelphia of bij ons aangegeven?'

'Wat maakt dat nu uit?' Angus fronste zijn wenkbrauwen. 'En bovendien, de bestuurder mag zich dan dronken hebben gedragen, maar dat betekent nog niet dat hij ook dronken was. Misschien deed hij maar alsof, om niet verdacht te zijn.'

'Dat is alleen maar een veronderstelling,' zei Milroy. 'We sporen die vent wel op. Dronken mensen blijven nooit bij het ongeluk omdat ze dan een blaastest moeten doen. Wedden dat hij zich morgenochtend met zijn advocaat komt aangeven?'

Maar Nat wilde nog iets weten. Ze had nog steeds niets van Barb Saunders gehoord. 'Is er al een verdachte voor de inbraak in het huis van de familie Saunders? Het huis van de penitentiair inrichtingswerker die vermoord is?'

'Sorry, daar gaan wij niet over.'

Opeens stonden Hank en Paul bij de deur, hun haar in de war en hun wangen rood van de kou. Ze zagen er naast de troopers in uniform eigenaardig gewoon uit in een zwarte wollen overjas, trainingspak en op basketbalschoenen. Hanks bruine ogen lichtten op toen hij Nat zag.

'Schatje, is alles goed?' vroeg hij, terwijl hij langs de troopers liep. Hij wierp Angus een blik toe, die met zijn hoofd knikte ter begroeting. Nat liep snel op hem af voordat het gênant werd.

'Het gaat prima.' Ze omhelsde hem hartelijk om aan te geven dat ze er spijt van had. Hij rook vaag naar aftershave en zweet, zoals altijd na een potje basketbal.

'Niets gebroken?' Hank liet haar los en bekeek haar van top tot teen.

'Nee.'

'Godzijdank,' zei hij, maar Nat merkte dat hij haar niet in de ogen keek.

Paul stelde zich voor aan de troopers en zei: 'IK HEB GEHOORD DAT HET EEN DRONKEN BESTUURDER WAS. HIJ HAD MIJN ZUS WEL DOOD KUNNEN RIJDEN! HOE HEEFT HIJ WEG KUNNEN KOMEN?'

'Maakt u zich geen zorgen, meneer Greco. We hebben zijn kenteken en –'

'WEET U WAT ZIJN KENTEKEN IS? WAAROM PAKT U HEM DAN NIET OP?'

'We hebben niet zoveel mensen momenteel, door al die –'

'WAAROM GAAT U DAN NIET OP PAD? DIE DRONKEN BESTUURDER LIGT HIER NIET IN HET ZIEKENHUIS, TROOPER.'

Nat kon nog net een kreun binnenhouden. 'Paul, doe me een lol.'

'GEEF MIJ DAT KENTEKEN MAAR! MIJN VADER HUURT WEL EEN PRIVÉDETECTIVE IN OM HEM OP TE SPOREN. HIJ KOMT ER ZO AAN.'

Nee, hè. Pap komt er ook aan!

Trooper Milroy zei: 'Mijn baas staat toevallig buiten, als u met hem wilt spreken, meneer Greco.'

'DAT WIL IK ZEKER.' Paul draaide zich op zijn hakken om. 'BEN ZO WEER TERUG, NAT.' Het was een stuk rustiger toen hij eenmaal de kamer uit was met de troopers, maar de spanning nam toe. In de kleine kamer waren nu alleen nog maar Nat, Hank en Angus aanwezig. Nat zei tegen zichzelf dat er helemaal niet zoveel spanning hoefde te hangen; ze hadden per slot van rekening geen driehoeksverhouding. Maar toch was ze er niet gerust op.

'Hank, dit is Angus Holt, van de universiteit,' zei Nat in een poging normaal te doen.

'Aangenaam.' Hank stak zijn hand uit en Angus kromp ineen toen hij hem drukte. Hank zei: 'O, sorry hoor.'

'Ik vind dit allemaal heel erg.'

'Daar kun jij toch niets aan doen?' Hank glimlachte beleefd. 'Hoe lang moet je hier blijven, vriend?'

'Een dag of twee. Gelukkig is Natalie niet gewond.'

'Natalie,' zei Hank ook. 'O, ja. Natuurlijk. Nat.'

Ik moet hier weg. Voordat mijn hoofd uit elkaar klapt.

Hank knikte, en nog een keer, duidelijk slecht op zijn gemak. 'Nat, wil jij nog blijven, of zullen we weggaan?'

'Weg,' zeiden Nat en Angus, helaas tegelijk. Ze voegde eraan toe: 'Ze hebben me ontslagen, dus ik kan weg wanneer ik wil. Ik zat alleen nog op jou te wachten, Hank.' Als een trouw vrouwtje. En ik vond zijn borsthaar helemaal niet sexy.

'We bellen je vader wel en zeggen dat hij kan omkeren. Ze staan waarschijnlijk toch in de file.'

'Oké, we gaan.' Nat pakte haar jas die over de stoel hing, en Hank kwam snel naar haar toe om haar daar, zoals altijd, in te helpen. Haar jas leek zwaarder dan anders, en ze vroeg zich af of de wol door schuld kon zijn verzwaard, een nieuwe textielsoort of zo. Ze zei zo luchtig mogelijk: 'Goed. Nou, ik hoop dat je je snel beter voelt, Angus.'

'Bedankt,' zei Angus.

'Tot ziens, vriend.' Hank legde zijn hand op Nats rug en leidde haar de kamer uit. 'We gaan naar huis.'

Naar huis. Dat leek haar een goed plan. Ze kon een douche nemen, zich omkleden, en ze zouden een glas chardonnay drinken en dan zou ze alles kunnen uitleggen, zodat hij zich niet meer zo ongelukkig voelde. Hoewel hij tegenover haar, of zichzelf, nooit zou toegeven dat hij ongelukkig was; dat verstopte hij onder zijn masker van de vlotte vent. Ze zouden het allebei wel oplossen. Ze moesten nodig praten.

'Je ouders maken zich vreselijk zorgen.' Hank haalde zijn gsm tevoorschijn en drukte een snelnummer in terwijl ze door een houten deur gingen en een gang door liepen naar de brede automatische deuren, die opengingen. 'Ik bel ze wel even, dan kunnen we allemaal naar huis gaan.'

'Wacht even.' Nat kreeg een koude windvlaag in haar gezicht. 'Bedoel je soms het huis van mijn ouders?'

'Big John!' blafte Hank in de gsm. 'Ik heb het verloren schaap bij me. Ze is helemaal in orde. Keer maar om, dan zien we jullie thuis wel.'

Big John. Haar vader. Haar broers. Paul.

'HANK! MOET JE DIT EENS HOREN!' Paul had bij een politiewagen gestaan die op de parkeerplek voor ambulances stond, en kwam naar hen toe rennen.

Ik heb zo'n hoofdpijn. En gek genoeg ook hartzeer.

'IK HEB TWEE KAARTJES VOOR DE SIXERS!'

'Waanzinnig!' riep Hank terug, die zijn arm zwaar om Nats schouders sloeg. Ze wist dat ze tot middernacht niet meer alleen zouden zijn.

'We moeten praten.' Nat leunde vermoeid tegen de badkamerdeur, nog steeds aangekleed, terwijl Hank in een blauw boxershort en op blote voeten zijn tanden stond te poetsen. Hij knikte, en drukte de elektrische tandenborstel tegen zijn kiezen aan. Zijn bovenlip hing als bij een basset over de borstel.

'Wil je de borstel even uitzetten?' vroeg Nat.

'Ik kan je wel verstaan,' zei Hank, maar het leek meer op: ik kn jewl vestn. *Bzzz.*

'Mooi. Nou, je wilde dus niet dat ik naar Chester County zou gaan, maar ik moest wel, nadat ik had gehoord dat er bij de weduwe van Saunders was ingebroken.'

Bzzz. 'Je bent niet naar de weduwe toe gegaan maar naar de gevangenis.'

'Ik kreeg haar niet te pakken. Ik had niet het idee dat het gevaarlijk zou zijn, omdat Angus erbij was. Hij heeft trouwens net zo'n telefoontje gehad.'

'Je hoort niet in een gevangenis. Je hoort op de universiteit. Je bent een docent, geen misdadigster. Of advocaat.'

Nat ging er niet op in. Ze hadden het er in de auto al over gehad.

Gelukkig was hij nu wat rustiger. 'Daar denk ik gewoon anders over.'

Bzzz. 'Goed dan.'

'Ik wil alleen maar zeggen dat ik er spijt van heb dat ik niet tegen je heb gezegd dat ik daarnaartoe ging met Angus.'

Bzzz. 'Oké.' Hij zette de borstel tegen zijn boventanden, waar hij tien seconden bleef draaien. Ze wist dat hij de seconden aftelde, want hij mocht dan verder een slordige vent zijn, maar Hank Ballisteri gaf veel om zijn gebit.

'Zo te zien houden ze iets geheim in de gevangenis en we willen kijken of we ze kunnen vervolgen.'

Bzzz. Hank knikte. Vier, vijf, zes.

'Je weet best dat er niets tussen Angus en mij aan de hand is. Ik werk met hem samen, meer niet. Het ongeluk was duidelijk niet zijn schuld. Als het al een ongeluk was.'

'Hè?' Hank liet op de achtste tel zijn tandenborstel zakken, zijn mond vol met groen schuim. 'Hoe bedoel je, áls het al een ongeluk was?'

Shit. 'Dat weet ik eigenlijk niet.' Nat wist het nog niet zeker, en het was al laat. 'Ik vind het alleen erg vreemd dat me wordt verteld dat ik niet naar Chester County mag gaan, en als ik wel ga, dat ik dan een auto-ongeluk krijg.'

'Je werd in Philadelphia County aangereden, en natuurlijk was het een ongeluk. De bestuurder was dronken. Je vader zou hem morgenochtend al hebben opgepakt als de agenten het kenteken hadden doorgegeven.'

'Dat krijgt hij echt niet. Dat zijn politiezaken.'

'Als jij erbij betrokken bent, zijn het zíjn zaken.'

'Nee, echt niet,' zei Nat, met meer nadruk dan nodig was. Maar daar ging het verdomme ook helemaal om. 'Als het iemands zaken zijn, dan wel de mijne.'

'Je vader is gek op je. Je bent zijn kleine meisje. Je zou blij moeten zijn dat hij voor je opkomt.' Hank fronste zijn wenkbrauwen. 'Mijn vader zou dat niet doen. Je weet gewoon niet hoeveel mazzel je hebt.'

Grrr. 'Je moet goed begrijpen dat ik van mijn familie hou, maar soms heb ik een beetje genoeg van al die Greco's. Jij niet?'

'Hè? Je bent zelf een Greco.'

'Ik bedoel de andere Greco's. Word jij nu nooit eens moe van hen? Allemaal samen, de hele tijd?'

'Nee.' Hank zette de tandenborstel aan en ging weer aan de slag. Een, twee, drie.

'Maar ik ben dertig.'

'Nou en?' *Bzzz.*

'Ik vind het leuk dat je zo goed met hen kunt opschieten, maar...' Nat haperde. Ze had het altijd erg fijn gevonden dat Hank haar familie in zijn hart had gesloten, en andersom ook. Door hem was ze weer naar huis gegaan, en hadden ze haar geaccepteerd op een manier die ze nog niet eerder hadden gedaan. Maar nu kon ze Hank niet meer van haar familie losweken, en evenmin kon ze hem aan zijn verstand peuteren waarom ze dat wilde. Zijn anders zo gladde voorhoofd was nu gerimpeld door verbijstering.

'Wat moet ik doen, Nat? Je vader en je broers laten stikken? Mijn baan opgeven? Ze zijn mijn zakenpartners. Mijn vrienden. Ik ben gek op ze.'

'Ik ook.'

'O, ja?'

'Ja, natuurlijk.'

'Je krijgt toch geen genoeg van de mensen van wie je houdt?'

'Natuurlijk wel.' De knoop in Nats borst werd strakker aangetrokken, en Hank draaide zich om, zette de tandenborstel uit en deed er wat tandpasta op. *Bzzzzz.* Een, twee, drie.

'Jij en ik zijn momenteel belangrijk. Sorry dat je je opgelaten voelde omdat ik je niet had verteld dat ik naar de gevangenis zou gaan, maar het stelt verder niets voor. Angus en ik hebben echt geen relatie.'

'Dat weet ik ook wel.' Hank spuugde in de wastafel, draaide de kraan open en ging verder met zijn voorste kiezen. Vijf, zes. 'Wat een zielig figuur is dat, zeg.'

Au. 'Hoezo dat?'

'De baard? De paardenstaart? Hij ziet er niet uit.'

Nat kwam naar voren en draaide de kraan dicht.

'Wat doe je nou?' Hank fronste zijn wenkbrauwen maar poetste door. Zeven, acht, negen. 'Dat doe je nou altijd als ik aan het tandenpoetsen ben.'

'Jij bent altijd erg lang bezig met tandenpoetsen, en het is zonde van het water als je het maar gewoon laat lopen.'

'Maak je je nu ook al zorgen over de waterrekening?' Hank ging naar de volgende kies en draaide de kraan weer open. 'Die betaal ik dan wel.'

'Daar gaat het niet om. Het is gewoon zonde. We hebben maar een beperkte hoeveelheid water op aarde.' Nat draaide nadrukkelijk de kraan weer dicht en Hank keek haar aan alsof ze gek was.

'Schatje, de wereld bestaat wel voor zo'n 99 uit procent water. We zullen echt nooit zonder zitten.'

'Het blijft zonde om het te verspillen. Geef je dan niets om dingen die veel meer betekenen dan jezelf?'

'Ook goed.' Hank spuugde in de wastafel, zette de tandenborstel uit en schoof hem zonder hem schoon te maken, in de plastic houder. 'Volgens mij heb je iets aan dat ongeluk overgehouden.'

'Je wordt bedankt.'

'Sorry hoor, maar je hebt de hele avond al een slechte bui. Eerst bij je ouders thuis. Nu hier weer.'

Dat was waar, en Nat wist dat best. 'Ik heb anders net wel een auto-ongeluk gehad.'

'Wil je een tijdje alleen zijn?' vroeg Hank. 'Dan ga ik wel naar huis.'

Nat dacht even na. Dit was al zo vaak gebeurd. Ze hadden zelden ruzie, maar als het zover was, namen ze even afstand en de volgende dag gingen ze weer op de oude voet verder, alsof er niets was gebeurd, en dan zei een van hen wel dat ze gewoon moe waren geweest, meer niet.

'Nat, zeg het maar. Wil je dat ik naar huis ga?'

Nee. Ja. Nee. Ja. 'Ja, doe maar.'

'Oké.' Hank liep langs haar heen, stampte rond in de slaapkamer om zijn kleren en schoenen bij elkaar te zoeken, en kwam half aangekleed de gang in lopen. 'Ik bel je morgen wel,' zei hij ten afscheid.

Nat hoorde de deur dichtslaan, en had het gevoel dat het de laatste keer was.

20

'U WILDE ME SPREKEN?' Nat stond op de drempel van vicerector magnificus McConnells kantoor. Hij had die ochtend haar antwoordapparaat ingesproken en ze was meteen naar hem toe gegaan, met opnieuw een gevoel van déjà vu.

'Ja, kom maar binnen.' McConnell gebaarde naar de stoel waarin ze de vorige keer ook had gezeten en die Nat zo langzamerhand als de hare beschouwde. Ze ging zitten, streek haar zwarte wollen jurk glad en sloeg haar benen over elkaar. Ze had zwarte suède laarzen aan met acht centimeter hoge hakken, waardoor niet alleen haar lengte was toegenomen, maar ook haar zelfvertrouwen. Ze begreep opeens waarom cowboylaarzen zo populair waren.

'Bedankt.'

'Wat erg dat Angus en jij een auto-ongeluk hebben gehad. Dit is me het weekje wel voor je. Voor jullie allebei.' McConnell leunde naar achteren in zijn ouderwetse leren stoel. Het raam achter hem gaf uitzicht op Sansom Street, waar voetgangers zich op deze koude, winderige ochtend naar hun werk haastten. De wind waaide door de dunne takken van de bomen, alsof ze elk moment konden knappen. Of verbeeldde zich dat alleen maar. McConnell vroeg: 'Hoe gaat het met Angus? Ik heb sinds gisteravond nog niets van hem gehoord.'

'Dat weet ik niet.' Nat was een beetje van streek. Ze vond het maar niets dat Angus in zijn eentje in het ziekenhuis lag. 'Ik heb vanochtend gebeld, maar er werd niet opgenomen in zijn kamer, en ze wilden me over de telefoon niets vertellen, omdat ik geen familie ben.'

'Hij had ook inwendig letsel, heb ik gehoord.'

'Ja. Vandaag horen we daat meer over.'

'Goed.' McConnell legde een stapel papieren aan de kant. 'Daar wilde ik je niet over spreken. Ik heb een telefoontje van de directeur gekregen over jou en Angus. Jullie hebben een PI ondervraagd over hoe het er in de gevangenis aan toegaat. Dat is natuurlijk niet zoals het hoort.' McConnell keek even naar wat met de hand geschreven aantekeningen op een schrijfblok. 'Een zekere Tanisa Shields?'

'Hè? We hebben helemaal niets aan haar gevraagd.'

'Dus de directeur heeft het mis? Jullie hebben haar niet ondervraagd?' McConnell fronste zijn wenkbrauwen.

'We hebben haar wel gesproken, maar het was geen ondervraging. Het was gewoon een gesprek.'

'Toch is ze daardoor wel geschorst.'

'Maar ze heeft helemaal niets verkeerds gedaan.' Nat voelde zich vreselijk schuldig. Nu zat Tanisa toch nog in de problemen.

'Je kunt er niets aan doen, Nat. We hebben geen zeggenschap in de gevangenis.'

'Maar zij wordt gestraft terwijl ze niets heeft gedaan.'

'Daar gaat het helemaal niet om.' McConnell keek haar door zijn bril streng aan. 'De directeur wil voorlopig niet dat Angus of jij naar de gevangenis gaat.'

'Hè? Dat kan toch niet?' Nat nam het voor Angus op. 'Hij geeft daar les, en hij helpt gevangenen ook met hun rechtszaak.'

'De directeur heeft contact opgenomen met de Widener Law School en die neemt de lopende zaken over.'

'Maar Angus geeft echt om die gevangenen. Om zijn klas. Ze kennen hem. Ze mogen hem graag daar.'

'Dan leren ze wel weer een andere advocaat kennen. Cliënten nemen zo vaak een andere advocaat in de arm.' McConnell leunde weer naar achteren in zijn stoel, en keek haar aan alsof er verder geen discussie mogelijk was. Hij droeg hetzelfde pak als de dag ervoor, maar met een andere das. 'Mag ik je iets zeggen?'

Nee. 'Goed.'

'Je zit tegen je vaste aanstelling aan, Nat. We hebben er al gauw gesprekken over. Er worden nu al evaluaties ingezameld.' McConnell boog zich naar voren. 'Ik heb je artikelen over rechtsgeschiedenis gelezen en ik heb je altijd een van de beste jonge rechtenstudenten gevonden. Wij schatten echte kennis hoog in op deze faculteit. Dit is een van de beste rechtenuniversiteiten in het land, en we hebben het zover geschopt omdat we zulke goede colleges geven, en niet door onze Praktijklessenprogramma's.'

Heel fijn. Nat wilde liever geen complimentjes krijgen ten koste van Angus.

'Toegegeven: dat seminar dat je laatst gaf, die verkleedpartij en zo, dat vind ik maar niets. Daar hou ik helemaal niet van. Maar ik begrijp best dat je met je tijd mee moet gaan. Ik ben geen fossiel.'

Echt wel.

'En dan al dat gedoe in die gevangenis.' McConnell snoof. 'Dat is toch niets voor jou, Nat? Helemaal niets voor jou.'

'Misschien ben ik wel aan het veranderen.' Zei ik dat?
'Is dat wel verstandig? Denk daar maar eens goed over na. En zeker op dit punt in je carrière.' McConnell glimlachte beleefd en Nat begreep wat hij wilde zeggen.

Blijf weg uit Chester County.

'Ik ga jullie een verhaal vertellen,' zei Nat, die op het podium stond voor haar seminarklas. Dit was haar derde lesuur, maar ze voelde zich wonder boven wonder heel energiek, nog helemaal hyper door het gesprek met McConnell. Ze had Barb Saunders en Angus weer gebeld, maar nog steeds werd er niet opgenomen. Voorlopig had ze het even van zich af gezet.

'In januari 1962 schreef iemand die in de gevangenis in Florida zat een brief. Hij was eenenvijftig, blank, arm, een zwerver, had zichzelf lezen en schrijven geleerd en was in alle opzichten zo koppig als een ezel. Hij was veroordeeld omdat hij had ingebroken in de biljartkamer in Panama City in Florida, en daar het geld uit de sigarettenautomaat en de jukebox had gestolen.'

Anderson zat driftig op haar laptop te tikken, net als Carling, Chu, Gupta en Wykoff.

'Wacht even, niet typen.' Nat stak haar hand op. 'Mensen, nu even niet typen. Dit is een verhaal. Jullie moeten alleen maar luisteren.'

Anderson keek naar haar, net als de anderen.

'Mooi. Bedankt. Zoals ik al zei: de gevangene kon zich geen advocaat veroorloven, dus verzocht hij de rechter er eentje voor hem aan te wijzen. De rechter wees zijn verzoek af, omdat volgens de wet arme mensen alleen maar in moordzaken een advocaat toegewezen konden krijgen, of onder zeer speciale omstandigheden. De rechter had gelijk, want zo ging dat in die tijd. Dus vertegenwoordigde de gevangene zichzelf tijdens de rechtszaak, en hij beging een heel scala aan fouten; hij riep namelijk de agent die hem had gearresteerd nota bene als getuige op. Hij werd schuldig bevonden en kreeg vijf jaar.'

Wykoff fronste zijn wenkbrauwen en Chu knipperde met haar ogen. Warren haalde het niet eens in zijn hoofd om iets te tikken.

'Maar in de gevangenis ging de gevangene rechten studeren met behulp van boeken in de gevangenisbibliotheek, en hoe vaak de gevangene ook het Sixth Amendment las, hij kon het maar niet rijmen met het feit dat de rechter hem geen advocaat wilde toewijzen. Dus schreef hij zijn eigen habeas corpus naar het hooggerechtshof van Florida, dat werd afgewezen, en toen, onverschrokken, schreef hij een brief naar het hooggerechtshof van Amerika.'

Gupta en McIlhargey zaten zo te zien geboeid te luisteren.

'Het hooggerechtshof accepteerde de zaak en wees hem, zoals gebruikelijk was, een advocaat toe. Iemand die in alle opzichten anders was dan de gevangene. Abe Fortas was een typische inwoner van Washington, en een partner bij een vooraanstaand advocatenkantoor. Hij reed in een Rolls-Royce, en zijn grote voorbeeld was rechter Louis Brandeis. Fortas zei altijd over Brandeis: "Hij is een boze man, boos over onrecht."'

Bischoff en Warren luisterden ook.

'Fortas werd ook kwaad over onrecht, en hij bepleitte de zaak van de gevangene voor het hooggerechtshof. Hij zei dat het Sixth Amendment inhield dat iedereen in elke rechtszaak een advocaat toegewezen hoorde te krijgen. De gevangene en de advocaat wilden dat het hooggerechtshof de wet zou aanpassen. En het hof was het ermee eens.'

Nat had geen aantekeningen voor zich, want de zaak lag haar na aan het hart, hoewel ze dit keer nog meer dan anders werd gedreven. Al wist ze niet precies waardoor.

'Uiteindelijk kreeg de gevangene gerechtigheid. Hij kreeg een nieuwe rechtszaak in Florida, en kreeg een advocaat toegewezen die hem verdedigde. De advocaat kwam erachter dat de hoofdgetuige van het OM, een politieman, gearresteerd was omdat hij een man buiten diezelfde biljartzaal in elkaar had geslagen en beroofd. De gevangene werd onschuldig bevonden. Hij heette Clarence Earl Gideon. De zaak heette Gideon versus Wainwright.'

Gupta en Anderson keken elkaar aan, en Chu moest glimlachen.

'Op 23 november schreef Gideon een brief naar Abe Fortas, waarin stond: "Ik vind dat het recht elk era steeds beter wordt; elk jaar wordt er iets nieuws bereikt ten gunste van de mensheid. Dit is misschien een van die kleine stapjes vooruit."' Nat was even stil. 'Clarence Earl Gideon geloofde dat iemand de wereld kon veranderen als hij het recht aan zijn kant had. Hij schreef geschiedenis, omdat hij gelijk had.'

Het was doodstil in de grote zaal. De studenten keken haar aan. Nat gaf dit seminar al twee jaar en ze had nog nooit zo'n reactie gehad. Ze vond het heerlijk, en voelde zichzelf, de klas en Clarence Earl Gideon bevestigd. En opeens wist ze waardoor ze nog meer werd gedreven.

En eindelijk begreep ze iets van de dingen waarin ze al die tijd les had gegeven.

21

IN ANGUS' KAMER in het ziekenhuis stond het vol met studenten met Tibetaanse mutsen, rood-witte Palestijnse sjaals en bontgekleurde gebreide truien. Ze draaiden zich om toen Nat binnen kwam lopen, en keken haar aan alsof zij degene was die zich vreemd kleedde, met haar chique laarzen en zwarte Armani-jas. Eerlijk gezegd was de jas ook wel een beetje pretentieus, maar nadat ze haar houtje-touwtjejas en haar camel jas was kwijtgeraakt, had Nat enkel nog maar haar geklede jas, die ze alleen droeg bij begrafenissen en als ze naar buitenlandse films ging.

Deirdre trok haar ongeëpileerde wenkbrauw op. 'Dag, professor Greco,' zei ze kil, pal naast het bed. De andere studenten maakten een pad voor haar vrij.

'Natalie! Net op tijd voor de ijszak.' Angus tilde zijn hoofd op van het kussen. Hij had een nieuw verband om en het infuus was weg, maar hij had nog steeds een spalk tegen zijn elleboog en die goudblonde haartjes die boven zijn ziekenhuispyjama uitpiepten.

'Hé, hallo.' Nat liep naar het bed en Angus' ogen lichtten op.

'Wat zie jij er mooi uit.'

Nat bloosde. 'Dank je. Hoe gaat het met je?'

'Goed nieuws! Ik raak misschien mijn milt niet kwijt.'

'En het miltsap ook niet?'

Angus lachte, en de studenten ook, hoewel niemand wist waar het grapje over ging.

'Ik kon je niet bereiken en maakte me al zorgen.'

'Nou, ik ben er nog, hoor. Ik heb de hele ochtend liggen slapen. Volgens mij heeft een van de zusters een slaappil in het appelsap gedaan.'

Deirdre sloeg plagerig op Angus' arm. 'Seksistisch, hoor.'

'Is dat zo? Weet je wat? Je bent gezakt.' Angus glimlachte vermoeid. 'Deirdre, waarom ga niet even met de andere studenten naar de koffieautomaat zodat ik even met professor Greco kan praten?'

'Woehoe!' joelde een van de mannelijke studenten, en iedereen barstte weer in lachen uit.

Deirdre wist haar teleurstelling goed te verbergen. 'Zo terug,' zei ze terwijl ze allemaal lachend en pratend de deur uit schuifelden.

'Hoi,' zei Angus zacht. Het was opeens stil in de kamer en door het raam achter hem was de avondlucht bosbessenblauw gekleurd.

'Jij ook hoi.' Nat pakte een stoel, maar voelde zich niet erg op haar gemak. Het was net alsof er iets tussen hen was veranderd, maar ze ging ervan uit dat het maar verbeelding was.

'Mooie laarzen, zeg.'

Of toch niet. 'Ik snap nu waarom jij ook laarzen draagt.'

'O, ja?'

'Het maakt je zelfverzekerder.'

'Nee, ik draag ze uit luiheid. Ik ben altijd al zelfverzekerd geweest.' Angus hield zijn hoofd schuin en keek haar aan. 'Wat zie jij er blij uit. Wat is er aan de hand, meisje?'

Ik heb geen flauw idee. 'De lessen gingen zo lekker vandaag, en zelfs het seminar liep op rolletjes.'

'Mooi zo! Je gaat de goede kant op. Dat dacht ik al, hoor. Je wordt wel populair.'

'Hopelijk wel.' Nat voelde zich erg blij. 'Het is gewoon leuk. Dat het allemaal lukt.'

'Daarom geven we les, nietwaar?'

'Precies.' Nat had dat niet eerder beseft.

'Waar ging de les over?' vroeg Angus geïnteresseerd terwijl hij ging verliggen.

'Over Gideon.'

'Fantastische zaak. En een prachtige film, met Henry Fonda.'

'Dat geloof ik graag, want het is een fantastisch verhaal.'

'Alle zaken zijn fantastisch, vind ik.'

Nat knikte. Het was fijn om over werk te praten zonder alles te hoeven uitleggen.

'Wat is er gebeurd?'

'Nadat ik de klas het verhaal over de zaak had verteld, was er even een heel speciaal moment. Ik kan niet uitleggen wat er precies gebeurde.'

'Ze begrepen het.'

'Ja, dat klopt.' Nat dacht erover na. 'Ik legde het uit, en zij begrepen het, en heel even kwamen we in de ruimte tussen het podium en de stoelen samen. Alsof we verbonden waren.' Ze haalde haar schouders op. 'Anders kan ik het niet uitleggen.'

'Liefde, misschien?'

Hè? 'Hoe bedoel je?'

'Het gaat om liefde. Niet dat de studenten van ons houden of dat wij van hen houden. Maar dat we allemaal van hetzelfde onderwerp houden, wat je hun ook wilt leren, en daarom hebben we een band.' Angus maakte een draaiende beweging met zijn hand. 'We zijn op dat moment even één. Het is een band tussen de geest en de ziel.'

'Ja.' Nat luisterde geboeid maar hield zich opeens in. Ging ze niet te ver? Ze moest van onderwerp veranderen. 'Oké. Maar goed, meende je dat nou, toen je zei dat het ongeluk misschien geen ongeluk was?'

'Ja. Het is te toevallig.' Angus schudde zijn hoofd. 'Eerst worden we bedreigd en dan worden we bijna gedood. Als je dat optelt bij wat we weten over de moord op Upchurch, dan is het logisch. Er is iemand die niet wil dat we de boel onderzoeken, iemand die of met Graf of met de gevangenis te maken heeft.'

Nat dacht na over haar gesprek met McConnell. 'En er is nog iets erg toevalligs gebeurd waar je niet blij mee zult zijn.' Ze vertelde Angus dat hij niet meer naar de gevangenis mocht, en zijn wangen werden net zo rood als zijn kneuzingen.

'Verdomme! Die klootzak. Dat kan hij toch niet doen!'

'McConnell of Machik?'

'Allebei!' Angus' ogen flitsten helderblauw. 'Dat Praktijklessenprogramma heeft bijna elke gevangene in de gevangenis geholpen. Ze kunnen dat niet zomaar afschaffen.'

'Widener gaat zich ermee bemoeien.'

'Wel verdomme! Dit is wel mijn Praktijklessenprogramma! En mijn studenten dan? Die jongelui?' Angus wees naar de deur en trok een gezicht toen hij overeind wilde komen in bed. 'Zij hebben er ook baat bij dat ze de gevangenen vertegenwoordigen. Ze zijn juist hier vanwege het Praktijklessenprogramma!'

'Rustig nou maar.' Nat leefde met hem mee. 'Ga maar liggen. Ik haal wel wat water voor je.'

'Nee, laat maar.' Angus sloeg gefrustreerd op het bed. 'Ik moet hier weg. Ik kan hier niets doen. Mijn gsm doet het niet meer. Ik ben mijn BlackBerry bij het ongeluk kwijtgeraakt. Ik lig hier maar te liggen terwijl zij mijn levenswerk naar de kloten helpen.'

'We regelen het wel als de rector magnificus er weer is.' Nat liep naar het dienblad, schonk water uit een plastic kan in een piepschuim beker en gaf die aan hem. Op dat moment zag ze dat zijn ogen betraand waren, wat hij gauw met zijn ogen wegknipperde. Ze had medelijden met hem. 'Kijk eens.'

Angus knikte, pakte de beker aan, en dronk gretig. Hij schraapte zijn keel, maar hield zijn hoofd gebogen. Nat zei niets en bleef daar staan. Ze kon vanwaar ze stond zijn gezicht niet zien, alleen zijn blonde haar. Haar blik dwaalde af naar zijn gespierde brede schouders, de forse bicepsen en de sproetjes op zijn armen. Opeens kwam ze tot de schokkende ontdekking dat ze onbewust dacht: wat een mooie man.

'Bedankt.' Angus voelde zich weer wat beter en gaf haar de beker terug.

'Graag gedaan,' zei Nat, die zich vermande. 'Wil je nog een beetje?'

'Nee, bedankt.'

'Voel je je al wat beter?' Ze zette de beker op het tafeltje, en opeens pakte Angus haar andere hand. Zijn hand voelde warm aan toen hij die op de hare legde, en ze trok haar hand niet weg.

'Natalie, moet je horen,' zei hij hees. Hij keek haar met droge, felblauwe ogen aan. 'Ik moet je iets vertellen –'

'Pardon?' zei een vrouw in de deuropening.

Angus liet Nats hand los en ze keken allebei naar de deur. Daar stond Deirdre voor de hele meute studenten. Ze keek kwaad van Angus naar Nat.

'Ik wilde jullie niet storen, maar je eten is er.'

'Eten?' Angus keek op de klok aan de muur. 'Het is pas vijf uur.'

Natalie, moet je horen. Ik moet je iets vertellen... Wat dan?

'Het wordt nu rondgebracht.' Deirdre hielp de broeder een handje, pakte het volle dienblad aan en bracht het zelf naar het tafeltje. 'Het diner is opgediend,' zei ze. 'Gebraden kip, erwtjes en een salade. Jammie.'

Trrring! Trrring! Nat schrok ervan. Haar gsm ging. Ze haalde hem uit haar tas.

'Die mag je hier niet opnemen,' zei Deirdre. 'Mobieltjes zijn niet toegestaan.'

Heel erg bedankt. Nat keek op het schermpje, in de hoop dat het niet Hank zou zijn, niet nu. Maar het nummer zei haar niets. Ze klapte de telefoon open.

Op de achtergrond hoorde ze Angus zeggen: 'Natuurlijk mag het wel, Deirdre. Wij gaan professor Greco toch niet verraden?'

'Hallo?' Nat legde haar hand over haar andere oor en liep naar de deur. Het was een vrouw.

'Mevrouw Greco? Met Barb Saunders.'

Nat draaide zich om, ving Angus' blik en mimede 'Barb'. In de telefoon zei ze: 'Hoe gaat het ermee?'

'Niet zo goed. Kun je vanavond langskomen?' vroeg Barb met een brok in haar keel. Nat ging er bijna zelf van huilen. 'Ik moet met je praten. Ik wil zo graag weten over... nou je weet wel, hoe het ging.'

'Ja, ik kom. Hoe laat?'

'Hoe lang doe je erover om hiernaartoe te rijden? Sorry dat het zo snel moet, maar voor je het weet heb ik weer een migraineaanval.'

'Ik zit al halverwege. Ik denk dat ik er over een halfuur kan zijn.'

'Heel fijn. Dan zie ik je zo,' zei Barb en ze verbrak de verbinding.

Nat klapte de gsm dicht.

'Ga je?' vroeg Angus, en Nat aarzelde niet.

'Ja.'

'Wacht nou totdat ik met je mee kan gaan,' zei hij, en de studenten keken van de een naar de ander, als kinderen bij hun papa en nieuwe mama.

'Ze wil dat ik nu meteen kom. Sorry.'

'Doe voorzichtig.' Angus was het er duidelijk niet mee eens. 'Kijk uit voor zwarte Ford pick-ups. Bel me zodra je kunt.'

'Goed,' zei Nat en ze pakte haar tas terwijl Deirdre en de studenten om Angus heen gingen staan.

Natalie, moet je horen.

22

Natalie was in de volvo onderweg naar Saunders' huis. Regendruppels tikten op het dak en werden door haar koplampen een lange flits, zodat ze moeilijk voor zich uit kon zien. Ze keek naar alle pick-ups, maar niet een had een kenteken uit Delaware. Toch was ze blij toen ze bij Barb Saunders' huis aankwam. Ze zette de auto neer, pakte haar tas, hield hem boven haar hoofd, stapte uit de Volvo en rende naar de voordeur. Ze belde aan. De deur werd al snel opengedaan door Barbs zus Jennifer.

'Kom gauw binnen, het giet!' zei ze terwijl ze de deur openhield. 'Geef mij je jas maar.'

'Graag.' Nat trok haar jas voorzichtig uit, zodat de druppels niet in het rond vlogen, en terwijl Jennifer hem ophing, keek ze in de woonkamer om zich heen. De kapotgesneden kussens waren dichtgeplakt met breed plakband en het computerbureau zag er vreemd uit zonder de computer, net een oogkas zonder oog. De kinderboeken en dvd's stonden weer in de kast, maar een van de laden in het dressoir was stuk en hing eruit.

Het zit eronder.

'Ik weet precies wat je denkt,' zei Jennifer die de kamer in kwam, en Nat keek haar geschrokken aan.

'Je vraagt je af wat voor soort mensen inbreken bij mensen die een begrafenis bijwonen. Dan is er toch iets heel erg mis met je.'

'Zeg dat wel.' Nat zag dat ze bezig waren geweest de kamer weer op orde te krijgen. De enige overgebleven lamp verspreidde een zachtgeel licht, de tv stond aan, zonder geluid, en helderrode legosteentjes en Tonka-vrachtwagens lagen overal verspreid over het kleed. Ze hoorde de jongetjes in de keuken schreeuwen en rook warme hotdogs.

'Regent het erg hard?' vroeg Jennifer.

'Het komt met bakken tegelijk naar beneden.'

'Gelukkig maar dat het niet sneeuwt. De jongens moeten volgende week echt weer naar school. Een dag ijsvrij kunnen we niet gebruiken.' Jennifer keek haar lachend aan. 'Ik kan je wel vertellen dat ik gek word van al die kinderen.' Ze pakte een gele regenjas van de bank. 'Ik ga met mijn neefjes naar de bios, dan kunnen jij en Barb rustig praten.'

'Bedankt.' Nat werd weer zenuwachtig. Ze had dagen op dit moment gewacht, maar ze zag er nog steeds tegenop. 'Hoe gaat het met haar?'

'Ze houdt zich goed, voor de kinderen. Ze is een heel goede moeder.' Jennifer boog zich naar haar toe terwijl ze haar jas dichtritste. 'Als ze een migraineaanval voelt opkomen, bel me dan thuis. Mijn nummer ligt op de tafel. Mijn moeder is daar, met mijn kinderen.'

'Oké. Bedankt.'

'Ga maar mee,' zei Jennifer terwijl ze voor haar uit naar de keuken liep en riep: 'Zijn er soms jongens die mee willen naar de bios en daar veel te veel snoep willen eten?'

'Ja!' 'Super!' 'Tante Jen!' riepen de drie jongens door elkaar heen. 'Mag ik dan Smarties?'

Al die herrie deed Nat aan haar eigen jeugd denken, heel lang geleden. Of misschien wel afgelopen maandag.

'Dag, Nat.' Barb had op haar hurken gezeten om haar jongste zoon zijn jas aan te trekken en kwam overeind. Haar blauwe ogen stonden vermoeid en haar blonde haar was naar achteren geborsteld en zat in een slordige paardenstaart. Ze had een zwart vest en een spijkerbroek aan, en wist een glimlachje tevoorschijn te toveren. 'Fijn dat je terug wilde komen. Het spijt me nog van verleden keer.'

'Maakt niet uit,' zei Nat. 'Hoi, jongens,' zei ze tegen de kinderen die diep geconcentreerd hun jas aan het dichtritsen waren.

'Zeg professor Greco eens gedag.' Barb tikte de jongens op hun gevulde schouders.

'Hallo, pofesse Greco,' zei de oudste.

'Ik wil Smarties,' zei de middelste.

'Oké, jongens, tot straks.' Barb bukte zich en kuste haar zoontjes op hun gladde wangetjes, waarbij ze elke keer heel schattig kreunden. 'Lief zijn voor jullie tante, hè? Jullie mogen ieder één snoepje, en méér niet.'

'Dag, lieverd.' Jennifer gaf Barb snel een kus, zwaaide naar Nat en dirigeerde de kinderen in hun dikke jasje, met wantjes van SpongeBob vastgespeld aan hun mouw naar buiten. De deur ging achter hen dicht en het werd opeens heel stil in huis.

'Poeh.' Barb zuchtte en deed net of ze door haar knieën zakte. 'Wat zijn ze leuk, hè?'

'Ze zijn om op te vreten.' Nat had bewondering voor de vrouwen die om de beurt voor het vijftal zorgden. 'Ik kan me niet voorstellen hoe het voor hen is, en voor jou.'

'Ze hebben zich prima gedragen tijdens de dienst. Ik was erg trots op ze. Ze hebben er natuurlijk niet veel van begrepen. Maar de inbraak, die begrepen ze wel. Hun Bob de bouwer was kapot.' Barb fronste licht haar wenkbrauwen. 'Daar hebben ze tranen met tuiten om gehuild. Alsof ze het daardoor opeens allemaal begrepen.'

Nat had medelijden met ze. 'Moeders krijgen niet genoeg pluimpjes, vind je ook niet?'

'Zeg dat wel.' Barb liep naar het koffiezetapparaat. 'Wil je een kopje?'

'Ja, graag. Kan ik iets doen?'

'Ga zitten. De koffie is al klaar. Ik kan alleen nog maar koffiezetten. Jen doet de rest allemaal, tussen de politie en de mensen van de tv door.' Barb pakte de glazen kan op en schonk koffie in een witte mok waarop stond: WEST CHESTER UNIVERSITY. 'Hoe drink je je koffie?'

'Zwart, graag.'

'Mooi.' Barb liep met de koffie naar de tafel, waar een wit plastic tafelkleed overheen lag. Op een bord lagen, als gevallen dominostenen, verschillende soorten koekjes. Barb bleef staan. 'Wil je wat eten? Als je niet van koekjes houdt, heb ik ook wat anders hoor.'

'Nee, bedankt.'

'Echt niet? Iedereen was gek op de rosbief.'

'Nee, laat maar.' Nat wachtte tot Barb ging zitten, en besefte dat Barb de boel aan het uitstellen was. Ze wilde het weten maar ook weer niet, net zoals Nat het wilde vertellen maar eigenlijk ook weer niet. 'Ga zitten, Barb,' zei Nat zachtjes.

'Goed.' Barb ging langzaam tegenover haar zitten en legde haar handen op elkaar op de rand van de kleine tafel. Er stond een glas water naast haar en Nat wist dat ze dat nodig zou hebben.

Maak het niet mooier dan het is. 'Zal ik je vertellen wat er is gebeurd, of stel je liever vragen?'

Barb slikte moeizaam. 'Vertel het me maar, en daarna stel ik wel vragen. Ik heb er wel een paar, als je het niet erg vindt.'

'Natuurlijk vind ik het niet erg.' Het was stil in de keuken, op de tikkende regen na. De lamp verspreidde een warme, zachtgele gloed. Nat legde haar handen op de tafel. 'Geef me je hand, dan slaan we ons er samen doorheen.'

Barb legde haar hand in die van Nat.

'Goed zo.' Nat begon het verhaal vanaf het moment dat ze Graf uit het kantoortje had zien lopen, en toen ontdekte dat Ron Saunders nog leefde.

'Had hij... pijn?' vroeg Barb met een snik in haar stem.

'Nee. Volgens mij niet.'

'God zij gedankt.' Barb knipperde met haar ogen de tranen weg. 'Dank u, Jezus.'

Nat wachtte even tot ze zichzelf weer in de hand had.

'Ik weet dat je hem wilde redden,' zei Barb even later.

'Ja.' Nat voelde zich meteen schuldig. Ze beschreef wat ze had gedaan en kwam toen bij het moment waar het allemaal om ging. 'Hij had een boodschap voor je.'

Barbs adem stokte. 'Echt waar?'

'Ja.'

'Zei hij dat hij van me hield?'

Vertel de waarheid. Jij bent alleen maar de boodschapper. Nat zei: 'Echt, hij kon maar een paar woorden uitbrengen, en er was iets belangrijkers dat je moest weten.'

'Heeft hij niet gezegd dat hij van me hield?' Barbs onderlip trilde en de tranen sprongen haar in de ogen. Ze pakte een servet en veegde ermee over haar ogen, zodat haar mascara uitliep. 'Helemaal niets? Zelfs mijn naam niet? En de jongens?' Ze drukte het servet tegen haar ooghoek.

Nat kneep in haar andere hand. 'Barb, denk je soms dat je man niet van jou en de jongens hield?'

'Nee, we waren gelukkig samen.'

'Besef dat dan ook. Voel het. Want hij vertelde me iets wat je níét weet. Ik heb hem beloofd dat ik het aan jou zou doorgeven.'

Barb liet het servet zakken; haar ogen waren rood. 'Wat dan?'

'Hij zei: "Zeg tegen mijn vrouw dat het eronder zit. Onder die..."'

'Hè?' Barb fronste haar wenkbrauwen zodat haar voorhoofd helemaal gerimpeld was. 'Wat zit er dan onder?'

'Geen idee. Dat vertelde hij er niet bij.'

'Ik weet niet wat hij daarmee bedoelt. Waar onder? Wat moet er dan onder zitten?' Barb streek met trillende hand door haar haar. 'Wat is dat nu voor een boodschap?'

Nat wist niet of ze door moest gaan. 'Mag ik je iets vertellen waar ik erg mee zit?'

Barb fronste nog steeds haar voorhoofd. 'Ja, hoor.'

'Ik ben bang dat de inbraak hier geen toeval was. Omdat de kussens zijn opengesneden, lijkt het niet op een echte inbraak. Het lijkt er meer op dat –'

'Iemand ergens naar zocht? Dat zei mijn moeder ook al.'

'Weet je misschien wie dat zou kunnen zijn?'

'Geen flauw idee.' Barb knipperde verbijsterd met haar ogen, en Nat durfde haar niet te vertellen wat Angus had gezegd.

'Barb, waren Ron en Joe Graf vrienden?'

'Ja, Joe was zijn beste vriend. We gingen heel vaak met ze uit.' Opeens werden Barbs blauwe ogen groot. 'Lieve hemel! Ik weet waar Ron het over had! Het schiet me opeens weer te binnen!'

'Wat dan?' vroeg Nat, maar ze hield zich meteen in. 'Wacht. Dat gaat me helemaal niets aan.' Evengoed wilde ze dolgraag weten wat het was.

'Nee, nee, het maakt niet uit,' zei Barb opgewonden. 'Ron kluste altijd in de garage. Hij stopte daar ook dingen onder de vloer. Dat was zijn verstopplek. Onze testamenten liggen daar, die hebben we gemaakt toen Timothy was geboren, en onze verzekeringspapieren, omdat het daar brandveilig is.'

'Denk je dat hij dat bedoelde? Dat hij het over de testamenten had?'

'Nee, we weten allebei dat de testamenten daar liggen. Mijn zus weet dat ook. Hij heeft daar vast iets anders gestopt. Iets waar ik niets vanaf weet.' Barb kwam overeind; ze had weer een doel voor ogen. 'Kom mee!'

Nat stond ook op. Barb liep al de keuken uit.

'Ik moet je wel waarschuwen,' zei ze achterom. 'Er ligt daar ook een video die we hebben gemaakt. Geen harde porno, hoor, gewoon wat dingen voor onszelf. We hebben het daar gestopt zodat de kinderen het niet zouden vinden.' Ze giechelde en werd toen weer ernstig. Ze liepen door de woonkamer naar de deur. 'Dat zal hij toch niet bedoeld hebben? Wie wil dat nu hebben?'

Nat bleef op de drempel staan terwijl Barb de garagedeur openmaakte, het licht aanknipte en de garage door liep naar een groene klikobak op wieltjes, die ze een stukje wegreed. Ze bukte zich en schoof een doos met oude lappen opzij waarna er een groot luik in de vloer zichtbaar werd, dat daar zo te zien toen het beton was gestort in was gemaakt.

Nat hield haar adem in toen Barb het zware luik opentrok.

23

De twee vrouwen stonden over het vierkante gat gebogen dat zo groot was als een kluis. Het gat was leeg en wat erin had gezeten, stond op de betonnen vloer gestapeld: een videoband met de titel BARB AND RONS EXCELLENT ADVENTURE, twee levensverzekeringspolissen, een gezamenlijk testament in een blauwe map en vier oude exemplaren van *Playboy*.

Het zit eronder? Nat begreep er niets van.

Barb keek haar verbaasd aan. 'Er zit hier niets onder. Wat is er toch aan de hand?'

'Ik heb geen idee.'

'Misschien dat er iets in de tijdschriften zit?' Nat raapte de tijdschriften op en bladerde erdoorheen. Er dwarrelden een paar kaarten uit waarmee je je kon opgeven als abonnee. Nat pakte ze van de grond op en bekeek ze toch maar, en stak ze toen weer terug in een van de tijdschriften. 'Niks.'

Barb kreunde en sloeg haar handen voor haar gezicht. 'Ron, wat bedoelde je nou?'

Nat boog zich naar voren en wreef over Barbs rug, wier wervelkolom goed voelbaar was door het dunne truitje. 'Is er nog ergens een ruimte onder de vloer?'

'Niet dat ik weet.'

'Wat erg. Ik zou niet weten wat hij anders bedoelde.'

'Ik ook niet.' Barb hief haar hoofd op, dat inmiddels rood was. 'Wat een fijne boodschap, zeg.'

'Ik vind het echt heel erg. Misschien heb ik het wel verkeerd begrepen.' Nat dacht weer terug aan Saunders dood. 'Wat zou hij anders gezegd kunnen hebben? Heb jij enig idee?'

'Nee. Je wordt bedankt, Ron!' zei Barb nijdig. Ze knarsetandde. 'Mooie boodschap, schat! Geen boodschap dat je van me houdt. Geen boodschap dat je van de kinderen houdt!' Ze pakte een *Playboy* en smeet hem tegen de muur, tegen een van de planken. 'Nee, kijk eronder. Naar je porno, verdomme!'

'Misschien is er wel iets, maar zien we het gewoon niet.'

'Waar dan?' Barb draaide zich op haar hakken om.

'Waar dan ook.' Nat keek om zich heen, op zoek naar een aanwijzing. De garage werd gebruikt als klus- en opbergruimte. Er hing een bruin gatenbord aan de muur, vol met hamers en zagen die netjes naast elkaar hingen. Ernaast stond een metalen gereedschapskist op wielen, plastic ladekastjes en een werkbank. Voor in de garage bij de metalen automatische garagedeur stonden dozen vol met speelgoed en fietsjes, ballen en pingpongbatjes en een plastic driewielertje. Het stortregende buiten, maar de garage hield het lawaai en de kou tegen.

Barb keek rond met haar handen in haar zij. 'We kunnen nog wel verder kijken. Hij was erg handig. Hij had hier best iets kunnen verstoppen. Zelfs in huis.'

'Ik help je wel. Twee zien meer dan één. We beginnen hier, en als we niets kunnen vinden, gaan we door met het huis, kijken of er iets onder het kleed ligt. Goed?'

'Goed.' Barb zuchtte en stroopte de mouwen van haar truitje op. 'We hebben drie uur de tijd voordat de jongens thuiskomen.'

'Aan de slag dan.'

Pas om tien uur reed Nat terug door het donker terwijl het goot van de regen. Regendruppels tikten op het dak van de auto en de ruitenwissers zwiepten verwoed om de voorruit schoon te houden. Er waren niet veel auto's op de weg, maar toch reed ze heel voorzichtig door de storm, te nerveus om Angus of Hank te bellen. Ze wilde even alleen zijn en rustig nadenken.

Barb en zij hadden overal gezocht, maar ze hadden niets onder de vloer gevonden, en al helemaal geen geld van drugs of wat dan ook. Misschien hadden de inbrekers wat ze zochten wel meegenomen, of misschien was het wel nooit daar geweest. Misschien had Nat Saunders niet goed verstaan, of had hij liggen ijlen. Hoe dan ook voelde ze zich erg schuldig dat ze een boodschap had doorgegeven die nergens op sloeg en dat ze die boodschap in verband had gebracht met een inbraak die misschien wel gewoon een inbraak was. Ze had voor detective gespeeld en was jammerlijk mislukt. Ze was een bar slechte Nancy Drew.

Het regende zo hard dat de ruitenwissers het niet konden bijbenen. De koplampen hadden er steeds meer moeite mee om door de mist die van de smeltende sneeuw af sloeg heen te komen. IJs en blubber vormden bergjes aan de rand van de kronkelende weg en spoten onder de banden van de Volvo weg. Ze gaf een klein beetje gas en reed langs een oranje bord waarop stond: LET OP: PAARD EN VROUW STEKEN HIER

OVER. Op de een of andere manier deed het haar aan Angus denken. Natalie, moet je horen.

Opeens werd de Volvo verlicht door felle koplampen achter haar en ze kreeg meteen de rillingen door het ongeluk de vorige avond. Ze was zo diep in gedachten geweest dat ze helemaal niet op zwarte pick-ups had gelet. Ze keek in haar achteruitkijkspiegel. Er reed geen pick-up achter haar, maar een politiewagen. Het zwaailicht flitste rood, wit en blauw in de storm. Ze keek op de snelheidsmeter. Vijfenzestig kilometer per uur. Wat had er ook alweer op het bord gestaan. Vijftig?

Verdorie. Ze reed te hard. De politiewagen knipperde met zijn koplampen zodat de Volvo vanbinnen werd verlicht, en ze reed naar de kant, remde af en zette de auto neer. Ze pakte haar portemonnee uit haar handtas toen er een bekend silhouet met een grote hoed bij haar portier kwam staan. Ze vroeg zich af of het Milroy was, of een andere trooper die ze kende. Ze draaide het raampje naar beneden en knipperde met haar ogen tegen de regen, maar ze kende hem niet. Ze kon zijn gezicht niet zo goed zien, alleen zijn profiel, dat afstak tegen het licht van de koplampen van de politiewagen. Zijn brillenglazen zaten onder de druppels en over zijn hoed zat een plastic beschermhoes, als een douchemuts.

'U reed te hard voor dit weer, mevrouw,' zei de trooper die moeilijk te verstaan was door de regen. 'Mag ik uw rijbewijs en kentekenpapieren zien?'

'Sorry,' zei Nat, die ervanaf hoopte te komen met een vermaning. Ze gaf hem haar papieren en de trooper maakte ze met een paperclip vast aan zijn kleine clipboard, waar ze kleddernat zouden worden.

'Wacht maar even.' De trooper liep terug naar zijn auto en Nat draaide het raampje dicht, terwijl ze een paniekaanval onderdrukte. Stel dat hij niet echt een trooper was? Ze had dat wel vaker gezien op het journaal. Ze had hem niet gevraagd om zich te legitimeren. Ze draaide zich om in haar stoel en schermde haar ogen af tegen de koplampen. Het zwaailicht op het dak knipperde nog steeds. Het was een echte politiewagen.

Blijf weg uit Chester County.

Nat voelde zich een beetje paranoïde. Niemand wist dat ze hier was. Ze zocht in haar tas naar haar gsm om Hank te bellen. Ze drukte op de sneltoets, maar hij nam niet op, en ze wilde geen bericht inspreken. Ze ging over op plan B, hield de gsm op in het licht zodat ze het nummer voor Inlichtingen kon lezen en vroeg toen naar het nummer van het ziekenhuis. Ze werd meteen doorverbonden en de telefoniste in het ziekenhuis nam op.

'Angus Holt graag,' zei Nat, net toen de trooper weer bij haar raampje kwam staan, met het clipboard en een lang wit bonnenboekje. Ze klapte de telefoon dicht, stopte hem weer in haar tas en draaide het raampje open.

'Kunt u even uitstappen, mevrouw Greco?'

'In de regen?'

'Stapt u nu maar uit.'

Nat was vreemd nerveus. Ze pakte haar tas en zocht naar haar mobieltje, maar dat was waarschijnlijk helemaal naar onderen gezakt. Ze kreeg hem in het donker niet te pakken.

'Mevrouw Greco? Komt u nog?'

Rustig maar. Nat maakte het portier open en stapte de storm in. De trooper deed een stap naar achteren en nam haar op. Ze had haar jas nog aan, maar de regen stroomde op haar neer. Ze trok haar schouders op zodat het water niet in de kraag zou lopen, en hield haar handen boven haar hoofd.

'Wacht even,' zei de trooper. Hij knipte een zwarte zaklantaarn aan en scheen ermee op de voorstoel van de Volvo.

'Duurt dit nog lang? Het plenst...'

Boem! Er was opeens een oorverdovende knal. Het hoofd van de trooper spatte uit elkaar. Nat kreeg iets warms in haar gezicht. De hoed van de trooper vloog weg. Hij liet de zaklantaarn vallen en zakte op de grond.

Nat slaakte een gil. Ze draaide zich om in de stromende regen. Er stond iemand met een bivakmuts bij haar kofferbak, die net niet werd beschenen door de koplampen van de politiewagen. Hij had een geweer bij zich, en er kwam rook uit de loop.

'Rennen, trut!' zei hij.

Nat was even stomverbaasd, en rende toen, zo snel ze kon in de regen, in paniek de straat over. Ze schreeuwde, maar door de storm smoorde het geluid. Ze rende een grasveld vol sneeuw en modder in. Ze rende door in het donker en zwaaide met haar armen om haar evenwicht te bewaren. Gesmolten sneeuw drong door haar laarzen heen. Er dook een donkere boom voor haar op. Ze ontweek hem, maar de takken haalden haar wangen open. In het donker kon ze niets zien. Ze hield haar armen voor zich uitgestrekt terwijl ze rende. Er waren nergens huizen of lichtjes te bekennen; ze wist niet eens of ze wel in een rechte lijn rende.

Ze keek achterom. De Volvo stond op de weg, gevangen in het licht van de politieauto. IJzel sloeg in haar gezicht en ze werd kleddernat. Haar longen stonden op klappen. Ze hijgde van de inspanning. Ondanks de paniek deed ze haar best na te denken. Wat gebeurde er? Kwam hij achter haar aan? Er waren nergens huizen. Haar gsm lag in de auto. Ze rende verder.

Boven de regen uit was een luid gehinnik te horen, zo hard dat het geluid haar door merg en been ging. Opeens galoppeerden er paarden om haar heen, grote schaduwen in het donker. Ze snoven en bliezen; hun hoeven kraakten op het ijs en de zuigende modder. Nat bleef stokstijf staan, te bang om zich nog te verroeren, en schreeuwde toen ze langsrenden. Een flank botste tegen haar schouder aan, zodat ze tolde en in de modder viel. Hoeven denderden om haar heen en deden de modder opspatten. Ze kwam zo snel mogelijk overeind en keek achterom.

De twee auto's waren ver weg, hun lichtjes kleine stipjes. De kudde paarden was inmiddels voorbij, ze hoorden hun hoeven voor haar klepperen. Ze kon niet even op adem komen. Toen rende ze door, en veegde modder en regen van haar gezicht. Op dat moment zag ze het: een groot gebouw met een enkel lichtje.

'Help!' gilde ze, terwijl ze naar het gebouw stormde. Ze rende naar een groot hek en wierp zich eroverheen zodat ze op haar achterste in de bevroren sneeuw viel. Ze kwam snel overeind en rende naar het gebouw, tot haar laarzen opeens iets hards raakten. Grint. Een oprit. Ze zag een metalen deurkruk. Een deur. Ze pakte de kruk beet en trok met alle kracht, en de deur ging open. Ze sprintte het donkere gebouw in.

'Help!' gilde ze weer, en haar eigen paniek weerkaatste in het donker.

24

Nat tastte naast de deur naar een lichtschakelaar, maar hield zichzelf opeens tegen. Als zij het licht aandeed, zag hij waar ze was. De regen roffelde op het metalen dak, de herrie was binnen nog groter dan buiten. Ze draaide zich om en veegde de regen en viezigheid van haar gezicht. Ze bevond zich in een donkere spelonkachtige ruimte. Het rook naar houtzaagsel en rubber, en toen zag ze witte palen op de grond liggen. Ze was in een oefenruimte voor paarden.

Ze liep eromheen en zocht langs de muren naar een telefoon. Ze raakte een deur aan en ging met haar arm voor haar uit gestoken snel naar binnen. Het was een klein kantoortje. Ze viel zowat in de stoel toen ze op het bureaublad rondtastte waarbij papieren en een nietmachine in het rond vlogen. Een telefoon zou rechts staan, want de meeste mensen waren rechtshandig. Daar stond inderdaad een telefoon, een groot toestel voor meerdere lijnen. Ze pakte de hoorn en toetste het alarmnummer in.

Geen kiestoon. Ze toetste opnieuw het nummer in. Nog steeds niets. Ze bleef op de toetsen drukken totdat ze besefte wat er aan de hand was. De elektriciteit was vast uitgevallen door de storm, en zonder stroom werkte de telefoon niet. Ze keek rond of er ergens een mobieltje lag. Misschien had iemand er eentje laten liggen. Ze betastte het bureaublad. Waren dat autosleutels? Een vrachtwagen? Ze gooide een mok met kantoorspullen leeg, pakte een schaar en stak hem in haar jaszak. Toen rende ze het kantoortje uit, draafde als een volbloed langs de oefenruimte en holde naar de deur. Daar bleef ze hijgend staan. De regen viel met bakken tegelijk neer uit een zwarte lucht. Er was nergens licht te bekennen. Nu wist ze waarom niet. Geen stroom. Geen maan. Niets. Ze kneep haar ogen samen om iets te kunnen zien. Bij de weg zag ze het zwarte silhouet van een ander gebouw, verstopt achter een rij bomen.

Ze rende dwars door het veld ernaartoe. Het zou een schuur kunnen zijn. Die paarden moesten toch ergens onderdak hebben. Misschien was er wel een stalknecht. Een gsm. Een auto. De regen stroomde neer. Ze kon geen hand voor ogen zien. Waar was de schutter? Waarom had hij tegen haar gezegd dat ze moest wegrennen? Kwam hij achter haar aan? Ze was inmiddels vlak bij het gebouw. Het had een puntdak. Een schuur, zoals de amish ze bouwen. Ze kreeg weer hoop en rende struikelend door. Dan moest er ook een huis zijn, toch?

Ze kwam bij de schuur aan en kwam onder het afdak weer een beetje op adem. Ze holde door een lege paardenstal, schoof een deur open en kwam uit in een gang, waar ze naar rechts en toen naar links keek. De regen tikte op het dak. Ze vloog door de gang, op zoek naar mensen. Ze maakte een gesloten deur open. Er stond een rij vuilnisbakken naast elkaar te glimmen in een sprankje licht. Ze rende naar buiten, zag een deur en trok die open. Het was warm binnen. De geur van oud leer hing in de ruimte. Zadels hingen aan de muur. Waarom had een gezin zoveel zadels? Toen wist ze het: dit was een manege. Daarom was er niemand. Er zou ook geen huis bij zijn. Ze barstte bijna in snikken uit.

Ze holde de kamer uit, de betonnen gang in, maar ze zag verder geen deuren meer. Dus ging ze terug naar de stal, omdat daar een raam in zat dat uitkeek op de donkere wei. Als de moordenaar achter haar aan was gegaan, zou ze hem moeten kunnen zien. In een hoek van de stal lag een groot paard op een bedje van stro; zijn grijze vacht glansde zachtjes in het donker.

'Hé, hallo,' zei Nat zachtjes, die verbaasd was dat het paard niet bewoog. Ze liep de stal in. Door het raam kon ze de Volvo zien, niet zo ver bij haar vandaan. Het paard hinnikte en ze hoorde dat hij moeite had met ademhalen. Geen wonder dat hij zich niet bewogen had. Ze aaide over zijn snuit en hij duwde tegen haar hand aan als een grote hond, bedelend om gekrauwd te worden.

'Komt het wel weer goed met ons?' Nat krabbelde over het harde bot tussen zijn donkere ogen. Ze werd er rustiger door en kon weer nadenken. De moordenaar kwam niet achter haar aan, want anders had hij haar vast niet laten gaan. Het zou wel even duren voordat er iemand langskwam en de trooper ontdekte. Ze moest terug naar haar auto, een andere mogelijkheid was er niet. Nadat ze het paard nog een klopje had gegeven, liep ze de stal uit.

Ze trotseerde de storm weer en rende door modder en natte sneeuw naar de Volvo. Haar hart bonkte in haar borstkas. Ze hoorde alleen maar regen en rende de heuvel op naar de weg tot ze niet meer kon. Daar stond de Volvo, met draaiende motor. De vermoorde trooper lag op de weg, zijn armen wijd gespreid. Ze keek expres niet naar zijn hoofd. Ze vloog de weg over naar haar auto, trok het portier open, sprong erin en deed, trillend en kletsnat, gauw de deuren op slot.

Ze trapte het gaspedaal in en greep meteen naar haar tas, op zoek naar haar gsm terwijl ze over de weg scheurde. Ze kreeg de telefoon te pakken en drukte op de sneltoets voor het alarmnummer, maar het volgende moment werd de Volvo fel verlicht door koplampen. Achter haar loeiden sirenes en ze moest bijna huilen van blijdschap. Ze kwam tot stilstand, en gooide haar portier open.

'Help! Politie!' Nat kwam bijna de auto uit vallen.

'Handen omhoog! Steek uw handen omhoog!' Er sprongen twee troopers uit de politiewagen. Een andere politiewagen kwam de hoek om scheuren en kwam slippend tot stilstand voor de Volvo, zodat ze ingesloten was. Sirenes loeiden. Knipperlichten verblindden haar. Uit de andere politiewagen sprongen ook twee agenten.

'Handen omhoog!' riepen ze, terwijl ze met getrokken pistool op haar af kwamen.

'Niet schieten!' riep Nat die haar handen omhoogstak. 'Ik belde jullie net –'

'Ga tegen de auto staan!' brulde een van de troopers, en de twee anderen grepen haar beet en duwden haar met haar gezicht tegen de Volvo terwijl ze haar armen op haar rug draaiden.

'Nee, wacht even!' gilde Nat van de pijn. Stalen handboeien werden om haar polsen dichtgeklikt. Ze voelde dat iemand haar benen aftastte, helemaal tot haar kruis en vervolgens langs haar heupen en middel. Ze deed haar best niet in paniek te raken. 'Dit is toch niet te geloven! Ik belde jullie net! Er kwam een man uit het niets tevoorschijn –'

'Wat hebben we hier, een mes?' De agent duwde haar tegen de auto aan en stak zijn hand in haar jaszak.

'Een schaar. Waar zijn jullie –'

'U gaat met ons mee om verhoord te worden inzake de moord op trooper Shorney.'

'De trooper?' Nats hart ging als een razende tekeer. 'Nee, wacht even, ik heb de man gezien die hem heeft neergeschoten. Ik kan jullie vertellen –'

'En voor de moordaanslag op Barbara Saunders.'

'Hè?' Nat was stomverbaasd. De regen stroomde neer. Ze kon niet geloven dat ze het goed had gehoord. 'Zei u nou Barb? Wat is er met haar gebeurd?'

'Geeft u toestemming om uw auto te doorzoeken?'

'Ga uw gang. Maar wat is er met Barb gebeurd?'

'U hebt het recht te zwijgen. Alles wat u zegt kan en zal tegen u gebruikt worden in de –'

'Ho eens even, waarom wijzen jullie me op mijn rechten? Ik heb helemaal niets gedaan!' schreeuwde Nat. 'Ik heb de man gezien die de trooper heeft doodgeschoten! Ik zou nooit –'

'... rechtbank. U hebt recht op een advocaat en dat er een advocaat aanwezig is tijdens het verhoor. Als u zich geen advocaat kunt veroorloven, krijgt u er een toegewezen.'

'Ik heb het niet gedaan! Ik heb helemaal niets gedaan!' riep Nat uit terwijl de andere trooper de voor- en achterstoelen in haar auto doorzocht.

'Kom op!' Ze werd geflankeerd door twee troopers naar de politieauto begeleid. De andere twee waren haar achterbank aan het onderzoeken met een zaklantaarn.

'U vergist u! Ik ben een rechtendocent!' brulde Nat in de regen, en pas toen ze haar op de achterbank van de politiewagen duwden hield ze daarmee op.

De politiewagen reed weg in de donkere, natte avond.

25

Een uur later bevond Nat zich in de Avondale-barakken van de politie van Pennsylvania, vastgeketend aan een muur. Het was onwerkelijk. Ze zat in een kamertje zonder ramen dat net een normaal kantoortje was, alleen was er op de muur een roestvrijstalen plaat aangebracht. Ze zat op een roestvrijstalen bank die in de roestvrijstalen muur was ingebouwd, met haar armen vastgebonden aan een stalen reling voor haar en haar benen aan elkaar geboeid en geketend aan een stalen reling bij de grond. Ze was vies, nat en doodop, en ze kon het maar amper bevatten dat de trooper voor haar ogen was doodgeschoten, en dat Barb was neergeschoten.

Lief zijn voor jullie tante, hè? Jullie mogen ieder één snoepje, en méér niet.

Nat kon niet goed nadenken. De tranen sprongen haar in de ogen en ze deed geen moeite ze weg te vegen, zelfs al had dat gekund. Barbara had drie kinderen. Haar zoontjes zouden wees worden. Wie had het gedaan? Waarom? Had het met de inbraak te maken? Met de gevangenisopstand? Dat moest wel, maar Nat was te verdoofd om een verband te zien. Haar jas was drijfnat, haar laarzen zaten onder de modder. Uit haar haar drupte smerig water en het warme vocht dat ze op haar gezicht had voelen spetteren, was het bloed van de trooper geweest.

Kunt u even uitstappen, mevrouw Greco?

Nat deed haar best om na te denken. Dit moest goed komen. De troopers zouden binnenkomen en haar bevrijden van de hand- en enkelboeien, omdat ze wisten dat ze met geen van de misdaden iets te maken had. Ze konden haar toch niet echt verdenken van moord op een trooper? Ze zouden inzien dat ze haar ten onrechte hadden opgebracht. Ze zou naar huis, naar Hank gaan. Ze deed haar ogen dicht maar het was niet zijn gezicht dat ze zag.

Natalie, moet je horen.

Opeens ging de deur open, en er kwam een forse man in een bruin colbert, een das met een bruin patroontje en een kaki broek naar binnen. Hij glimlachte beroepsmatig naar haar en trok een metalen stoel bij. 'Dag, mevrouw Greco,' zei hij hartelijk. 'Ik ben trooper David Brian Mundy.' Hij ging zitten en gebaarde naar de boeien. 'Helaas moesten de troopers u wel zo vastketenen. Ik weet dat het erg oncomfortabel is.'

Nat viel woedend uit: 'Nieuwe schoenen zitten oncomfortabel, trooper. Maar hand- en enkelboeien zijn iets heel anders.'

'U hebt gelijk.' Mundy knikte. 'Jammer genoeg hoort het erbij. Veiligheidsvoorschriften.' Zijn stem was vreemd zacht voor zo'n grote man met enorm brede schouders. Hij had een open en eerlijk gezicht, met de zware jukbeenderen van een indiaan, en zijn ogen waren bruin en zijn neus klein en breed. Hij had een donkere huidskleur. Hij vroeg: 'Wilt u misschien een kopje koffie?'

'Nee, bedankt.' Nat wist trouwens toch niet hoe ze de beker zou moeten vasthouden.

'Nou, u mist niets hoor. De koffie hier smaakt naar motorolie.' Mundy grinnikte en leunde naar achteren op de stoel, terwijl zijn broek om zijn brede bovenbenen spanden. Aan zijn kraaienpootjes te zien was hij een jaar of vijfenveertig. Hij keek Nat een poosje aan, met een sympathieke uitdrukking in zijn ogen. 'U ziet er niet uit. Mijn vrouw zou zeggen dat je haar niet goed zat.'

'Kunt u me vertellen hoe het met Barb Saunders gaat?'

'Zover ik weet, is ze nog bewusteloos en ligt ze op de intensive care. Ze is twee keer in haar borst geschoten.'

Nee. Nat had spijt dat ze de koffie niet had aangenomen. Ze zou wel iets kunnen gebruiken. Het liefst wilde ze in snikken uitbarsten, maar ze wist dat voorzichtig moest zijn. Ze wist niet of dit een verhoor was of een gewoon gesprek, maar door de enkelboeien had ze een vermoeden. Als ze verdergingen, zou ze om een advocaat vragen.

'Wilt u een glas water, of iets anders soms? Een zakje chips?'

'Nee, dank u,' zei Nat, en op dat moment kwam er een andere man de kamer in. Hij was net zo lang als Mundy, maar een stuk slanker, en droeg een donkergrijs pak en een gestreepte das. Hij was bijna kaal met een randje grijzend blond haar, en had smalle blauwe ogen en dunne lippen. Hij glimlachte niet, maar knikte naar Nat.

'Ik ben trooper Edward Duffy. We zijn allebei rechercheurs.'

'Nat Greco,' zei ze, terwijl Duffy in een stoel wat verderop ging zitten en een stenoblok en een pen op zijn schoot legde. Hij keek niet eens op. Je hoefde niet in het vak te zitten om te weten wie de sympathieke en wie de onsympathieke agent was.

'En, waar kent u Barbara Saunders van, mevrouw Greco?' vroeg Mundy.

'Zij is de weduwe van een penitentiair inrichtingswerker.' Nat ging rechtop op de gladde bank zitten. 'Kunt u me vertellen waarom ik opgesloten ben?'

Mundy knikte weer. 'Goed. Niet lang nadat Barbara Saunders was neergeschoten, werd vlak bij haar huis trooper Matt Shorney doodgeschoten. Wij hebben het vermoeden dat u meer weet over zijn dood. Hij heeft u aangehouden en uw kenteken doorgegeven via de radio, dus we weten precies hoe laat dat was.' Trooper Mundy zweeg even. 'Kijk, we hebben uw rijbewijs gezien, en weten dat u hebt gestudeerd. U hebt geen crimineel verleden. U geeft les aan de universiteit. Penn, toch?'

'Ja. Ik geef rechtsgeschiedenis. Ik heb rechten gestudeerd. Denkt u nu echt dat ik een trooper zou doodschieten?' Het was zo belachelijk dat Nat zich bijna niet kon inhouden.

'Dat heeft nog niemand beweerd.'

'Waarom zit ik dan vastgeketend aan de muur?'

'Zoals ik al zei: veiligheidsvoorschriften.' Mundy wierp een blik in Duffy's richting, maar die zat druk te schrijven. 'Weet u, ik snap er niets van. U voldoet niet aan het profiel. Helemaal niet zelfs.'

'Nee natuurlijk niet. Het is te absurd voor woorden.'

'Maar als u meer weet, dan kunt u het maar beter vertellen. Kom ons een beetje tegemoet.' Mundy keek haar vriendelijk aan. 'Wat weet u over de moord op trooper Shorney? Ik luister graag. U zei tegen de troopers dat u een man hebt gezien die hem neerschoot.'

Nat wilde hem graag vertrouwen, maar dat kon ze niet. Ze was opeens op haar qui-vive. 'Ik ben dus een verdachte?'

'Professor, we hoeven er niet omheen te draaien. U bent slim genoeg om te weten dat u het een stuk gemakkelijk voor uzelf maakt als u met me praat. Als het verhaal over die man klopt, bent u de hoofdgetuige. Wat is er gebeurd?'

'Dus ik ben geen verdachte,' zei Nat, en Duffy zat op de andere stoel met een pokerface voor zich uit te staren.

'We zijn in u geïnteresseerd,' zei hij kil.

Fout geantwoord. 'Ik wil graag een telefoontje plegen,' zei Nat rustig.

Ze maakten Nat los en brachten haar naar de kelder in de barakken. Daar werd ze een kleine witte verhoorkamer binnengeleid waar een paar zwarte stoelen aan een nephouten tafel stonden, een vlekkerig grijs kleed op de grond lag en een Panasonic-videocamera in de hoek stond, die niet was ingeschakeld. Er stond een telefoon op de tafel. Ze toetste

Hanks mobiele nummer weer in. Zoveel advocaten kende ze niet, maar samen zouden ze er wel eentje kunnen vinden, en bovendien moest hij weten wat er aan de hand was. Als de moord op de trooper al op het journaal was geweest, had hij misschien de rode Volvo met de parkeersticker van de universiteit wel herkend. De telefoon ging vier keer over voordat hij opnam.

'Hallo?' zei Hank en Nat leefde helemaal op toen ze zijn stem hoorde.

'Schatje, met mij.'

'Nat? Ik kan je niet zo goed verstaan. We zitten midden in een wedstrijd. Ik bel je zo terug.'

'Nee, wacht even...'

'Tot straks. Ik hou van je.'

Geweldig. Ze hoorde de ingesprekstoon. Nat belde nog een keer, maar er werd niet opgenomen. Ze keek op haar horloge. Bijna elf uur. Ze moest deze avond nog een advocaat regelen. Ze dacht aan Angus; hij had toch al de hele tijd in haar achterhoofd gezeten. Ze belde Inlichtingen weer voor het nummer van het ziekenhuis, belde zijn kamer, en hij nam op. 'Angus?' zei ze.

'Ben jij dat, Natalie? Ik ben al een uur bezig je te bereiken. Hoe is het bij Barb gegaan?'

'Heb je even?' Nat zette haar gedachten op een rijtje en vertelde hem in het kort het hele verhaal. Hij luisterde zonder iets te zeggen geschokt toe. Toen kwam ze bij de reden waarom ze hem belde: 'Ik heb dus denk ik wel een advocaat nodig.'

'Dat zou ik wel denken! Godver. Maar maak je geen zorgen. Ik ken alle advocaten. Kon ik er zelf maar zijn.' Angus vloekte gefrustreerd. 'Je weet hoe het gaat, hè? Niets zeggen.'

'Natuurlijk weet ik dat.'

'Echt niets! Je hoeft ze niet te gaan overtuigen van je onschuld, want dat lukt toch niet.'

'Weet ik.'

'Wat is er allemaal aan de hand? Niet te geloven, gewoon.'

'En Barb? Dat is toch ook verschrikkelijk?' Nat was er beroerd van, maar ze had er inmiddels over kunnen nadenken. 'Ze heeft iets wat iemand anders wil hebben. Hebben ze haar neergeschoten om het te krijgen? Of heeft ze het gevonden nadat ik was weggegaan, en hebben ze het afgepakt en haar toen neergeschoten?'

'Daar komen we nog wel achter. Denk nu maar eerst eens aan jezelf.

Ik zorg ervoor dat een van de beste advocaten in de stad binnen een uur bij je is. Blijf waar je bent.'

'Dat zal wel moeten.'

'Natalie, het komt allemaal vast in orde,' zei Angus zachtjes, en dat wilde ze nu net horen.

Een uur later zat ze weer in de verhoorkamer. Ze was al wat van de schok bekomen en piekerde over het lastige parket waarin ze zat. Ze konden haar niet in verband brengen met de moord, omdat er gewoon geen enkel bewijs zou zijn. Ze had het niet gedaan, dus hoefde ze zich er geen zorgen over te maken. Zelfs in Chester County regeerde de rede. De deur van de verhoorkamer ging open en trooper Mundy stak zijn hoofd om de deur, en liet toen iemand binnen.

'Mevrouw Greco, uw advocaat is er. U mag een paar minuten onder vier ogen met hem spreken, en daarna komen we weer terug.'

'Dank u.' Nat kwam overeind toen Mundy de deur dichtdeed achter een kalende corpsbal van zestig met een montuurloze bril op zijn neus. Hij droeg een rode paisley-vlinderdas en een zwarte lange jas, zo te zien kasjmier, en had een leren aktetas bij zich die er peperduur uitzag. Ze had heel iemand anders verwacht, maar topadvocaten verdienden veel geld en schijn bedriegt. Zij zat bijvoorbeeld onder de paardenmest.

'Goedendag, ik ben Carter Brooke,' zei de advocaat. Hij stak zijn hand uit en liet hem toen halverwege hangen met een licht neusophalen. 'Jammer dat ze u niet even een bad hebben gegeven.'

'Dat kon niet.'

'Hoezo niet? Dit is zeer ongepast.' Brookes ogen hadden een grijze glans.

Nat vond het een vreemde vraag. 'Ze moeten mijn handen nog onderzoeken om te kijken of ik een vuurwapen heb gebruikt. Hoewel de modder de sporen wel zal hebben weggeveegd, dus ook al zal er geen kruit op aanwezig zijn, dan nog is mijn onschuld niet bewezen.' Ze keek misnoegd naar haar vuile handen. 'Ze willen alles volgens de regels doen omdat zij denken dat ik een trooper heb doodgeschoten, maar dat is natuurlijk helemaal niet waar.'

'Goed. Dan komen we maar meteen ter zake. We hebben niet zoveel tijd.' Brooke trok zijn jas uit, zodat er een zwarte wollen smoking zichtbaar werd met satijnen revers en een rode paisley-cummerband.

'Een smoking?' vroeg Nat stomverbaasd.

'Ik was aan het dineren.'

'In een smoking?'

'Een etentje van de zaak.' Brooke vouwde zijn jas zorgvuldig op en legde hem neer op de schoonste stoel die hij kon vinden, hoewel ook die niet erg schoon was.

'Voor welke advocatenkantoor werkt u?'

'Voor Dechert.'

'Echt waar?' Dat was een van de beste advocatenkantoren in de stad. Voor bankiers. 'Doet u ook dit soort zaken dan?'

'Ja, ik doe bijna altijd dit soort zaken. Ik heb grote cliënten vertegenwoordigd bij beleggingsonderzoeken, vanaf het verzoek tot uitstel tot de rechtszaak. '

Witteboordencriminaliteit dus. 'Hebt u wel eens een moordzaak gehad?'

'Niet echt, nee.' Brooke trok een van de kapotte stoelen bij. 'Maar dat lijkt me verder geen probleem. Als ze u gaan aanklagen, haal ik er wel iemand bij. Trouwens, ik heb gehoord dat u ook aan Yale hebt gestudeerd.'

Nat was verbijsterd. 'Angus zei dat u een van de beste advocaten in de stad bent.'

'Angus?' Brooke pakte een zwarte Mont Blanc-vulpen uit de binnenzak van zijn smoking net op het moment dat de twee troopers weer de verhoorkamer binnen kwamen.

'Goed, mensen, aan de slag maar.' Mundy trok zijn stoel erbij en de andere trooper haalde er een van de muur vandaan, maar Nat was nog niet klaar.

'Angus Holt,' zei ze tegen Brooke. 'Hij heeft u toch gebeld?'

'Ik ken helemaal geen Angus.' Brooke ging zitten, veegde zijn broek schoon en haalde een schrijfblok uit zijn aktetas. 'Uw vader heeft me gebeld. Wij werken voor Greco Construction.'

Nee, hè? Meneer Smoking was eerder gearriveerd dan de advocaat van Angus. 'Hoe wist mijn vader dat ik hier zat?'

'Geen idee.' Brooke draaide routineus de glimmende dop van zijn pen en hield hem tussen duim en wijsvinger.

'Wacht eens even.' Nat stak nerveus haar hand op naar de troopers. 'Trooper Mundy, dit is niet mijn advocaat.'

'Waar hebt u hét over?' Mundy keek boos naar Brooke, die meteen in de verdediging schoot.

'Dat ben ik wel.'

'Nee, er komt nog een andere advocaat. En daar wil ik graag op wachten.' Nat zei tegen Brooke: 'Sorry hoor, het is niet persoonlijk bedoeld.' Maar die andere vent weet wel waar hij mee bezig is.

'We zijn hier geen spelletjes aan het spelen,' kwam trooper Duffy met een harde blik in zijn ogen tussenbeide. 'U hebt hier een advocaat en hij is uiterst kundig. We kunnen niet langer wachten, en omdat u nu een advocaat hebt, hoeft dat ook niet meer.' Hij richtte zich tot Brooke: 'Bent u bereid en bent u in staat haar te vertegenwoordigen?'

'Zeker.' Brooke keek Nat rustig aan. 'U had dan misschien wel iemand anders verwacht, maar als we nu meteen aan de slag gaan, bent u des te eerder thuis.'

Nat dacht erover na. Ze kon waarschijnlijk op dit moment zichzelf zelfs vertegenwoordigen.

Goed gedaan, pap. 'Nou, goed dan,' zei ze, en ze vermande zich.

26

NAT ONDERGING DE VOORBEREIDINGEN alsof het iemand anders betrof. Ze tekende de verklaring waarin ze aangaf dat haar gewezen was op haar rechten en dat ze toestemming had gegeven aan de troopers om haar auto te doorzoeken, die inmiddels al in beslag was genomen. Ze keek zwijgend toe terwijl trooper Duffy de zwarte videocamera neerzette en hem op haar richtte, zoals ze daar tegenover trooper Mundy zat, die enorm zijn best deed vriendschap met haar te sluiten. Hij had al een kop koffie voor haar gehaald.

'Wat heb ik u gezegd?' zei Mundy toen ze een slok nam. 'Als u een broodje wilt dat smaakt naar karton, kan ik dat ook voor u regelen.'

Nat schudde haar hoofd. Brooke ging naast haar zitten en schreef iets op op zijn schrijfblok, net als Duffy die aan Mundy's linkerkant zat, met het nephouten tafeltje naast hem.

Mundy zei: 'Nou, ik zal het eerlijk spelen, mevrouw Greco. U bent recht voor z'n raap, en ik ook. Ik zal u vertellen wat ik weet, en dan vertelt u mij wat u weet.'

'Ga uw gang,' zei Brooke voor hen beiden.

'Mag ik trouwens Nat zeggen?'

'Nee,' zei Brooke weer, en Nat had opeens het gevoel dat hij misschien toch niet zo slecht was. Ze blikte naar de zwarte lens van de camera en keek toen weer weg. Ze werd er nerveus van.

Mundy ging door. 'Goed, gisteravond om vijf over halfelf werd Barbara Saunders door haar zus aangetroffen toen die terugkwam van de bioscoop. Mevrouw Saunders was neergeschoten en lag in de garage op de grond. De zus belde meteen een ambulance en die was snel aanwezig; mevrouw Saunders had inmiddels veel bloed verloren.'

Nat zag aan zijn gepijnigde gezicht dat hij in de garage was geweest. Ze zag voor zich hoe Barb daar had gelegen en hoopte maar dat de kinderen haar niet hadden gezien.

Mundy ging door: 'De zus zei dat u haar al sinds haar man was overleden wilde spreken. U hebt Barbara Saunders verteld dat u een boodschap voor haar had.'

De week draaide zich in al zijn gruwelijkheid voor Nats geestesoog af. Naast haar zat Brooke in hoog tempo aantekeningen te maken op zijn blok.

'Tijdens ons onderzoek ontdekten we een groot gat in de garagevloer.' Mundy vormde een groot vierkant met zijn handen. 'In het gat lagen een testament, een videoband, wat tijdschriften en geld. Zo'n 950 dollar bij elkaar.'

Geld?

'Er lagen ook wat pillen over de vloer verspreid. OxyContin. Ze lagen overal, alsof iemand ze had laten vallen toen hij wegliep.' Hij keek even naar trooper Duffy, die ijverig zat te schrijven. 'Het geld lag trouwens ook overal op de grond, alsof er iemand heel haastig was weggelopen.'

Nat begreep er niets meer van. Ze moest moeite doen om niets te zeggen.

'We hebben uw auto doorzocht, en troffen in de kofferbak 23.000 dollar aan en twee zakken OxyContin.'

'Hè?' riep Nat verbaasd. 'In mijn auto?'

'Hebt u die dingen uit het huis meegenomen?'

'Nee, natuurlijk niet!' zei Nat, die inmiddels knap bang was geworden. 'Dit is belachelijk!'

'O, ja? En waarom dan wel?'

'Moet u horen, ik heb niemand neergeschoten, en zeker geen trooper, en toen ik daar wegging, was Barb nog gezond en wel en lagen er alleen maar een testament, tijdschriften en een videoband in het gat.'

Brooke keek haar met gefronste wenkbrauwen aan. 'Nat, je moet uit jezelf geen informatie geven.'

'Dus u bent daar geweest, dat is dus waar?' vroeg Mundy, en zijn eerlijke bruine ogen keken haar aan alsof hij het echt wilde weten.

Brooke zei tegen Nat: 'Ik adviseer u hier niet over te praten.'

Ze zei niets, maar het kostte haar moeite. Door het geld en de pillen werd zij in verband gebracht met een misdaad die ze niet had gepleegd.

Duffy kwam tussenbeide: 'We kunnen u nu meteen aanklagen voor bezit van de pillen. Tenzij u ze op doktersrecept hebt, natuurlijk.'

Er ging een rilling door Nat heen. Een aanklacht wegens drugsbezit. Moord. Haar leven lag in scherven. Ze sloeg dicht.

Brooke schraapte gezaghebbend zijn keel. 'Het zou niet zo verstandig zijn haar nu al te arresteren vanwege drugsbezit voordat u de andere misdaden hebt onderzocht.'

'Wilt u me niet vertellen wat er is gebeurd, mevrouw Greco?' vroeg Mundy, maar Brooke was degene die zijn hoofd schudde.

'Nee, dat gebeurt niet. Mogen we nu gaan? Dit is zonde van haar tijd.'

Nat kreeg een rood hoofd en Mundy keek haar ernstig aan.

'Kunt u me dan één ding wel vertellen? Er zijn mensen die een moord-zaak als een legpuzzel zien en menen dat ze de stukjes bij elkaar moe-ten zoeken. Er zijn ook mensen die het meer een spelletje vinden. Maar voor mij is moord geen van beide.' Trooper Mundy schudde zijn hoofd. 'Ik ben maar een eenvoudig mens, en voor mij ligt het ook eenvoudig. U weet iets wat ik niet weet. Het gaat voor mij over de vermoorde jon-ge man, trooper Matt Shorney. We hebben hem allebei gekend; Duffy kende hem nog beter dan ik.' Mundy gebaarde achter hem, waar de an-dere trooper met zijn kale hoofd over zijn aantekeningen gebogen zat. 'Ik wil weten wat er met hem gebeurd is, want dat is mijn werk. Zo een-voudig ligt dat. Geen puzzel, geen spelletje. Gewoon werk. Als u weet wat er is gebeurd, dan zou ik graag willen dat u me dat vertelde. De rest is allemaal onzin.'

Brooke zei: 'Nogmaals: mijn cliënt zal geen verklaring afleggen.'

Maar Nat was geroerd door Mundy's woorden. Hij had gelijk: dit ging om iets veel belangrijkers dan haar hachje. Dit ging om de waarheid, en om Shorny en Barb. Als zij de troopers vertelde wat ze ervan wist, kon-den ze misschien deze avond nog de moordenaar oppakken.

'Trooper Mundy,' zei ze, 'voordat hij overleed, zei Barbs man tegen me dat ik zijn vrouw moest vertellen dat er ergens iets onder lag. Ik ging naar haar toe om dat te vertellen, en we hebben de hele avond ernaar gezocht, maar we hebben niets gevonden.'

'Dat is voorlopig wel genoeg.' Brooke raakte haar arm aan, maar Nat schudde zijn hand van zich af.

'Ik wil met hem praten. Ik weet wat ik doe.' Ze keek Mundy aan, met de zwarte cameralens achter hem. 'Ik zag een man trooper Shorney doodschieten.'

'Hebt u de moord gezien?' Mundy deinsde verbaasd wat achteruit en zijn ogen werden groot.

Duffy keek meteen op en Brooke kneep in Nats arm. 'Zeg alsjeblieft verder niets meer,' zei hij nadrukkelijk.

'Een man met een zwarte bivakmuts op heeft hem neergeschoten. Hij heeft één keer geschoten en zei toen tegen mij dat ik weg moest ren-nen, en dat heb ik gedaan.'

'Hebt u zijn gezicht gezien?'

'Nee.'

'Wat hebt u wel gezien?' Trooper Duffy had zijn armen over elkaar geslagen en keek toe.

'Ik, eh... ik weet het niet,' stamelde Nat. De gruwelijke beelden flitsten langs. De hoed van de trooper die wegvloog. De bivakmuts.

'Wat kunt u zich wel herinneren? Was hij lang? Klein?'

'Nat, toe,' onderbrak Brooke hem, maar ze schudde hem weer van zich af.

'Gemiddeld.'

'Wat voor jas had hij aan?'

'Dat weet ik niet. Zwart.' Nat deed haar best het zich te herinneren. Het enige was ze steeds weer zag, was een gestalte die met een geweer in de regen stond. 'Ik weet het niet meer.'

'Was hij blank, zwart, Latijns-Amerikaans?'

'Ik heb geen idee.'

Brooke kwam er weer tussen. 'Waar u nu mee bezig bent, druist geheel tegen mijn advies in, dat begrijpt u toch zeker wel?'

'Ja,' zei Nat en ze gaf een klopje op zijn hand. Ze zag dat hij bang was voor haar vader. 'Het is in orde. Echt.'

'De schutter heeft dus iets tegen u gezegd?' ging Mundy gewoon door. 'Wat zei hij? Wat voor stem was het?'

'Hij zei: "Rennen, trut." Hij had een normale stem.'

'Had hij een accent?' vroeg Mundy en achter hem knipperde trooper Duffy met zijn ogen; hij sloeg ze nog net niet ten hemel.

'Nee,' zei Nat.

'Waar kwam hij vandaan?'

'Geen idee. Hij dook opeens op in de regen.'

Duffy keek weg, maar Mundy boog zich naar voren. 'In wat voor auto reed hij?'

'Ik heb geen auto gezien. Hij kwam van achteren naar me toe lopen. Hij schoot de trooper neer over mijn schouder. Ik draaide me om en zag het geweer in zijn hand.' Nat dacht razendsnel na. 'Hij heeft Barb vast ook neergeschoten. Hij heeft vast ook de pillen en het geld in mijn auto gestopt.'

Duffy kwam tussenbeide: 'Maar u zei dat hij alleen maar een geweer in zijn hand had.'

'Dat klopt.'

'Waar had hij dan al dat geld gestopt? En de pillen?'

Nat was even in de war. 'Dat weet ik niet,' zei ze, en Mundy zei ook niets meer.

Duffy nam het over: 'En waar kwam dat vandaan, als hij geen auto had?'

'Dat weet ik echt niet. Ik moet even nadenken.'

'Hij kan toch moeilijk met zoveel geld rondlopen, niet in de regen, het is een behoorlijke hoeveelheid.'

'Ik heb geen idee. Laat me even nadenken.' Nat kon zo snel niets bedenken.

'In elke politiewagen zit een videorecorder,' zei Duffy met een valse grijns, 'maar daar staat heel iets anders op.'

Nat was stomverbaasd. 'Maar dat kan niet. Hij was er toch echt.'

'Volgens de camera niet. De camera heeft u op uw rug gefilmd terwijl Matty – trooper Shorney, bedoel ik – neergaat. Er is geen andere persoon te zien, al dan niet met een bivakmuts op.'

Nat deed haar best het te begrijpen. 'Staat alleen het portier van de bestuurder erop?'

'Ja, en de achterkant van uw auto en uw kentekenplaat.'

'Maar die man, de moordenaar, stond niet zo dichtbij. Hij stond aan de andere kant van de auto, bij de stoep. Hij moet net buiten het bereik van de camera hebben gestaan.'

'Is dat zo?' Duffy hield zijn hoofd schuin. 'De camera heeft ook geluid, en we hebben niemand horen zeggen: "Rennen, trut."'

Nats mond werd droog. 'Dat heeft hij echt gezegd. Ik heb het toch gehoord.' Toen wist ze het weer. 'Het regende heel hard, misschien heeft het geluid daarom niet geregistreerd.' Ze voelde zich bang, wanhopig. 'Moet je horen, ik heb geen geld en geen drugs uit Barbs huis meegenomen. Ik heb ze niet in mijn auto gestopt. Ik zou nooit ofte nimmer Barb, trooper Shorney of wie dan ook neerschieten.' Ze ging steeds sneller praten, en Duffy's stem werd steeds ijziger. 'Kijk nou toch naar me. Ik ben docent. Waarom zou ik onschuldige mensen vermoorden of drugs en geld stelen?'

'Dat weet ik nog niet, maar ik heb wel een vermoeden.'

'Wat dan?'

'Nou, u werkt voor een grote universiteit. U kunt de pillen aan de studenten verkopen. Jongelui zijn nu eenmaal gek op dat soort dingen.'

'Dat is belachelijk.'

'O, ja?' Duffy trok zijn smalle wenkbrauw op. 'Kijk, zo zie ik het. Saunders was een dealer, in de gevangenis. Hij had een voorraadje en wat geld onder de grond verborgen en wilde dat zijn vrouw het zou krijgen. Dus voordat hij stierf, vertelde hij aan u dat er geld onder de grond zat verstopt.'

'Maar dat is niet waar.' Nat schudde ongelukkig haar hoofd. Brooke zat razendsnel aantekeningen te maken.

'Dus u gaat naar zijn huis, vertelt de vrouw wat haar man heeft gezegd, en ze laat u de bergruimte zien. U schiet haar neer, en gaat ervandoor.'

'Dat is niet waar.' Nat raakte overstuur bij het idee alleen al. 'Ik zou haar nooit voor twintigduizend dollar hebben neergeschoten, of voor welk bedrag dan ook.'

'En waarom niet? Er worden vaak genoeg mensen vermoord voor veel minder.' Duffy keek haar ijzig aan. 'Of misschien wilde u haar alleen maar bang maken, maar ging het pistool plotseling af. Zij heeft opeens twee kogels in haar borst en u vlucht met de poen en de pillen.'

Nats hart ging als een razende tekeer. Ze werd erin geluisd. Iemand had haar gevolgd. Iemand had dit allemaal in scène gezet om van haar af te komen. Wie was de man met de bivakmuts geweest? Brooke zat nog steeds aantekeningen te maken met zijn glimmende pen.

'Als u wilt weten hoe het verdergaat: daarna houdt Matty u aan voor te hard rijden, waarschijnlijk, want zo was hij: hij maakte zich daar zorgen over, als mensen te hard rijden als het regende en het donker was.' Duffy vertrok zijn gezicht, duidelijk aangedaan. 'U bent bang dat hij uw auto gaat doorzoeken, of dat hij u misschien wilt ondervragen over Barbara Saunders, dus u schiet hem ook neer.'

'Dit is te gek voor woorden!' riep Nat woedend uit. Ze moest iets doen. 'Als ik trooper Shorney heb doodgeschoten, waarom ben ik dan niet weggereden? Waarom ben ik dan daar rond gaan rennen?' Brooke borg zijn pen en schrijfblok in de aktetas.

'Om het wapen te verstoppen. Zoals David al zei, bent u veel te slim om daarmee rond te rijden.'

'Maar kijk dan toch, ik zit onder de modder, ik zie er niet uit,' ging Nat er tevergeefs tegenin. Brooke pakte zijn jas van de stoel, legde die over zijn arm en stak zijn hand uit naar Nat.

Duffy ging nog harder door: 'Als u het uit de auto had gegooid, dan was het niet ver weg genoeg terechtgekomen. U bent gevallen. U bent niet iemand van het platteland. We hebben het nog niet onderzocht, maar Matty is door een .22 gedood en Barbara Saunders is door zo'n wapen verwond. Volgens mij was het hetzelfde wapen, en als we het daar in dat weiland vinden, weten we van wie het is. Van u.'

Het bloed trok uit weg Nats wangen. Brooke hielp haar overeind. Ze kon niet geloven dat dit echt gebeurde. Duffy wilde haar maar al te graag aanklagen. Hij had een redelijke theorie te berde gebracht, samengesteld uit onweerlegbaar indirect bewijs, dat ook nog eens helemaal, afschuwelijk verkeerd was.

De trooper ging staan en zei: 'U reed erg hard toen we u oppakten. Een automobiliste belde ons toen ze langsreed en Matty zag liggen. Ze moest naar een huis gaan om te bellen, omdat ze geen gsm heeft. Als we dat telefoontje niet hadden gekregen, had u nu thuis gezeten.'

'Ed, doe even rustig aan.' Mundy stond ook op; zijn donkere ogen stonden bezorgd.

Brooke hief zijn hand op. 'Als u mijn cliënt niet wilt aanklagen, dan is dit verhoor afgelopen. Ik breng mijn cliënt naar huis. U hebt mijn visitekaartje. Als u verder nog vragen hebt, kunt u mij bellen.'

Maar Nat kreeg opeens een ingeving. 'Hebt u een leugendetector? Ik zou graag zo'n test willen doen.'

'Ja, we hebben er wel een,' zei Mundy, maar Brooke onderbrak hem.

'Nee, zo is het wel genoeg voor vandaag. Als zij en ik vinden dat het in haar belang is om zo'n leugentest te doen, dan doen we dat als ze een nacht heeft geslapen en heeft gedoucht.'

'Jammer dat u dat zo ziet,' zei Mundy.

'Wanneer krijgt ze haar auto terug?' vroeg Brooke.

Nat deed moeite om weer praktisch na te denken. 'En mijn tas?'

'De tas is een bewijsstuk. De auto is in beslag genomen en u krijgt hem zo snel mogelijk terug.'

'U houdt mijn auto? Mijn portemonnee? Mijn gsm?'

'En uw kleren ook,' zei Duffy, die naar haar kleren gebaarde. 'Die zijn nodig als bewijsmateriaal.'

'Maar wat moet ik dan aan?' vroeg Nat.

Brooke legde geruststellend zijn hand op haar schouder. 'Mijn dochter zit in het zwemteam van school en in mijn kofferbak liggen altijd wel spullen van haar. Er zit vast ook wat kleding tussen.'

Nat keek van Duffy naar Mundy en voelde zich helemaal koud worden. Ze was een grens overgegaan: ze was van een gewoon mens iemand geworden met wie ze wilden spreken. Nog even en ze zou een verdachte zijn. Ze dacht aan wat ze had geleerd en geschreven over de geschiedenis van het recht. Dat die vaak meer de geschiedenis van het onrecht was geweest. De slavernij was ermee goedgesproken, gevangennemingen en zelfs de doodstraf voor onschuldige mensen, allemaal in de naam van het recht. Een rechtenstudent wist maar al te goed dat het recht mensenwerk was, en dus niet perfect. Agenten maakten fouten, net zoals rechters, jury's en zelfs het hooggerechtshof. Duffy maakte een fout en sleepte Mundy met zich mee.

En uiteindelijk ook Nat.

Nat voelde zich als verdoofd toen een medewerker van de technische recherche een kruitdamptest bij haar afnam. Daarna trok ze een zwart met rood trainingspak aan dat Brooke voor haar had gehaald, waar GERMANTOWN ACADEMY op stond. Ze had haar kleren afgegeven en toegekeken toen ze ze zorgvuldig in plastic bewijszakken stopten en een sticker erop deden, waarna ze naar de wachtkamer werd geleid. Brooke stond op van een plastic stoel bij de koffieautomaat en liep met een glimlach op haar af.

'Dat ziet er beter uit!' zei hij. 'Schone kleren, en ze passen prima.'

'Bedankt, pa.'

'Goed zo, meisje.' Brooke boog zich naar haar toe, zodat de troopers die aan de andere kant van het kogelwerende glas stonden toe te kijken hem niet zouden horen. 'Er staan een heleboel persmensen buiten, op het parkeerterrein. We geven geen commentaar, oké? Zitten we wat dat betreft op dezelfde golflengte?'

'Ja.'

'Mooi. Wacht, doe dit maar aan.' Brooke drapeerde zijn jas om haar schouders.

'Bedankt,' zei Nat geroerd.

Hij gaf haar een tikje onder haar kin. 'Hoofd omhoog, borst vooruit. Je bent een professor, geen gewone crimineel, dus zo moet je er ook uitzien. De foto's die straks worden genomen, zullen ook door de jury worden bekeken.'

'De jury?' jammerde Nat bijna, en toen vermande ze zich. Ze moest in haar rol blijven. Ze streek haar natte haar naar achteren, draaide het in een wrong en stopte die in de kraag van de jas.

'Hier. Veeg je gezicht een beetje af.' Brooke haalde een zakdoek met monogram uit de zak van zijn smoking en Nat veegde ermee over haar wangen, waarna ze hem weer teruggaf.

'Bedankt. Kom maar op met die close-up,' zei ze. Brooke glimlachte grimmig terwijl hij zijn arm om haar heen sloeg. Ze liepen naar de deur, trokken hem open en stapten de koude regen in. Een hele batterij camera's flitste op toen een horde journalisten op hen af kwam rennen en vragen schreeuwde.

'Professor Greco! Deze kant graag!' 'Professor Greco, klopt het dat u vanavond bij de Saunders thuis bent geweest?' 'Professor Greco! Kende u trooper Shorney al voordat hij u aanhield?' 'Kunt u bevestigen dat het moordwapen in uw auto is aangetroffen? We zagen dat die in beslag werd genomen!' 'Kom op, geef een verklaring, mevrouw Greco! Bent u een verdachte?'

'Geen commentaar!' Brooke stak waarschuwend zijn hand op terwijl hij Nat over het parkeerterrein loodste, en Nat boog haar hoofd, maar niet tegen de regen. Ze schaamde zich vreemd genoeg terwijl ze daar liep. Ze wilde hun vragen beantwoorden, maar kon het niet. Ze wilde alles uitleggen, maar kon het niet. Ze kon niets tegen hun beschuldigingen inbrengen en wist dat het feit dat ze niets zei op schuld duidde. Ze had nooit begrepen wat 'onschuldig tenzij het tegendeel is bewezen' inhield, maar nu wist ze het.

De wereld stond op het punt haar schuldig te verklaren.

27

NAT ZAT NAAST BROOKE in zijn Mercedes, met zijn jas dicht om haar heen geslagen als een kasjmier cocon. Ze reden zonder iets te zeggen door de donkere buitenwijken en ze dacht na over wat er was gebeurd. Het leek zo onwerkelijk. Trooper Shorney die doodgeschoten was. Ze vroeg zich af of hij een gezin had. Ze dacht ook aan Barb, maar het leek haar niet gepast om de ziekenhuizen af te bellen om haar te zoeken, of om de volgende dag Barbs zus of moeder te bellen. Zouden ze haar geloven als ze zei dat ze niets te maken had met de schietpartij op Barb? Ze moest er niet aan denken.

Brooke vroeg: 'Zal ik even het nieuws aanzetten, of heb je dat liever niet?'

Liever niet. 'Ga je gang.'

Brooke zette de radio aan en KWY was in de lucht. Het ging eerst over de Sixers-wedstrijd, de storm, en toen het grote nieuws. De omroeper zei: 'Natalie Greco, professor in de rechten aan de universteit van Pennsylvania, wordt door de politie verhoord in verband met de moord op trooper Matthew Shorney die werd doodgeschoten toen hij haar aanhield voor te hard rijden. De politievertegenwoordiger zegt dat Greco aanwijzingen kan geven in verband met de schietpartij en met de moordaanslag op Barbara Saunders in Pocopson, bij wie Greco op bezoek was geweest voordat ze door de trooper werd aangehouden.'

Nats mond werd kurkdroog. Ze had nog nooit haar naam gehoord op de radio, en al helemaal niet in combinatie met de woorden 'werd doodgeschoten' en 'moordaanslag'. Ze luisterde niet naar het volgende nieuwsbericht maar keek door de autoruit naar de lichtjes van de huizen die door de regendruppels vreemd werden vervormd. Ze rilde als ze dacht aan de schande die ze over de universiteit had afgeroepen. Ze dacht aan vicerector magnificus McConnell, en toen aan haar studenten. Zouden ze geloven dat ze iets met die schietpartijen te maken had? Zou ze straks nog een baan hebben? En haar vaste aanstelling? Haar leven viel in scherven uiteen.

De Mercedes nam soepel een bocht en Brooke zei: 'Ik werk met een erg goed pr-bedrijf samen dat de schade voor mijn cliënten beperkt. Zal ik ze morgen eens bellen voor je?'

'Wacht nog maar even. Ik vind het wel erg vreemd dat een gedaagde een pr-medewerker nodig heeft.'

'Je moet wel reëel zijn, Nat.' Brooke keek haar even aan; in de donkere auto was duidelijk te zien hoe bezorgd hij was. 'Je moet ze een stap voor blijven. Je hebt de pers gezien daar. Die willen bloed.'

'Weet ik.' Nat maakte zich meer zorgen om iets anders. 'Wat denk je, zullen ze me aanklagen?'

'Daar hebben ze niet genoeg bewijs voor.'

Nat was het ermee eens. 'Er zijn geen echte bewijzen. Er is geen motief.'

'Het geld zou een motief kunnen zijn, maar daar is het wat te weinig voor, en ze moeten je verhaal over de man met de bivakmuts nog nagaan.'

'Jij gelooft me toch wel?'

'Natuurlijk,' zei Brooke, maar Nat vroeg zich af of hij dat echt meende.

'Die trooper Duffy zou me zo de gevangenis in gooien.'

'Maar Mundy niet, en ze moeten wel wat meer bij elkaar hebben om je te kunnen aanklagen. Ze willen geen zaak beginnen die ze niet kunnen hard maken.'

'Dat is zo.' Nat kon weer wat rustiger ademhalen. 'Mag ik even jouw gsm gebruiken? Ik wil mijn vriend bellen.'

'Ja, hoor.' Brooke pakte een dunne Razor uit de binnenzak van zijn smoking en gaf hem aan haar.

'Bedankt. Het duurt maar even.' Ze belde Hanks gsm, maar hij nam niet op. Ze verbrak de verbinding toen ze de voicemail hoorde, en toetste toen het nummer van het ziekenhuis in, dat ze inmiddels uit het hoofd kende.

'Natalie, is alles in orde?' vroeg Angus zodra hij had opgenomen. 'Hoe gaat het?'

'Goed. De advocaat van mijn vader was er eerder dan die van jou, maar alles ging goed.' Nat wierp even een blik opzij naar Brooke, die ze steeds meer mocht nadat hij zijn zakdoek voor haar had opgeofferd.

'Weet ik, Bennie belde net.'

'Kun je hem zeggen dat ik het heel vervelend vind?'

'Haar. Bennie Rosato. Wel eens van haar gehoord?'

'Ja, natuurlijk.' De beste advocaat in de stad, maar wel een beetje een kenau. 'Enfin, zeg maar dat het me spijt. Ik heb niet al hun vragen beantwoord.'

'Dat was een grapje, neem ik aan?'

'Uiteraard.' Maar niet heus. 'Ik ga nu naar mijn ouders.' Dat wilde ze niet echt, maar Brooke had opdracht daartoe gekregen en had erop gestaan.

'Ze hebben je toch niet aangeklaagd?'

'Nog niet.'

'Wat is er allemaal gebeurd? Vertel!'

'Nu niet. Wanneer word je uit het ziekenhuis ontslagen?'

'Morgen, zeiden ze. Ik heb het op tv gezien. De moord op de agent is het grote nieuws, en dan de aanslag op Barb Saunders. Volgens mij hebben die twee dingen met elkaar te maken.'

'Dat moet wel.' Nat had geen tijd meer om het na te pluizen. De Mercedes draaide net de straat in waar haar ouders woonden. Zo laat op de avond lag die er stil en verlaten bij. 'Ik moet hangen. Ik bel je morgen weer.'

'Maak je maar niet ongerust. Het komt allemaal in orde. Ik bel de universiteit wel en dan bedenken we wat we gaan doen.'

'Bedankt,' zei Nat die daarna de telefoon dichtklapte. Ze reden de ronde oprit op voor het huis van haar ouders en zagen drie verschillende zwarte Cadillacs staan, de officiële auto van de familie Greco. Dat betekende dat haar broers er ook allemaal waren, behalve Paul dan, die waarschijnlijk bij de basketbalwedstrijd was met Hank.

'Wat een prachtig huis,' zei Brooke, die de auto parkeerde en de motor afzette. 'Het lijkt wel een Frans kasteel.'

'Dat is ook de bedoeling. Mijn vader heeft het ontworpen nadat ze in Frankrijk waren geweest. Het model heet de Chamonix.' Nat keek naar het huis, alle lampen brandden en de leistenen torentjes staken af tegen de stormachtige avondlucht.

Misschien lag het aan haar, maar het leek de Bastille wel.

Nat stak de sleutel in het slot, maar de deur werd wagenwijd opengegooid door haar vader, wiens mond openzakte toen hij haar zag.

'Godsamme, Nat!' Hij trok zijn leesbril van zijn neus. Hij had een blauwe badjas van Ralph Lauren aan en zwarte sokken. 'Wat is er verdomme allemaal gebeurd?'

'Het is een lang verhaal, pap.' Nat liep de warme droge hal binnen, die helder verlicht werd door een kroonluchter. Haar vader keek al naar Brooke, die achter haar naar binnen kwam.

'Ben jij van Dechert? Bart zei dat hij iemand zou sturen.'

'Carter Brooke,' zei hij en hij stak zijn hand uit, die haar vader met een vastberaden frons op zijn voorhoofd schudde.

'Wat is er verdomme aan de hand, Carter? Hebben ze mijn dochter gearresteerd?'

'Ik ben niet gearresteerd, pap.' Nat wilde de gemoederen enigszins tot bedaren brengen, maar haar vader keek Brooke nijdig aan.

'Denken ze soms dat de dochter van John Greco een trooper zou vermoorden? Zijn ze verdomme gek geworden?!'

'Ze is nog niet aangeklaagd.' Brooke stak verdedigend zijn handen op. 'Ze hebben haar verhoord en ze heeft niet veel gezegd...'

'Niet veel?' Haar vaders blik werd fel en hij deed de deur dicht. 'Waarom heb je haar überhaupt iets laten zeggen? Als er iets gebeurt, stel ik dat hele kantoor van jou daarvoor aansprakelijk.'

'Pap, hou op. Hij heeft zijn werk prima gedaan.' Nat deed Brookes jas af en klopte hem af, net toen Tom en Junior de keuken uit kwamen rennen de hal in, helemaal opgewonden en stuiterend van de cafeïne. Ze hadden allebei hun werkkleding aan: een wit overhemd en een zwarte broek. Niemand had ooit vrij bij Greco Construction.

'Nat, ze geloven toch niet dat jij een trooper hebt doodgeschoten?' Junior moest er bijna om lachen. 'Jíj?'

'Is dit soms een geintje?' vroeg Tom ongelovig. 'Of zit pap erachter?' Ze barstten allebei in lachen uit.

'Bedankt voor jullie steun.' Nat stak haar middelvinger op. Als ze zich beter had gevoeld, had ze gezegd: als ik een trooper wil doodschieten, dan doe ik dat.

'Ze wordt niet verdacht, maar het is zeker niets om om te lachen,' zei Brooke ernstig, maar Nats vader keek hem verbaasd aan.

'Je moet een paar dingen goed begrijpen, Calvin.'

'Carter.'

'Nat is de enige van mijn kinderen die nooit gearresteerd zou kunnen worden. We hebben ons nooit zorgen over haar hoeven te maken. Nooit.'

Mug. 'Pap, ik ben niet gearresteerd,' zei ze weer, maar haar vader keek haar niet aan.

'De jongens hadden wel eens een akkefietje. Af en toe eens wat. Wilde feestjes, dat soort dingen. En Paul, van hem zou ik het nog kunnen begrijpen. Wat dat betreft hou ik mijn hart vast.'

'Paul is een stomme idioot,' zei Junior.

Tom snoof. 'Ik zet mijn geld op de belastingdienst.'

'Op die manier,' zei Brooke, en Nat zag dat hij in de overvolle hal een band ontwikkelde met zijn cliënt.

Haar vader ging door: 'Maar Nat, nee, dat kan niet. We zouden een aanklacht moeten indien vanwege arrestatie van een onschuldige. Dat bestaat toch?'

'Dat zou zij moeten weten,' zei Junior, en Tom was het ermee eens.

'Zij is een professor.'

'John, je hoeft mij er niet van te overtuigen.' Brooke zette zijn leren aktetas op de kersenhouten wandtafel. 'We zullen samen mijn aantekeningen doornemen en dan kan ik je alles uitleggen.'

'Ben jij dat, Nat?' Haar moeder kwam de grote trap af in een blauwe zijden badjas, haar gezicht onder een glimmende laag nachtcrème van Dr. Perricone vertrokken van de zorgen. Ze droeg haar haar in een paardenstaart en twee schuifspeldjes hielden de kortere lokken uit haar gezicht. 'Lieve help, schatje, wat is er met je gebeurd? Zit er nou modder op je gezicht?'

'Niets aan de hand, mam.' Nat legde Brookes jas op een stoel. 'Hoe wisten jullie trouwens waar ik was?'

'Ze weten alles,' zei Tom. 'Ze zien alles.'

'De zoon van Morty Blank reed langs en zag je naar binnen gaan.' Haar moeder stond onder aan de trap en omhelsde Nat stijfjes. 'Hij heeft ons meteen gebeld.'

'Ja, en waarom heb je ons niet gebeld, Nat?' vroeg haar vader verontwaardigd. 'Je wordt gearresteerd en je belt niet eens? Moet ik afhankelijk zijn van de kans dat een van mijn golfvrienden je ziet?'

'Ik ben niet gearresteerd.' Nat voelde hoofdpijn opkomen, maar haar vader was nog maar net begonnen. Hij had nog nooit tegen haar geschreeuwd, maar hij was vaak genoeg kwaad geworden op haar broers. Nu hij wist dat ze nog leefde, kon hij haar wel vermoorden.

'Waarom ben je weer naar Chester County gegaan?' vroeg hij op hoge toon. 'Hank heeft ons verteld dat iemand je heeft bedreigd als je daar weer naartoe zou gaan.'

'Het was geen bedreiging.' Nat was boos op Hank. 'En hij had het niet met jou mogen bespreken.'

'Waarom niet? Hij is familie. Hij maakte zich zorgen over je, en hij had groot gelijk.' Haar vader fronste zijn wenkbrauwen. 'Wat is er met jou aan de hand, Nat? Komt het door die leraar, die mafketel met die paardenstaart?'

Angus. 'Heeft Hank je toevallig ook iets níét verteld, pap?'

'Dit is echt vreselijk.' Haar moeder zuchtte, en wreef met haar vingertoppen over haar voorhoofd. 'Eerst Paul, en nu dit.'

Nat vroeg: 'Waar is Hank, eigenlijk?'

'Paul en hij komen eraan,' zei haar moeder. 'De Sixers gingen in de verlenging, dus konden ze pas laat weg.'

'Weer een topprestatie van A.I.' Junior schudde vol bewondering zijn hoofd.

'Hij zit zo op het geld,' zei Tom. 'Niet te geloven dat we weer een verlenging hebben gemist. Paul heeft ook altijd kaartjes. Longontsteking, ja hoor.'

Brooke zei niets terwijl Nats vader zijn handen in zijn zij zette. 'Zeg het maar, Nat. Komt het door die vent? Hebben jullie iets samen?'

Natalie, moet je horen. 'Pap, dat gaat je helemaal niets aan.'

'Als je door hem in de problemen komt met de politie, gaat dat me wel degelijk aan. Hoe denk je dat dat overkomt?' Haar vader wees naar haar. 'Weet je, je hebt al je geleerdheid uit boeken, maar daar blijft het ook bij.'

Au. 'Ik zal jullie eens wat vertellen, ik ga lekker douchen.' Nat draaide zich meteen om en liep de trap op, maar halverwege bleef ze opeens staan. Er ontbrak iets. Ze keek rond in de elegante hal. 'Waar is de kat?'

Haar moeder perste haar lippen op elkaar. Haar vader keek naar boven en zei gespannen: 'Dat is gisteren gebeurd.'

Jelly. Nats hart zonk haar in de schoenen. 'Wat dan?'

'Hij is gewoon niet meer wakker geworden, meer weet ik niet. Hij lag op jouw bed.' Haar vader keek wat vriendelijker, wat minder boos. 'De dierenarts zei dat hij ons de as zal geven.'

'Hij was al oud,' zei Junior.

'Ga je huilen?' Tom grinnikte. 'Als je echt van hem hield, ga je vast huilen.'

Nat draaide zich als verdoofd om, liep de trap op en ging haar slaapkamer in, waar ze snel het trainingspak uitdeed en naar de douche liep, terwijl ze zichzelf voorhield dat ze zich niet zou laten gaan. Toen ze klaar was, wikkelde ze een zachte witte handdoek om zich heen en liep druipend en wel haar kamer in. Ze streelde met haar hand over het dekbed waar Jelly altijd had gelegen en lange grijze kattenharen bleven aan haar vingers kleven.

Verdrietig keek ze met andere ogen rond in haar slaapkamer. Ze woonde al meer dan tien jaar niet meer thuis en had in dit huis maar een enkele keer overnacht. Haar ouders hadden haar oude meubels hier neergezet, zodat de slaapkamer eruitzag als een Franse club uit het verleden. Er stond een kleine witte kledingkast tegen de muur, en een tweepersoonsbed met een bijpassend headboard voor kleine meisjes, plus een bureau waaraan ze nooit had zitten leren, compleet met een witte stoel en een blauw kussen. Op een paar witte boekenplanken stonden boeken van de middelbare school en daarna. Ze was het allemaal al lang geleden ontgroeid, in theorie althans.

Nat besefte dat ze niets in deze slaapkamer zelf had uitgekozen, evenmin als Jelly trouwens. Of haar advocaat. Of haar vriend. Het was allemaal door haar vader gekocht, en ze had het wel best gevonden. Ze vroeg zich voor de eerste keer af of hij ook de hand had gehad in het werk dat ze deed. Het was een uitgemaakte zaak voor haar geweest dat zij niet voor het familiebedrijf zou gaan werken. Hoe dan ook, haar leven was door iemand anders bepaald.

En dat wilde ze niet meer.

28

Nat kwam met het geleende trainingspak in haar hand de trap af lopen. Ze droeg een versleten Fair Isle-trui, een oude spijkerbroek en een paar antieke blauwe Danskos. Ze ging naar de keuken, waar haar vader, moeder en Brooke aan de kersenhouten tafel met een gebloemde mok koffie voor hun neus zaten te praten. Junior, Tom, en de inmiddels gearriveerde Paul en Hank zaten voor de draadloze tv op de bar Heineken te drinken en naar ESPN te kijken met het geluid zacht.

'Schatje, hoe gaat het met je?' Hank zette zijn flesje neer, liep naar Nat toe en omhelsde haar stevig. Hij rook sterk naar sigaren.

'Prima hoor.' Nat wilde niet emotioneel worden. De jongens bleven tv-kijken terwijl haar ouders en Brooke opeens hun mond hielden, en overduidelijk meeluisterden.

'Sorry dat ik niet opnam.' Hank liet haar los en zijn donkere ogen keken haar onderzoekend aan. 'En sorry voor de rest.'

Paul draaide zich naar hen toe. 'HANK, VERTEL HAAR EENS OVER A.I.'

Nat keek Hank aan. 'We hebben het toch niet over basketbal, hè?'

'Nee, natuurlijk niet. Je hebt al genoeg meegemaakt.'

'A.I. GING HET PUBLIEK IN OM EEN BAL TE PAKKEN EN HIJ IS ZO LANG DAT HANK ZIJN HOOFD KON AANRAKEN. ZIJN HOOFD!'

Haar moeder zei: 'Ik dacht dat A.I. klein was. Is hij niet klein dan?'

'ALLEN IVERSON IS KLEIN, MAM. DAT IS A.I.-1 EN IK HEB HET OVER A.I.-2. ANDRE IGUODALA.'

'Nat, vertel eens.' Haar vader was inmiddels wat rustiger en keek haar zonder boosheid aan. 'Brooke heeft ons de justitiële kant uitgelegd, maar we willen graag van jou horen wat er nou is gebeurd.'

'Pap, als ik daaraan begin, wordt het ruzie, en het is al laat.' Nat liep naar Brooke toe, gaf hem het opgevouwen trainingspak en stak haar hand uit. 'Bedankt voor je hulp. Dat waardeer ik zeer, maar ik wil graag nog een paar andere advocaten spreken voordat ik iemand aanneem.'

'Wacht eens even.' Brooke stak zijn wijsvinger op. 'Je vader en ik hebben het al opgelost. Ik verwijs je door naar een advocaat die veel ervaring met dat soort dingen heeft.'

'Nee, dank je,' zei Nat, en haar vader zag eruit alsof hij een klap in zijn gezicht had gekregen.

'Waar heb je het over? Maar natuurlijk neem je de advocaat van Carter. Het is al allemaal geregeld.'

'Nee, bedankt.' Nat schudde haar hoofd. 'Ik regel het zelf wel.'

'Nat, doe niet zo gek.' Haar vader stond op en fronste zijn wenkbrauwen weer. 'Ga zitten en vertel ons wat er aan de hand is. Ik wil weten waarom jij naar Chester County bent gegaan en wat er is gebeurd.'

'Pap, ik ben moe en ik wil het er nu niet over hebben. Snap je dat dan niet?'

'Ga zitten en praat met je ouders!' zei haar vader, en Nat draaide zich om naar Hank.

'Kom, we gaan naar huis. Ik ben kapot.'

Haar moeder zei: 'Nat?'

Haar vader zei: 'Nat!' Hij sloeg zijn armen in de dikke badjas over elkaar. 'Neem dan in elk geval Carters advocaat aan. Ik betaal wel. Dan heb je de beste advocaat in de stad en het kost je geen cent.'

'Nee, bedankt.'

'Hank praat jij nou met haar. Je blijft toch wel slapen?'

Hank keek van Nat naar haar vader en weer naar haar. 'Je ouders hebben ons uitgenodigd hier vanavond te blijven logeren. Geen slecht plan, met het oog op de storm.'

'Nee, bedankt.' Nat zag al voor zich dat er op haar grafsteen zou staan: NEE, BEDANKT.

'Het regent veel te hard om nu nog te gaan rijden, lieverd,' riep haar moeder vanaf de tafel.

'Het lukt wel. Ik ben moe en ik wil naar huis.' Nat keek naar Hank. 'Zullen we nu maar gaan?'

'Nat, wat heb je toch?' zei haar vader nogal hard en haar broers draaiden zich om van de tv.

Junior zei: 'Blijf nou toch, als ze dat willen. Je doet gewoon stom.'

Tom zei: 'Ze is echt een verstrooide professor, hoor.'

'WE BESTELLEN PIZZA'S! SPELEN EEN PAAR KAARTSPELLETJES, DAAR WORDT IEDEREEN VROLIJK VAN!'

'Paul, je kunt maar beter wat gaan slapen,' zei haar moeder, maar hij deed net of hij haar niet hoorde. 'Die verkoudheid gaat niet over als je niet wat rust. Ik heb je bed al opgemaakt boven.'

Genoeg. 'Dag, allemaal.'

'Ik zei dat ik wilde dat je bleef slapen,' zei haar vader weer met een boze blik.

'Sorry, maar ik ga ervandoor. Tot ziens, jongens. Ik bel je morgen wel om alles uit te leggen. We zijn allemaal veel te moe om het er nu nog over te hebben.'

'Ga je echt weg?' wilde haar vader weten.

'Je gaat toch niet huilen, hè?' vroeg Tom plagend.

'JE HIELD TOCH WEL VAN JELLY?' Paul lachte, maar Nat kwam niet eens in de verleiding om haar middelvinger op te steken.

Misschien word ik eindelijk volwassen.

Hank reed de BMW door de straat; de ruitenwissers zwiepten wild door de stromende regen. 'Je bent overstuur, hè?'

'Het is een lange avond geweest.'

'Wat is er allemaal gebeurd?'

'Daar hebben we het thuis wel over, goed?' Nat was zo doodop dat ze de puf niet had het verhaal opnieuw te vertellen. De adrenaline was inmiddels uit haar lijf verdwenen en ze was op.

'Ja hoor, prima.' Hank sloeg een hoek om, en water uit de goot spatte op tot halverwege de portieren.

'Sorry dat ik niet wilde blijven slapen. Ik moest gewoon weg.'

'Dat begreep ik al, ja. En zij ook.'

'Wat bedoel je daar nu weer mee?' Nat keek naar hem, maar Hank hield zijn ogen op de weg gericht. Ze stopten voor een rood licht en door de remlichten van de auto voor hen werd zijn gezicht rood verlicht.

'Je was wel een beetje onbeschoft, vind je niet?'

'Het is al laat, Hank.'

'Jawel, maar je zou nog maar eens een keertje moeten nadenken over het aanbod van je vader over die advocaat. Je graaft je eigen graf alleen maar om je vader een hak te zetten. Hij wil alleen maar helpen, Nat, en hij wil er nog voor betalen ook.'

'Ik verdien ook geld, Hank.'

'Maar niet zoveel als hij.'

Dat is zo, maar toch. 'Daar zou het niet bij blijven. Als ik geld van hem aanneem, en we gaan op zoek naar een advocaat, dan is degene die hij uitzoekt volgens hem altijd beter dan die ik uitzoek. Ik kan het zelf wel. Dat moet je toch kunnen begrijpen?'

'Onder de gegeven omstandigheden niet. Als de politie je wil aan-

klagen wegens moord, dan heb je de beste advocaat nodig die er is.'
Hanks stem weergalmde scherp in de auto en Nat zag een heftige autoruzie aankomen, en die waren altijd het ergst.

'En hoe zit het met de omstandigheden waarin jij mijn ouders vertelt
dat we ruzie hebben gehad?'

'Wat zou dat?'

'Dat gaat alleen ons aan.' Nat zei het zonder stemverheffing. Daar
deed ze niet aan. 'Dat zijn onze zaken.'

'Wat maakt het uit? Het was toch geen geheim?'

'Het is persoonlijk, en je hebt hun ook over Angus verteld. Hij vroeg
me of ik je bedroog, en dat was beneden alle peil.'

Hank keek even naar haar, en Nat keek helaas net op dat moment
even naar hem. Tijdens een autoruzie hoor je elkaar niet aan te kijken,
en zelfs in het donker kon ze de vragen zien die in zijn ogen stonden.

'Ik heb je niet bedrogen en dat zal ik nooit doen ook.' Natalie, moet
je horen. 'Het probleem is niet een andere man, wíj zijn het probleem.
Wij weten niet waar wij eindigen en waar de Greco's beginnen. En als
het mezelf aangaat, dan neem ik mijn eigen beslissingen.'

'Nou, en dat gaat lekker goed.'

Au. 'Je wordt bedankt.'

'Ik wil alleen maar dat je luistert.' Hank remde toen de auto voor hen
langzamer ging rijden. Ze keken allebei voor zich uit en zeiden niets.
Het enige geluid was het getik van de ruitenwissers. Dat ging zo veertig minuten door, en Nat had het gevoel dat ze op klappen stond, maar
waardoor wist ze niet precies.

'Hank, zo gaat het niet langer.'

'Wat niet?'

'Onze relatie.'

'Hè?' Hank draaide zich bijna om in zijn stoel, met één hand aan het
stuur.

'Sorry.'

'Wat? Waarom niet? Het gaat toch goed? Ik zei toch dat het me speet?'

'We moeten gewoon even afstand nemen. Ik wil rustig nadenken. Ik
moet alles eerst eens op een rijtje zetten.' Nat wierp een blik op hem.
Hank keek weer strak voor zich uit en had het stuur stijf vast.

'Je bent gewoon van streek,' zei hij. 'Het is me ook het avondje wel
geweest. Het is allemaal te veel.'

'Daar gaat het niet om. Jullie bemoeien je overal mee, jij en mijn familie. Het is alsof ik in een net gevangenzit en maar niet los kan komen.'

'O, dus ik ben nu al een net?'

'Ik wil erover nadenken. Ik wil me beraden op mezelf en op de situatie waarin ik me momenteel bevind.'

'Je hebt meer ruimte nodig,' zei Hank sarcastisch, maar zo slecht was het niet eens gevonden.

'Ik heb gewoon even tijd nodig.'

'Ik dacht dat je ruimte nodig had. Wat is het nou: ruimte of tijd?'

'Allebei.'

'Mooi, je kunt ze krijgen, schatje.' Hank ging verzitten en keek weer voor zich uit. 'Hoe lang heb je nodig?'

'Dat weet ik nog niet.' Nat hield voet bij stuk, ook al deed ze hem verdriet. Als ze haar woorden terugnam, zouden ze naar huis gaan, het erover eens zijn dat ze alleen maar ruzie hadden gemaakt omdat ze moe waren, en naar bed gaan. Ze ging rechtop zitten.

Hank reed in stilte verder; de regen tikte op het dak van de auto. Na een tijdje vroeg hij: 'Het komt door hem, hè?'

'Nee,' zei Nat, hoewel ze daar eerlijk gezegd niet helemaal van overtuigd was. Ze bloosde en keek door het raam naar buiten zonder iets te zien.

'En wie krijgt de voogdij over je ouders?' vroeg Hank even later.

'Jij,' zei Nat, en ze lachten geforceerd. Vanuit de verte zagen ze voor haar flat een hele meute verslaggevers op de stoep staan, onder een blauw zeil tegen de regen. Nat zei: 'Nee, hè?'

'Je wilt zeker niet bij mij logeren? Niet genoeg tijd en niet genoeg ruimte, toch?'

Gênant. 'Toe, Hank, het is al vervelend genoeg.'

'Ook goed.' Hank zuchtte luid en ze stopten voor een rood licht. 'Dan stel ik voor dat je naar een hotel gaat.'

'Ik ga me niet verstoppen. Ik hoef me nergens voor te schamen. Zet me maar voor de hoofdingang af.'

'Dat lijkt me niet zo slim.'

'Nee, maar het is wel het beste.'

'Je bent me er eentje, weet je dat?' Hank grinnikte bedroefd, en Nat voelde dat de tranen haar in de ogen sprongen, maar ze onderdrukte ze. Hij zette de auto een eindje bij haar flat vandaan neer, boog zich naar haar toe en gaf haar een droge kus op haar wang.

'Dus dat was het dan?' vroeg hij zachtjes.

'Voorlopig wel. Het spijt me.' Nat maakte het portier open, stapte uit en haastte zich door de regen naar de flat. Ze zette de capuchon van haar jas op, en de journalisten herkenden haar pas toen ze al bijna het gebouw in was. Ze kwamen als één man naar voren, zetten de lichten aan en achtervolgden haar met videocamera's en microfoons naar de ingang.

'Mevrouw Greco!' riepen ze. 'Wat is er in Chester County gebeurd? Waarom heeft de trooper u aangehouden?' 'Had u gedronken? Hebt u een blaastest gedaan?' 'Wilt u iets zeggen?'

Nat liep druipnat in volle vaart door de draaideur naar de hal, waar ze de beveiligingsmedewerker Bill Sasso liet schrikken. 'Dag, Bill.'

Hij kwam langzaam overeind, terwijl hij Nat aankeek. 'Professor Greco, ik had u vanavond niet verwacht. Ik dacht dat de pers u wel zou tegenhouden. Ze staan daar al twee uur.'

'Wat erg.'

'Ik heb ze gezegd dat u niemand hebt vermoord. U hebt me zoveel boeken voor mijn kleindochter gegeven.'

'Bedankt.' Nat kreeg een brok in haar keel. Ze liep naar de marmeren balie en boog zich eroverheen. De tv stond aan zonder geluid, en daarnaast lag een half-opgeloste puzzel uit de *Daily News*. 'De politie heeft mijn auto en sleutels in beslag genomen. Ik kan mijn appartement niet in.'

'Maakt u zich geen zorgen, professor. Daar zorg ik wel voor.' Bill legde zijn potlood neer, pakte een sleutelbos uit de la en schuifelde met haar mee naar de lift. Ze gingen in gemoedelijke stilte naar boven en Bill maakte haar deur voor haar open. 'Slaap lekker.'

'Dank je.'

'Graag gedaan. Kom morgen even langs. Dan krijgt u een andere sleutel.'

'Nogmaals bedankt.' Nat duwde de deur van haar appartement open en deed de lamp in de zitkamer aan. De deur viel met een klap achter haar dicht.

Een poosje bleef ze bij de deur staan en keek ze rond in haar appartement. Overal boeken, stil, rustig. Het rook bedompt en naar chardonnay. Dit was thuis. Voor de eerste keer die dag ademde ze opgelucht uit. Er was zoveel gebeurd die avond. Ze dacht aan Barb, toen aan de trooper en vervolgens aan wat er op het politiebureau was gebeurd. Jelly. Nu was ze thuis, maar haar wereld lag totaal in scherven. Ze werd verdacht van moord. Ze had een advocaat nodig en een plan. Ze moest zichzelf op de universiteit verdedigen. Ze was weer alleen, zonder Hank. Ze voelde zich helemaal verlaten, zonder enige vastigheid. Op drift geraakt. Ze wilde toch vrij zijn, waarom voelde ze zich dan zo leeg? Ze zou Angus kunnen bellen, maar dat was niet de juiste oplossing. Ze moest nadenken. Alles overdenken. Uitvogelen wat er was gebeurd en wat er ging gebeuren. Ze liep naar de bank en ging op haar lievelingsplek zitten, net een zacht beige nest. Eindelijk kon ze zich ontspannen en even later stroomden de tranen over haar wangen en volgde er een snik. Ze hield het dit keer niet tegen, want er waren nu geen journalisten of broers bij, en zelfs al had ze het gewild, dan nog zou ze het niet kunnen onderdrukken. Ze wist niet eens waarom ze huilde: om Barb, trooper Shorney of Jelly.

Of misschien zelfs wel – schandalig natuurlijk – om zichzelf.

29

De regen striemde tegen haar slaapkamerraam en Nat lag te woelen in bed. Ze moest steeds aan Barb en trooper Shorney denken, ook al kon ze zich beter richten op degene die haar voor de moord wilde laten opdraaien. Ze zette de feiten voor de tweede keer op een rijtje, en draaide zich toen rusteloos om. De wekker gaf in felle turquoise cijfers aan dat het 5.17 uur was. Toen zag ze het rode lichtje op haar antwoordapparaat knipperen. Daar had ze niet naar gekeken toen ze thuiskwam. Ze deed het lampje op haar nachtkastje aan en kneep haar ogen toe in het felle licht, kwam overeind en drukte op Play.

'Hoi, ik werk voor Food Data en we willen graag weten hoe vaak u in de plaatselijke restaurants eet...'

Nat drukte op Delete en wist opeens weer waarom ze nooit naar haar antwoordapparaat luisterde: er stond net zoveel troep op als ze in haar mailbox binnenkreeg. Het volgende bericht was net zo onbelangrijk, maar het derde was ingesproken door een stem die haar bekend voorkwam.

'Professor Greco, met Willie Potts, van de gevangenis. Ik heb uw nummer op internet opgezocht. U wilde meer weten over de aantekening die Simon Upchurch had gekregen. Dat heb ik gecontroleerd, en hij heeft er nooit een gehad. Nu weet u het, maar ik zou het stilhouden, als ik u was. Doe Angus de groetjes.'

Nat drukte weer op Play en ging rechtop zitten toen het bericht opnieuw werd afgespeeld. Graf had dus inderdaad gelogen toen hij zei dat Ron Saunders en hij Upchurch vanwege een aantekening naar het kantoortje hadden gebracht. Dus waarom was hij daar dan geweest? Als je naging dat er geld en drugs mee te maken hadden, kon Upchurch betrokken zijn geweest bij drugshandel samen met de PI's. Misschien gaven ze hem wel de OxyContin en verkocht hij de pillen aan de andere gevangenen.

Nat wist niet wat ze moest doen. Ze kon haar verdenkingen niet kwijt aan het gevangenisbestuur, dat druk bezig was de plaatsen delict af te bakenen. Ze kon het ook niet aan de politie vertellen, want die verdachten haar van moord op een van hun collega's. Ze wilde eigenlijk Angus bellen, maar hij zou wel slapen en lag trouwens nog in het ziekenhuis. Ze stond er alleen voor. Als er iemand was die moest uitvogelen wie hierachter zat, dan zou zij het zelf moeten zijn. Ze was niet gewend aan solo-optredens, maar misschien moest ze er maar eens mee beginnen. Niemand zou haar te hulp schieten, behalve zijzelf. Ze sprong uit bed op de houten vloer. Ze moest het een en ander uitzoeken, en er was maar één logische plek om daarmee te beginnen.

Geleerdheid uit boeken, hè?

Een halfuur later ging ze met de lift naar beneden. Ze droeg een spijkerbroek, klompen, een zwarte coltrui en de laatste jas die ze nog had: een blauwe gevoerde van de universiteit. Het beetje geld dat ze in haar sieradendoosje, oude portemonnees, ongebruikte tasjes, zakken en tussen de kussens van de bank had gevonden, had ze in haar tas gedaan. Ze had 562,36 dollar op zak om een moordenaar te pakken. Ze liep de hal in en keek langs de balie naar de draaideur. De onweersbui was waarschijnlijk net overgedreven, want het regende nog maar een beetje. De stoep was verlaten, en de journalisten waren weg. Het recht op vrije meningsuiting sliep dus uit.

Ze liep naar de balie, waar Bill zat te doezelen boven de opgeloste puzzel, zijn kin in zijn hand en naast hem een lege beker waar donuts in hadden gezeten. Hij had zijn rode pet afgezet, zodat zijn kalende hoofd met hier en daar een pluk grijs haar was te zien. Nat fluisterde: 'Bill?'

'Ik ben wakker,' zei hij, terwijl hij opschrikte. Hij wilde snel zijn pet pakken, maar Nat beduidde hem dat dat niet hoefde.

'Kun je iets voor me doen? Ik heb een auto nodig en ik kan er geen huren omdat ik geen rijbewijs meer heb. Mag ik vandaag alsjeblieft jouw auto gebruiken? Ik betaal je ervoor, hoor.'

'Ja hoor, professor. Maar dan moet u me wel even naar huis brengen.' Bill keek slaperig op zijn horloge. 'Mijn dienst zit er over tien minuten op.'

'Hartstikke bedankt. Heb je trouwens een gsm?'

'Jazeker, maar die gebruik ik nooit.'

Perfect.

Een uur later had Nat Bill bij zijn flat afgezet en reed ze de snelweg op, de stad uit, in zijn trage gele Kia die, afgaande op de stank in de auto, op sigarettenrook reed. Op de vieze vloer lagen oude kranten, een verfrommeld pakje Winstons en tolkaartjes, maar naast haar op de passagiersstoel bevonden zich een kartonnen bekerhouder met een beker hete koffie, een sesambagel met boter en een uitdraai van de route van internet. De geleende gsm was aan het opladen in de sigarettenaansteker, hoewel Nat zou zweren dat de Kia daardoor zelfs nog langzamer reed.

Ze reed naar het zuiden; de hemel was bewolkt, en lichtroze, donkerroze en diepblauw getint. Door de regen was de sneeuw bijna helemaal gesmolten langs de weg, waardoor stukjes modderige aarde zichtbaar waren. Ze keek in de smerige achteruitkijkspiegel of er geen zwarte pick-uptrucks achter haar aan kwamen, maar er was weinig verkeer en wat er was leek onschuldig. Ze voelde zich redelijk veilig, in een auto die geen enkele slechterik als de hare kon aanmerken.

Na een tijdje ging ze van de snelweg af en reed ze de stad Chester in. In verlopen wijken zocht ze naar de juiste straat. De straten lagen vol met rotzooi, en kapotte luiken bungelden aan ramen die waren geïsoleerd met speciale plasticfolie en tralies hadden. Een met de hand geschreven bordje met PAS OP VOOR DE HOND was op een deur geplakt met daarnaast een kindertekening in vetkrijt van de Kerstman. Op de weg lagen vuilnisbakken en oude auto's stonden langs de stoep. Ze kwam bij het huis, zette de Kia neer, en trok de zwarte NASCAR-pet recht die ze als vermomming in een warenhuis had gekocht. Ze keek even in de achteruitkijkspiegel en zag dat de wondjes op haar wang nauwelijks nog te zien waren. Als ze de aanklacht wegens moord even kon vergeten, zag alles er prima uit.

Ze stapte uit, deed de auto op slot, liep naar het huis en klopte voorzichtig aan op de voordeur, waarna een oudere Afrikaans-Amerikaanse vrouw schuchter haar hoofd om de deur stak. Haar ogen waren lichtbruin en lagen diep in hun kassen, en schoten koud en argwanend heen en weer in een rond gezicht. Haar dunne, grijze haar was gestraight, en kwam tot aan haar kin, en ze had een dunne pony, zodat ze eruitzag als een Betty Boop van zeventig.

'Ik ben Nat Greco. Ik hoop dat u het niet erg vindt, maar ik ben op zoek naar het huis van Simon Upchurch.'

'We hebben hem donderdag begraven.' De oude vrouw fronste haar wenkbrauwen en leunde tegen de deurpost.

'Dat vind ik heel erg. Ik was in de gevangenis toen hij werd vermoord. Mag ik misschien even binnenkomen en met u praten?' Nat hield de witte tas van het warenhuis omhoog. 'Ik heb donuts bij me.'

'Ik heb suikerziekte.'

Dan niet. 'Mag ik wel even binnenkomen? Het hoeft niet lang te duren.'

De vrouw deed de deur stukje verder open en bekeek Nat van top tot teen. 'Jij bent ook maar een klein scharminkel.'

'Bedankt.' Geloof ik. 'Het is koud. U moet het toch ook koud hebben, met de deur open.'

'Ik heb het warmer dan jij.' De oude vrouw glimlachte scheef zodat de gaten tussen haar tanden zichtbaar werden, en Nat lachte mee.

'Ik wil graag met u praten over Simon. Was hij uw zoon?'

'De zoon van mijn broer. Ik heb hem opgevoed, maar hij was niet mijn zoon.'

'Mag ik alsublieft binnenkomen? Het is heel erg belangrijk.'

De voordeur ging een eindje open en even later haalde de vrouw de ketting eraf en hield ze de deur open.

'Dank u,' zei Nat en ze stapte naar binnen.

30

De vrouw droeg een bordeauxrood fleeceshirt en een zwarte stretch-broek, en ze was klein en stevig. Ze liep op haar badstof slippers door een verduisterde zitkamer vol met banken, stoelen, tafels, drie oude tv's en vier opgerolde kleden. Nat struikelde bijna over een voetenbankje onderweg naar de kleine keuken, waar de vrouw haar een houten stoel aanbood.

'Je kunt hier zitten,' zei ze, terwijl ze een dikke vinger onder de bovenste spijl van de andere stoel stak.

'Dank u.' Nat zette de zak met donuts op de tafel, die maar half afgeruimd was. De rest van de tafel stond vol met witte borden, twee servethouders en drie identieke peper-en-zoutstelletjes, zoals die ook in restaurants staan. Op de planken in de keuken stonden nog meer borden, schalen en glazen in verschillende formaten. Het leek wel een warenhuis, maar dat kon Nat niet schelen. Haar kamer stond weer vol met boeken. 'Ik ben Nat Greco.'

'Dat had je al gezegd.'

'Hoe heet u ook alweer?'

'Dat heb ik je nog niet verteld.'

Nat kreeg haar studenten ook nooit zover om mee te doen. Had ze maar weer zo'n snor op haar gezicht getekend.

'Je ziet er niet uit als iemand die agenten doodschiet,' zei de vrouw opeens.

'U wist wie ik ben?'

'Ik kijk ook tv, hoor. Ik hou het allemaal bij. Of dacht je soms van niet?'

'Goed, dan weet u het dus.'

'Zet die afschuwelijke pet af. Weg ermee.'

Nat zette de pet af en legde hem naast de zak met donuts. 'Als u wist wie ik ben, waarom hebt u me dan binnengelaten?'

'Je hebt het toch niet gedaan?'

Nat knipperde met haar ogen. 'Nee.'

'Ook al zeggen de agenten dat je het hebt gedaan, dat wil nog niet zeggen dat dat ook echt zo is. Agenten liegen altijd, zelfs over kleine blanke meisjes. Ze logen over Simon. Hij had nooit naar de gevangenis mogen gaan.' De vrouw schudde langzaam haar hoofd. Na een korte stilte zei ze: 'Ik heet Belle Rhoden.'

'Aangenaam kennis met je te maken, Belle.'

'Ik heb liever dat je mevrouw Rhoden zegt, ter ere van wijlen mijn man.'

'Wat erg voor u.'

'Hij is tweeëndertig jaar geleden gestorven. Wil je een glas water?'

'Ja, lekker.'

Mevrouw Rhoden draaide zich om en pakte een glas dat ondersteboven op het aanrecht stond, vulde het met water, draaide de kraan dicht en zette het glas voor Nat neer.

'Dank u.' Nat nam een slokje. 'Maar ter zake. Ik vroeg me af of u me wat over Simon kon vertellen.'

'Hoe bedoel je?'

Nat wilde nog niet beginnen over de OxyContin. 'Nou, toen die opstand uitbrak, was ik in de gevangenis. Ik ging hulp halen en rende de kamer in waar Simon was vermoord.'

Mevrouw Rhoden liep naar de gootsteen, pakte nog een glas en vulde het met water.

'Ik had hem wel willen helpen, maar hij was... overleden.' Nat zag het weer voor zich: Upchurch die op de grond lag, die metalen strip die uit zijn borst stak. Ze vond het vreselijk dat ze zich niet meer kon herinneren. Ze had meer op Saunders gelet omdat hij nog leefde. En misschien, gaf ze zichzelf toe, omdat hij geen gevangene was.

Mevrouw Rhoden dronk wat water, zette het glas neer en pakte een stuk keukenpapier dat ze vreemd genoeg over het glas legde.

'Een van de PI's die erbij waren, vertelde me hoe Simon was gedood,' zei Nat, 'maar dat slaat nergens op.'

'Een van de PI's? Een cipier, bedoel je?'

'Ja.'

'Wat zei hij dan? Ik weet alleen dat het tijdens de opstand is gebeurd. Meer stond er ook niet in de kranten.' Mevrouw Rhoden dacht even na. 'Ik was zo van slag dat ik er verder niet bij heb stilgestaan. Ze wilden dat ik hem kwam identificeren, en ik zei: "Nee, meneer."'

'Daar kan ik inkomen.' Nat was even stil. 'Vindt u het erg om er nu over te praten? Zover ik weet werd hij niet tijdens de opstand gedood.'

'Ga door.'

'Nou, de cipier zei dat hij en een andere cipier Simon naar een kantoor begeleidden omdat hij met marihuana was gesnapt en dat Simon toen een zelfgemaakt mes trok en Ron Saunders, een van de cipiers, neerstak.'

Mevrouw Rhoden hapte naar adem, en Nat voelde zich opeens schuldig.

'Hij zei dat Simon hem ook wilde vermoorden, maar dat ze hebben gevochten en dat de cipier Simon toen uit zelfverdediging heeft gedood.'

'Wie heeft je dat verteld?' vroeg mevrouw Rhoden boos.

'De cipier die het heeft overleefd, Joe Graf.'

'Dat is een regelrechte leugen, echt een regelrechte leugen.'

'Hoe dat zo?' Nats hart ging sneller kloppen.

'Simon zou niemand neersteken. Het zat gewoon niet in zijn aard. Hij was zijn hele leven al het pispaaltje, werd altijd in elkaar geslagen. Trouwens, hij was niet groot genoeg. Hij woog maar zo'n zeventig kilo en was één meter zeventig lang.'

Nat dacht even na. Mevrouw Rhoden hield van haar neefje en ze kon in de ontkenningsfase zitten. Bovendien had Upchurch niet voor niets in de gevangenis gezeten.

'En hij heeft nooit wiet gerookt. Echt nooit.'

'Hoe weet u dat?'

'Hij had erg last van astma.'

'Er zijn mensen met astma die wel marihuana roken,' zei Nat om haar uit de tent te lokken.

'Simon niet. Zijn vader – mijn broer dus – stierf tijdens een astma-aanval. Simon was erbij, en hij was pas dertien. De jongen hield zijn eigen vader vast toen hij overleed, wachtend op een ambulance. Wiet zou zijn dood zijn geweest, en dat wist hij. Hij had zelfs last van sigarettenrook. Als hij die rook, kon hij amper ademhalen.'

Nat kreeg een koude rilling. Dat zou best wel eens waar kunnen zijn. Maar had Upchurch samen met de bewakers dan wel in OxyContin gedeeld? 'Kende Simon die bewakers, Ron Saunders en Joe Graf?'

'Niet dat ik weet.'

'Bezocht u Simon in de gevangenis?'

'Ik heb niemand om me daarnaartoe te brengen. Hij belde me af en toe.'

'En heeft hij het wel eens over Graf of Saunders gehad tijdens die telefoontjes?'

'Nee, hij zei alleen maar dat alles goed ging, dat hij zich gedeisd hield, zijn tijd uitzat en dan vrij zou komen.'

Nat dacht erover na. 'Waarom zat hij op de rehabilitatieafdeling?'

'Ze zeiden dat hij een lastpak was, maar dat is helemaal niet waar.'
Lastpak. De vete met Graf waar Willie Potts het over had gehad.
'Wacht even.' Mevrouw Rhoden ging de kamer uit en kwam even later terug met een ingelijste foto en wat papieren. Ze gaf de foto aan Nat.
'Dat is mijn Simon.'
Nat pakte de foto aan, waar een glimlachende jonge man in een wit poloshirt op stond, zijn knappe gezicht ontsierd door een grote wijnvlek op zijn linkerwang, roze tegen donkerbruin. Die had ze niet gezien toen hij daar op de grond lag en ze wist waarom niet. Ze had alleen zijn rechterkant gezien.
'Hij was tweeëntwintig.'
'Jong nog.' Een paar van Nats studenten waren zo oud. Ze woonden zo'n vijftien kilometer verderop, maar hun leven was totaal anders.
'Hij had geen familie, op mij na dan. Zijn mama is al heel lang geleden weggegaan, en hij is in dit huis opgegroeid, bij mij. Examen gedaan aan de Chester Highschool, maar het viel niet mee voor hem.' Mevrouw Rhoden schudde haar hoofd. 'Hij werd constant geplaagd vanwege die wijnvlek. Uitgescholden. Het ging op school gewoon mis.'
'Ging hij werken na school?'
'Zeker. Hij hing niet rond, hoor. Hij zat de hele tijd aan zijn computer; dat zal wel gemakkelijker voor hem zijn geweest dan dat mensen hem steeds aanstaarden. Kwam op een dag naar me toe en zei dat we op de computer, via eBay, dingen konden verkopen. Ik had er nog nooit van gehoord, maar ja hoor, hij had gelijk.' Mevrouw Rhodens diepliggende ogen lichtten op toen ze eraan dacht. 'Nou, we verkochten glazen en lepels, van alles en nog wat, spullen die we op vlooienmarkten en zo kochten. Hij leerde me hoe ik foto's kon maken en iets kon schrijven over de vorken en zo. Hij deed het meest op de computer. Het was echt een leuk inkomen. Ik hoopte dat hij weer naar buiten zou gaan, maar...' Haar stem stierf weg.
'Wat erg voor u.'
Mevrouw Rhoden wuifde Nats poging tot medeleven weg.
'En hoe is hij in de gevangenis beland?'
'Hij had zijn handtekening gezet op een cheque die hij had gekregen. Hij werd aangeklaagd wegens fraude, maar het was gewoon een vergissing. De rechter zei dat hij schuld moest bekennen en dan zou hij maar drie maanden hoeven te zitten. Dat deed hij, maar die rotrechter veroordeelde hem tot twee jaar.' Mevrouw Rhoden zuchtte. 'Hij had een jaar en zeven maanden gezeten toen hij werd vermoord.'

Nat gaf haar de foto terug en vroeg zich af wat voor papieren mevrouw Rhoden in haar hand had.

'Er kwam een man langs, van de gevangenis. Hij heeft me over Simon verteld.'

'Wie was dat?'

'Meneer Machik.'

Nat knipperde met haar ogen. 'Is hij hier geweest? Wanneer dan?'

'Op dezelfde avond dat het is gebeurd. Hij zat op de stoel waar jij nu op zit.'

'Echt waar?' Nat kon zichzelf wel voor haar kop slaan. Ze had kunnen weten dat Machik contact zou opnemen met Upchurchs nabestaanden.

'Ik kan je wel vertellen dat hij niets heeft gezegd over dat Simon een bewaker heeft neergestoken. Hij gaf me deze om te ondertekenen.' Mevrouw Rhoden gaf Nat eindelijk de papieren.

'Het is een vrijwaring,' zei Nat, die het document snel doorlas. 'Een standaardvrijwaringsformulier, waarin u aangeeft dat u hen niet zult aanklagen naar aanleiding van Simons overlijden.' Ze bladerde snel naar de bladzijde waar de ondertekening stond. 'O, u hebt het gelukkig niet ondertekend.'

'Nee, dat klopt. Moet ik dat wel doen?'

'Nee, ik ben blij dat u het niet hebt gedaan. Hij had u dit nooit mogen geven zonder dat er een advocaat bij was. Dat is misbruik maken van de situatie.'

'Dat weet ik ook wel, hoor.'

Ik geef het op. 'Hoeveel bood hij u aan als u zou tekenen?'

'Vijftigduizend dollar.'

Zo! 'Dat is een hoop geld.'

'Hij wou dat ik meteen ondertekende. Maar dat wilde ik niet.' Mevrouw Rhodens bovenlip trok licht naar boven. 'Ik voelde me beledigd. Wie heeft het nu over geld op zo'n moment? Ik had zelfs nog niet eens een kist voor die knul uitgezocht.'

'Wat gebeurde er toen?'

'Ik heb hem mijn huis uit gezet.'

'Heel goed.' Nat dacht razendsnel na. Met dat aanbod konden ze wel wat doen. Machik wist dat Graf iets in zijn schild voerde. Nat dacht weer aan Angus' theorie dat Upchurch gewoon was geëxecuteerd. Hij had ze vast bedrogen bij een drugsdeal. Of had ze niet betaald, of misschien wat van de winst gepakt. En als Machik de affaire in de doofpot stopte, was hij er dan ook bij betrokken?

'Ik zei tegen hem dat niets Simon terug kon brengen en dat hij hier niet was om over Simon te praten maar om mij dat papier te laten ondertekenen. Nepfiguur.'

'U gelooft dus niets van dat verhaal dat ze mij hebben verteld, over wat er in dat kantoortje is gebeurd?'

'Nee, natuurlijk niet. Echt helemaal niets.'

Nat aarzelde. 'Dit is misschien een brutale vraag, maar stel dat er werd gedeald in de gevangenis, zou Simon daar dan betrokken bij kunnen zijn geweest?'

'Nee.'

Hmm. 'Hoezo niet?'

'Als hij dat had willen doen, had hij dat hier ook op de hoek kunnen doen.' Mevrouw Rhoden gebaarde naar de voordeur. 'Maar dat wilde hij niet. Zo was hij niet. Hij was altijd thuis, op eBay, bezig met de foto's en de biedingen. We leefden daarvan. Hij was op zichzelf, als een klein muisje.'

Mug. 'Heeft hij ooit OxyContin genomen, dat u weet?'

Mevrouw Rhoden kneep haar ogen tot spleetjes. 'Oxyclean?'

'OxyContin. Een pijnstiller. Een pil.'

'Nee. Simon nam dat soort pillen niet.'

Nat was niet overtuigd. 'Had Simon een slaapkamer hier?'

'Ja, natuurlijk.'

'Mag ik even kijken?'

'Wat zoek je dan?' Mevrouw Rhoden trok haar grijzende wenkbrauw op en Nat moest haar wel de waarheid zeggen.

'Ik heb geen idee.'

31

Nat liep snel naar de koude Kia met het gevoerde jasje strak om zich heen getrokken. Ze was niets wijzer geworden van Upchurch' slaapkamer, die er uitzonderlijk schoon en netjes uit had gezien, en waarin een tweepersoonsbed, kleerkasten vol met opgevouwen kleding en een nepleren doos met sieraden stonden. Ze had zijn bureautje doorzocht, naar een voorraad drugs die er niet was, en op zijn bankafschrift stond alleen maar een bedrag met drie cijfers. Ze had zelfs in zijn computerbestanden gekeken, maar ze zag alleen maar url's van eBay, diverse blogs en een kleine verzameling internetporno. Ze had mevrouw Rhoden bedankt, maar was met meer vragen weggegaan dan ze was gekomen. En met de donuts.

Ze ging in de koude kleine auto zitten, startte de motor en reed weg. Ze pakte de gsm die nog steeds aan het opladen was. Ze wilde Angus meteen laten weten dat zijn suggestie nog zo gek niet was, en ze wilde het ook met hem over de videobanden hebben. Ze toetste het nummer in voor het ziekenhuis en toen de telefoniste aan de lijn kwam, vroeg ze naar Angus' kamer.

'Meneer Holt is ontslagen,' zei de telefoniste.

'Dank u wel.' Nat hing op en belde Angus' kantoor, maar daar werd niet opgenomen en het bandje van het antwoordapparaat was vol. Ze belde Inlichtingen en vroeg het nummer op van Angus Holt in de omgeving van Philadelphia, maar hij had een geheim nummer.

Verdorie. Nat reikte naar de donutszak terwijl ze probeerde te bedenken wat ze moest doen. De zachte geglazuurde donut paste precies tussen haar samengeknepen vingers, smaakte verrukkelijk en liet een dun laagje suiker achter op haar hand. Het werd wat warmer in de auto en de suiker raasde naar haar hersenen. Ze moest nog wachten op de videobanden, maar misschien kon ze er op een andere manier achter komen wat er in die kamer in de gevangenis was gebeurd. Tegen de tijd dat ze de donut op had, had ze een plan. Maar ze moest eerst nog iets anders doen. Ze gaf gas.

Een halfuur later liep ze de toiletruimte in van een benzinepomp met een plastic boodschappentas en een sleutel aan een groot stuk hout bij wijze van sleutelhanger, dat voor de chiquere toiletten werd gebruikt. Ze zette de plastic tas in de smerige wastafel, zodat de roestplek erin niet meer te zien was. Ze vond dit gedeelte van het plan maar niks, maar er zat niets anders op. De verkoper in het warenhuis had haar raar aangekeken, en als mevrouw Rhoden haar had herkend, konden andere mensen haar natuurlijk ook herkennen. Ze zette de NASCAR-pet af en schudde haar haar los, dat tot op haar schouders viel. Ze pakte een rode kam uit de tas, haalde die door haar haar en nam er toen afscheid van. Ze had al jaren hetzelfde kapsel, dus misschien was het hoog tijd voor iets anders.

Ze haalde de nieuwe schaar uit de tas en pakte hem uit. Toen greep ze een lok van haar haar beet en knipte het zo af dat er nog zo'n tien centimeter overbleef. De schaar knarste bij het knippen, of misschien was zij het zelf wel, en ze knipte snel haar haar in korte, dikke plukken. Er vielen lokjes haar in de wastafel, en toen ze er genoeg vanaf had gehaald, ging ze met haar hand door haar haar, waarna er kleine bruine haartjes als stukjes roet na een vuurwerkshow naar beneden vielen.

Ze bekeek zichzelf in de spiegel. Grote bruine ogen, kleine neus, slecht kapsel en geen lipgloss, zo had ze eruitgezien toen ze drie was. Niet zo'n slimme look voor een single, maar ze wilde dan ook helemaal geen afspraakje. Ze schudde haar hoofd en glimlachte. Ze vond het eigenlijk best leuk. Haar hoofd voelde licht en vrij aan, maar ook kouder. Ze pakte de boodschappentas weer en haalde er een nieuwe roze bril uit, met de zwakste glazen die ze hadden, en zette hem op. Super. Cool. Artistiek. Wazig. Toen pakte ze het laatste voorwerp uit de tas, een grote doos. SUPER ZONNEBLOND. Snelle peroxideblondering! In maar 10 tot 30 minuten!

'Laat maar eens zien,' zei Nat hardop, en ze ging aan de slag.

Veertig minuten later zat ze weer in de Kia maar zag ze er volkomen anders uit met een punkachtig witblond kapsel, te gekke bril en een dikke laag make-up. Ze keek bij elk rood licht in de achteruitkijkspiegel en was ervan overtuigd dat ze haar uiterlijk genoeg had veranderd om voor iemand anders door te gaan. Ze was voor de hippieachtige kunststudent gegaan, maar een kippig cocaïnehoertje was ook goed.

Ze vroeg het adres op bij Inlichtingen en reed naar een zijstraat van Ship Road in de buitenwijk Exton, waar de Phoenix Construction Company was gevestigd. Ze kon zich de naam nog herinneren van de vrachtauto die bij de gevangenis had gestaan en ze wist hoe bouwbedrijven dingen aanpakten. Er moesten bouwvakkers zijn geweest die de kamer waarin Upchurch was gedood hadden afgebroken. Misschien kon ze met een van hen spreken. Of misschien met iemand anders van het bedrijf die wist waar de brokstukken van het kantoortje naartoe waren gebracht, zoals het bebloede tapijt en zelfs de muur. Er had een container van het bedrijf op het gevangenisterrein gestaan en ze kon zich herinneren dat Machik had gezegd dat die was weggesleept. Misschien kon zij erachter komen waar die nu was.

Ze at nog een donut om wat meer moed te vergaren en reed toen naar het gebouw. Ze zette de auto neer op het kleine parkeerterrein ervoor, waarop maar één auto stond, en bekeek het vierkante stenen gebouw van twee verdiepingen. Er hing een witgeschilderd bordje aan de zijkant, en de deur was groengeverfd en zat naast een metalen garagedeur. Ze stapte uit de Kia en liep in de zonnige kou naar de voordeur. Er stond een stevige wind en ze greep automatisch naar haar haar, maar dat hoefde niet meer.

Ze ritste haar jasje dicht en liep ondertussen een goed verhaal te bedenken. Ze zag er niet uit als een huiseigenaar die een aannemer nodig had en ze vroeg zich af of ze dan wel 'hoer op zoek naar plafondornamenten' kon waarmaken. Ze zou wel zien. Ze voelde zich zelfverzekerder nu ze zichzelf niet meer was.

Ze trok de deur open, waardoor er een belletje ging rinkelen, en stapte naar binnen.

32

NAT BLEEF VERBAASD STAAN. In de wachtkamer van het kleine bouw-bedrijf hing een oud schilderij van een man die haar heel bekend voor-kwam. Hij had bruin haar en een snor en droeg een ouderwets pak. Ze liep naar het schilderij toe en las op het koperen plaatje eronder: ONZE OPRICHTER, JOSEPH GRAF SR.

Joseph Graf sr.? Was die man familie van Joe Graf, de PI van de ge-vangenis? Was die man zijn vader?

'Kan ik iets voor je doen?' vroeg een vrouw die door een open deur achter in de kamer naar binnen kwam. Ze was in de vijftig, had grote blauwe ogen, een vriendelijke glimlach en grijzend bruin haar dat tot op haar middel hing. Ze droeg een geel sweatshirt waarop de letters FFA stonden, een spijkerbroek en gympen.

Nat dacht even na. 'Deze man heeft het bedrijf toch opgericht?'

'Dat klopt. Meneer Graf is lang geleden overleden. Zijn zoon Jim is nu de eigenaar.'

'Grappig. Hij lijkt sprekend op een vent die laatst in de krant stond. Ik weet niet meer waar het artikel over ging.'

'O, dat gedoe in de gevangenis. Dat was Joe, Jims broer. Die werkt daar.'

'Ja, dat is ook zo.' Nat had het idee dat haar aanpak wel werkte. 'Ik zag een Phoenix-trailer bij de gevangenis staan gisteren, toen ik erlangs reed.'

'Ja, daar werken we. Wat kan ik voor je doen?' De vrouw boog zich naar voren en legde de tijdschriften recht op de salontafel. 'We zijn van-daag niet open, maar ik moest toch werken. Het archief moet bijge-houden worden.'

Nat dacht snel na. 'Daar kom ik nou net voor. Ik ben op zoek naar een baan, en dat archiefwerk lijkt me wel wat.'

'Echt waar?' De vrouw glimlachte en drukte toen hartelijk Nats hand. 'Leuk kennis met je te maken. Ik ben Agnes Grady Chesko. Hoe heet jij? Dat heb ik nog niet eens gevraagd.'

O. Nats blik viel op de tijdschriften: Car & Driver. 'Carr. Pat Carr.'

'Nou, Pat, ik run het kantoor, doe de boekhouding en zorg ervoor dat die hele troep flapdrollen hier wordt betaald. Ik ben zo'n beetje een manusje-van-alles, maar jij kent dat woord vast niet eens.' Agnes bekeek haar eens. 'Zit je nog op school?'

'Nee. Ik heb een jaar gestudeerd. Kunst.'

'Leuk, hoor. Waar was dat?'

Ergens ver weg. 'Aan de universiteit van Wisconsin, maar ik ben er even mee gestopt. Ik werk nu gewoon.'

'Wat doe je dan?'

Iets geloofwaardigs. 'Ik werk in een boekwinkel in de stad.'

'O, ik ga nooit naar Philadelphia. Dat is mij te ver, en ik heb er een hekel aan als ik moet betalen voor een parkeerplek.'

'Ik wil graag ook op zaterdag werken; ik kan het geld goed gebruiken.'

'We zouden niet veel kunnen betalen. Het minimumloon, denk ik.'

'Weet u wat? Ik zal vandaag gratis werken. Als u tevreden bent, dan neemt u me aan tegen het minimumloon.'

Agnes keek blij. 'Je wilt dus gewoon een zakcentje, zoals wij vroeger zeiden?'

'Tegenwoordig heet dat studiegeld.'

'Heel goed!' Agnes gaf haar een klopje op haar rug en Nat vloog bijna tegen de muur. 'Ik hou wel van gevoel voor humor. Dat kun je wel gebruiken met het archief hier.'

'Het lukt vast. Ik ben erg goed in het alfabet.'

'Halleluja, zo te zien zijn mijn gebeden verhoord.' Agnes lachte weer en zei: 'Kom maar mee naar mijn hok, dan zal ik je laten zien hoe het werkt.'

Yes! Nat raakte opgewonden. Ze liepen een kleine gang door met aan de ene kant een kantoortje en aan de andere kant nog een deur. Nat keek ernaar. 'Is dat het kantoor van de baas?'

'Ja, maar hij is er bijna nooit. Hij gaat altijd naar het werk. Er zijn drieëntwintig medewerkers, met mij inbegrepen, en we werken fulltime. Dit is mijn hok.' Agnes gebaarde naar een kantoortje met een raam. Het rook er vreemd. Er stond een zwartmetalen bureau tegen de achtermuur vol met spulletjes, er stonden grijze archiefkasten en er hing een plank aan de muur waar zwarte mappen met bouwcodes op stonden. Agnes liep naar het bureau, waar een grote kartonnen doos vol met papieren op was neergezet. 'Dit is het archiefwerk, van een jaar.'

Getver. 'Getver.' Nat liep naar de doos en wierp er een blik in. Er moesten bonnen in zitten van het containerbedrijf bij de gevangenis. Er zou zelfs een map over het werk in de gevangenis hier in het kantoortje moeten zijn, als ze net zo werkten als Greco Construction. 'Ik neem aan dat elke opdracht een eigen map heeft?'

'Inderdaad.' Agnes pakte de bovenste rekening, waarop stond 'John Taylors huis', liep naar de la en trok er een bruine map uit waarop stond TAYLORS HUIS, JOHN. 'Dat is de naam van de opdracht, dus dan moet de rekening ook in de map van de opdracht. Het is niet zo ingewikkeld.'

'Ik snap het. Woonhuizen worden gearchiveerd onder de eerste letter van de achternaam, en zakelijke opdrachten onder de eerste letter van het bedrijf.'

'Precies. Dat heb je snel opgepikt.'

Komt vast doordat ik rechten heb gestudeerd aan Yale.

'Ik ga door met de salarisstrookjes. Gezellig hoor, dat er iemand is met wie ik kan kletsen, en helemaal omdat je een meisje bent.'

'Leuk.' Nee, hè? Nat had gehoopt dat Agnes weg zou gaan. Ze deed haar jas uit, hing hem over een stoel en pakte de archiefdoos, waardoor ze opeens die vreemde geur weer in haar neus kreeg. Ze keek om zich heen en schrok zich wild. Er lag een fret op zijn rug te slapen, in een hangmatje dat over een blauwe plastic doos gespannen was. Zijn poten waren obsceen gespreid. 'Is dat een fret?'

'Sorry, ik had je moeten voorstellen.' Agnes ging aan haar bureau zitten en trok het toetsenbord naar zich toe. 'Dat is Frankie, mijn schattekind. Is hij niet lief?'

'Ontzéttend lief.' Maar hij doet toch wel gauw weer zijn pootjes bij elkaar, mag ik hopen? Nat liep met de doos naar de archiefkasten. 'Ik zet deze wel hier neer, dan heb je meer ruimte om te werken.'

'Bedankt.' Agnes zette een zwarte Sony-radio aan die op de kast achter haar stond. 'Hij staat op een gouweouwezender, jaren vijftig dus. Hopelijk vind je dat niet erg.'

'Nee hoor,' zei Nat, totdat een vrouw zong dat ze zou sterven als een man haar niet zou bellen. Geen wonder dat vrouwen zo gek waren. Het is eigenlijk een wonder dat we kunnen lopen.

'Ik ben gek op Frankie Valli. Hij heeft "Sherry" gezongen en "You're Just Too Good to Be True". Ken je dat?'

'Ja, hoor.' Nat bladerde door de bovenste papieren. Nog een rekening voor John Taylors huis, een bestelling voor hout voor de aanbouw bij de familie Shields. Ze pakte beide rekeningen, liep naar de juiste laden, en ging naar de T, voor het geval Agnes naar haar keek.

'Ze hebben een muscial over hem gemaakt op Broadway: *Jersey Boys*. Ik ben ernaartoe geweest met een paar vriendinnen. Goh, wat was dat leuk.' Anges tikte als een bezetene; haar aanslagen leken wel een regenbui. 'Mijn vriendin Danielle gooide zelfs een beha op het podium.'

'Haar eigen beha?'

Agnes moest lachen en Nat leidde haar nog meer af.

'Is Frankie de fret vernoemd naar Frankie Valli?'

'Jeetje, je lijkt wel een detective!'

We doen ons best. 'Nee, ik zou nooit een detective kunnen zijn. Wel een goede aannemer, trouwens. Het leek me altijd zo leuk om dingen te slopen, zoals muren in een huis.'

'Ja, ben je meteen al je agressie kwijt.'

'Precies. Doen jullie dat ook? Misschien kan ik overgeplaatst worden.'

'Ha! De Mexicanen doen dat over het algemeen. Die spreken geen Engels.'

Verdorie. 'Maar het lijkt me hartstikke leuk, alleen zou ik het niet willen opruimen. Waar gaat die troep eigenlijk heen? Een container in?'

'Kijk, dat is iets wat je beslist niet zou willen doen.'

'Doen jullie dat zelf of hebben jullie een containerbedrijf in dienst?'

'We huren een plaatselijk containerbedrijf in.'

'Hoe lang heb je Frankie al?' Nat liep terug naar de doos, pakte weer een paar papieren en hield die tegen haar borst gedrukt terwijl ze naar de laden met de C liep, voor Chester County gevangenis. Ze wilde de map van die opdracht hebben.

'Al vijf jaar; en ik heb hém niet, hij heeft mij.'

Ach. 'Ik heb vroeger een kat gehad, dus ik weet wat je bedoelt.' Nat keek bij de C's, die verspreid waren over twee laden, van C-A tot C-I, en van C-I tot en met C-U. Ze opende de onderste la. 'Ik weet niet veel van fretten af. Vertel eens wat.'

'Nou, wat je moet weten, is dat fretten geen knaagdieren zijn. Ze zijn verwant aan wezels, otters en stinkdieren.'

Nat trok de onderste C-la open terwijl Agnes tikte en doorging met haar verhaal.

'Fretten lijken erg op honden, meer op honden dan op katten. Ze zijn heerlijke huisdieren. Weet je wat zo grappig is? In Californië zijn ze verboden.'

'Hoezo?' Vanwege de stank? Nat ging door de C-mappen. Chester County Dance Studio aanbouw, Chester County kinderboerderij, Chester County Oorlogsveteranen winkel. Maar geen map voor de Chester County gevangenis. Waar was die dan?

'Gewoon discriminatie. Discriminatie en onwetendheid. In Californië denken ze dat fretten wild kunnen worden, maar dat zit helemaal niet in hun aard.' Agnes tikte door. 'Wist je dat miljoenen mensen elk jaar naar het ziekenhuis moeten omdat ze door een hond zijn gebeten? Maar honden zijn niet verboden. Fretten worden gewoon gediscrimineerd.'

'Dat is niet eerlijk.' Nat bladerde weer door de mappen, op zoek naar die van de Chester County gevangenis. Maar niks. Ze keek de rest van de onderste la door voor het geval hij verkeerd was opgeborgen, maar nog steeds niks.

'Wilde katten mogen wel, dat is toch te gek voor woorden? Dat halen we elke keer weer aan.' Agnes ging steeds harder praten en ze tikte zelfs nog sneller. 'Ik ben lid van de Frettenfans van Amerika, en we hebben een verzoek ingediend bij de staat Californië om het bezit van fretten legaal te maken. Gouverneur Schwarzenegger reageert er gewoon niet op.'

'Wat erg.' Nat deed de la dicht en ging weer een stapeltje papieren halen. Waar zou die map kunnen zijn? Ze pakte een paar rekeningen op en bladerde ze door. 'Bewaren jullie kopieën van deze rekeningen ook op de werkplaatsen?'

'Nee, alle papieren zijn hier op kantoor. Op het werk zouden ze maar zoekraken. Die jongens raken hun hoofd nog kwijt als dat niet vastgeschroefd zat.'

'Alle papieren voor elke opdracht?'

'Ja.'

Hmm. Dus de map van de gevangenis kon niet in de bouwkeet bij de gevangenis liggen. 'Dat lijkt me logisch.'

'Jim heeft wel een paar speciale mappen in zijn kantoor. Hij heeft de mappen van de lopende opdrachten bij zich, omdat hij die vaak nodig heeft. Als je een rekening hebt waar je de map niet van kunt vinden, geef die dan maar aan mij, dan archiveer ik die wel in zijn kantoor.'

'Oké. Je hoort het wel.' Nat draaide zich om met de papieren. Dus nu wist ze het. 'Wat kun je me nog meer vertellen over fretten?'

'Nou, de Latijnse naam voor de tamme fret is *Mustela furo*, en dat is dus geen wild dier. Ze zijn al heel lang geleden huisdier geworden. Zo'n twee-, drieduizend jaar geleden.'

'Echt waar?' Nat borg de rest van de rekeningen op en zat een manier te bedenken om in het kantoor van de baas te komen.

'Ze worden vaak verward met hun neven, de Noord-Amerikaanse zwartpootfret, oftewel de *Mustela nigripes*.'

Nat keek op haar horloge: 12.05 uur. Ze kreeg opeens een inval en ze ging rechtop staan. 'Trouwens, heb je al gegeten? Ik nog niet.'
'Is het alweer zo laat?' Agnes keek met stralende ogen op. 'Te gek! Zullen we naar McDonald's gaan? Dan neem ik Frankie mee in zijn frettenvaliesje. Ik draag het aan mijn schouder, en het is net een tasje.'
Ja, hoor. 'Ik moet nog te veel archiveren. Dus jij kunt pauze gaan houden, of ik ga en dan neem ik wel iets voor je mee.'
'O, oké.' Agnes dacht even na. 'Ik moet aan de salarissen werken, dus het zou wel erg fijn zijn als jij wat voor me zou halen. Is dat goed?'
'Ja hoor, ik ben de jongste bediende, nietwaar? Wat zal ik voor je meenemen van McDonald's?'
'Weet je waar het is?'
Nee. 'Ja.'
'Mooi. Een Big Mac met een cola light, graag.'
'Oké. Ik trakteer wel, omdat jij me deze kans hebt geboden.'
'Nou, wat aardig.' Agnes glimlachte en Nat pakte haar jas terwijl ze zich schuldig voelde. 'Nou, ik ben zo terug.'
'We zien je straks wel weer.'
'We?'
'Frankie en ik.'
'O ja, natuurlijk.' Nat keek naar de fret. Hij lag nog steeds met zijn poten wijd. Nou, hem zal ik zeker niet missen.
Ze liep snel het kantoor uit en liep luidruchtig naar de voordeur, trok de deur open zodat de bel zou rinkelen en liet hem hard dichtslaan, alsof ze naar buiten was gegaan. Toen ging ze zo zachtjes mogelijk terug, met ingehouden adem, terwijl ze langs de open deur glipte van Agnes' kantoor.
Ze ging snel naar links, sloop door de gang en wipte met bonkend hart Jim Grafs kantoor in. Ze keek om zich heen. Bureau, computer, tv, bouwcodes. Archiefkasten achter het bureau. Daar rende ze naartoe, ze maakte voorzichtig de kast open en bladerde door de gele hangmappen. Albemarle huis, Boston Pizza aanbouw, Chester County gevangenis.
Hebbes! Nat schudde het dossier eruit, stopte het onder haar jas, en deed toen heel zachtjes de la dicht. Ze rende het kantoor van de baas uit, liep op haar tenen langs Agnes' deur en haastte zich naar de voordeur, waar ze opeens bleef staan. Als ze naar buiten ging, zou de deurbel rinkelen. Het zou niet lang duren voordat Agnes erachter kwam welk dossier weg was, en als ze het verband legde tussen de gevangenis en Nat, kon ze haar peroxidevermomming wel vergeten. Ze deed de deur

open en weer dicht, waardoor de bel rinkelde, liep luidruchtig terug naar Agnes' kantoor en stak haar hoofd om de deur.

'Wat wilde je ook alweer?' vroeg ze met gefronste wenkbrauwen.

Agnes keek op van haar toetsenbord. Frankie lag rustig te slapen in zijn hangmat en iemand op de radio had iets van blauw fluweel aan. 'Een Big Mac en een cola light.'

'O, ja. Sorry. Tot zo,' zei Nat en ze liep weg. Ze wilde zo snel mogelijk naar buiten en het dossier lezen.

Het was bijna te mooi om waar te zijn.

Een halfuur later zette Nat de Kia achter een Wawa. Ze nam een slokje verse hete koffie en snoof de geur op van een broodje kalkoen met provolone terwijl ze het dossier van de Chester County gevangenis opensloeg. Het was zeker vijf centimeter dik en de bovenste rekening was van ccwm, Chester County Waste Management, het containerbedrijf.

Bingo! Ze ging het hele dossier door en haalde alle rekeningen van ccwm eruit. Het waren er vier, en ze legde ze op haar schoot. Ze waren gestuurd in juni, september, november en februari. In deze maand waren er vier containers weggehaald, wat 1749 dollar had gekost. De container in februari was de dag na de opstand verwijderd. Ze keek naar het patroon. De eerste container had er vier maanden gestaan, de tweede ook. De laatste een maand. Dit klopte natuurlijk voor geen meter. Ze pakte de geleende gsm en toetste het nummer van ccwm in, maar kreeg een antwoordapparaat dat mededeelde dat ze in het weekend gesloten waren.

Nat zuchtte, en zag toen een pictogram op de telefoon. Ze had een bericht van Angus. Ze voerde het wachtwoord in dat ze van Bill had gekregen, ging naar de voicemail en herkende de stem van de beller, die een tikje opgewonden klonk.

'Natalie, met Angus, en ik heb je bericht op mijn kantoor gekregen.' Hij kwam bezorgd en dringend over. 'Bel zo snel mogelijk. De officier van justitie wil je spreken. Ze hebben het moordwapen gevonden.'

Nat voelde de grond onder haar voeten wegzakken.

'Ze willen dat je jezelf komt aangeven.'

Nat pakte de papieren bij elkaar, gooide de rest van het broodje weg en startte de motor.

33

Nat scheurde het parkeerterrein af, draaide de snelweg op en reed naar Route 202, die naar de staatsgrens in het zuiden leidde. De politie van Pennsylvania was niet bevoegd op te treden in Delaware en ze vertikte het zichzelf aan te geven. Ze zou geen borgtocht krijgen, niet voor de moord op een trooper. Het was een aanklacht waar de doodstraf aan hing. Ze had in een oogwenk haar besluit genomen, dit keer eens zonder alles van alle kanten te bekijken. Ze had altijd geloofd in recht, en was daar zelfs gek op. Maar door het recht zou ze dit keer geen gerechtigheid krijgen. En trooper Shorney en Barb Saunders ook niet. Er was verder niemand die moeite deed erachter te komen wat er nu echt was gebeurd.

Ze zette de radio aan, die al stond afgestemd op een nieuwszender, en hoefde niet lang te wachten tot ze haar naam hoorde. De omroeper zei: 'Professor Natalie Greco van de universiteit van Pennsylvania wordt gezocht in verband met de moord op trooper Matthew Shorney van de politie van de staat Pennsylvania en de moordaanslag op Barbara Saunders uit Chester County. Mevrouw Saunders ligt momenteel nog in coma op de intensive care.'

Nat rilde, vanwege Barb. Haar maag kromp samen en ze trapte het gaspedaal in. Ze reed zo snel als ze kon langs winkelcentra en benzinepompen, een broodjeszaak, een McDonald's, een kantoorboekwinkel. Het was druk in de buitenwijken, zoals altijd op zaterdag als iedereen boodschappen aan het doen was. Ze pakte de gsm en toetste een paar cijfers in tot ze het nummer had van Angus en drukte op Send. 'Angus?' zei ze toen de verbinding tot stand kwam.

'Natalie.' Meer hoefde hij niet te zeggen, ze voelde meteen een brok in haar keel. 'Ze zijn naar je op zoek. Ze willen je arresteren. Waar ben je?'

'Onderweg naar Delaware.' Nat kwam langs nog een winkelcentrum met de obligate McDonald's.

'Je zult wel doodsbang zijn.'

'Dat kun je wel zeggen, ja.' Nat ging met haar hand door haar korte haar. 'Ik ben bang dat de portier tegen de politie zal zeggen dat hij me zijn auto te leen heeft gegeven. Als de politie me zou aanhouden, is hij medeplichtig, en op een gegeven moment zal iemand hem dat wel vertellen.'

'Natalie, wacht even. Heb je van iemand een auto geleend?'

'Ja, en als hij dat aan hen vertelt, dan weten ze in welke auto ik rij en welke gsm ik gebruik. Ze gaan dan meteen op zoek naar de auto en als ze die opsporen, heb ik niets meer aan mijn vermomming. Ik kan elk moment aangehouden en gearresteerd worden.'

'Vermomming? Heb je je vermomd?'

'En heel goed ook.'

'Natalie, hoor eens. Bennie zegt dat je jezelf moet aangeven. De politie heeft gezegd dat je dat bij haar kunt doen. Ik heb veel respect voor haar.'

'Wat vind jij ervan?' Nat was benieuwd naar zijn antwoord en drukte de telefoon hard tegen haar oor.

'Ik ben geen expert. Ik wil je geen verkeerd advies geven.' Angus zei vriendelijk: 'Op dit moment is Bennies mening belangrijker dan die van mij.'

'Voor mij niet.'

'Echt niet?' Angus leek erdoor getroffen te zijn, en Nat ging erop door. Ze wilde heel graag weten wat deze man nu op dit moment tegen haar zou gaan zeggen.

'Nee, echt niet.'

'Ik denk dat je wel gek zou zijn als je jezelf aangeeft, bij haar of bij wie dan ook. Volgens mij nagelen ze je aan de schandpaal. We kunnen veel beter afspreken in Delaware. Dan kijken we wat we er samen aan kunnen doen.'

Nat was zo dankbaar dat ze bijna moest huilen. 'Kun je wel rijden dan?'

'Al moet ik kruipende komen. Zeg maar waar ik naartoe moet.'

'Ik bel je wel als ik er ben. Tot dan.' Nat klapte de gsm dicht en zag een tijdje later een blauw bordje waarop stond: WELKOM IN DELAWARE. Er viel een last van haar schouders en ze reed zo snel mogelijk naar de grens. Ze kon zich herinneren dat sommige mobieltjes ook gps hadden, dus ze pakte een pen, schreef Angus' telefoonnummer op haar hand, en zette de telefoon helemaal uit. Ze moest ook de auto zien te dumpen. Voor haar lag een winkelcentrum, en ze reed ernaartoe.

Het was druk op het parkeerterrein: vol met gezinnen met kinderen in winterkleding die grote winkelwagens voor zich uit duwden, en plastic boodschappentassen droegen. Ze reed naar een parkeerplaats achter een supermarkt, zodat de meeste mensen haar niet konden zien. Ze overwoog de auto aan de achterkant te parkeren, met het kenteken tegen de muur aan, maar de politie zou hier uiteindelijk toch wel komen. Ze wilde van de auto af, maar ze kon hem moeilijk in het bos achterlaten, want dan zat ze daar vast. Opeens kreeg ze een idee. Ze hoefde de auto helemaal niet te verstoppen. Er was een manier om hem meteen kwijt te raken, en toch nog steeds weg te kunnen komen.

Ze reed naar de voorkant van de winkel, waar de klanten waren, en zag waar ze naar zocht. Bordjes. VERBODEN TE PARKEREN. VERBODEN STIL TE STAAN. AUTO'S WORDEN WEGGESLEEPT BIJ OVERTREDING. Ze zette de auto voor de winkel neer, pakte het dossier van de gevangenis en haar tas, stapte uit de Kia en liep snel weg. Op zo'n drukke dag als zaterdag zou de auto binnen een uur worden weggesleept, en hopelijk voordat Bill erachter kwam dat ze gezocht werd wegens moord. Ze liep rustig het parkeerterrein af naar de straat en keek om zich heen of er ergens een bus of een taxi te zien was.

Een kwartier later stond ze nog steeds nerveus te wachten toen een blauwe sleepwagen waarop BILL'S LIJNENTREKKER stond langs haar reed naar de parkeerplaats van het winkelcentrum. Ze draaide zich om en keek tevreden toe toen de Kia, aan een ketting hangend als een visje aan een hengel, werd weggesleept. Eindelijk zag ze een taxi; ze hield hem aan, stapte in en zei tegen de chauffeur op leeftijd dat ze naar een goedkoop, afgelegen motel wilde.

'Ik weet precies wat u bedoelt,' zei de chauffeur met een vette knipoog, en Nat liet hem maar in de waan. De taxi voegde zich in het verkeer en uiteindelijk kwamen ze uit in de buitenwijken van Wilmington. Ze kreeg opeens het gevoel dat ze haar leven achter zich liet. Ze reed weg van haar huis, haar stad, en de baan waar ze zo dol op was. En Hank en haar familieleden natuurlijk, die, hoe vervelend ze ook waren, in elk geval niet geloofden dat ze iemand had vermoord. Ze kon hen nu beslist niet spreken.

Ze was officieel op de vlucht, een professor in de rechten die vluchteling was geworden. Ze wist niet waar het allemaal mis was gelopen, of hoe ze het weer in orde kon maken. Ze wist alleen maar dat het niet een, twee, drie zou lukken zoals een vermomming met haarverf en een zonnebril. En dat Angus haar zou helpen. Hij deed haar iets, meer dan andere mannen. Ze geloofde dat hij voor haar zou vechten, en haar zou helpen voor zichzelf te vechten. En dat ze het prachtig had gevonden toen hij had gezegd: 'al moet ik kruipende komen'.

Daarmee had hij haar diep geraakt.

34

Nat liep de morsige motelkamer in, gooide haar spullen op het bed, ging meteen naar de gordijnen en trok ze dicht. Ze liep naar de tv, pakte de vettige afstandsbediening en zapte langs verschillende zenders, opgelucht dat ze nergens zichzelf zag. Ze liet het nieuws aanstaan en zette het geluid uit, zodat ze de politie in de gaten kon houden. Ze was nerveus, en kon alleen haar angst indammen door die te ontkennen. Academici waren niet erg geschikt voor een leven op de vlucht, en ze voelde zich gedesoriënteerd, de weg kwijt in tijd en ruimte.

Ik dacht dat je ruimte nodig had? Wat is het nou: ruimte of tijd?

Nat overwoog Hank te bellen, maar hij zou zeggen dat ze zichzelf moest aangeven.

Dan gaan we kijken wat we er samen aan kunnen doen.

Ze liep naar de telefoon, keek naar het nummer op haar handpalm en toetste het in.

Nat nam een douche, droogde zich af, en trok dezelfde kleren weer aan, omdat ze niets anders had. Ze poetste haar tanden met haar vinger en kamde haar haar zodat ze er niet meer helemaal als Bart Simpson uitzag, en deed toen wat make-up op, alsof ze niet werd gezocht voor moord. Haar ogen keken haar aan vanuit de spiegel, donkerbruin afstekend tegen het blonde haar. Ze zagen er bezorgd uit, maar dat had niets met Revlon te maken. Ze bande alle negatieve gedachten uit. Ze moest aan de slag.

Ze liep naar het bed en pakte het gevangenisdossier op, maar een pakje blauwdrukken viel op de grond. Ze pakte het op en liep ermee naar het gefineerde tafeltje, waar ze ze neerlegde, zodat ze over de zijkanten van het tafeltje hingen. Er hing een gele lamp boven de tafel, waardoor er een cirkel licht op een blauwdruk van de gevangenis voor de verbouwing viel.

Op de blauwdruk waren de ingang van de gevangenis te zien, de regelkamer, de kantine, het klaslokaal waar zij was aangevallen, en aan de andere kant de kamer waarin Saunders en Upchurch waren gedood. Ze sloeg het blad om naar de tweede bladzijde, de klimaatregeling, en ging toen naar de derde. Dat was een elektriciteitsschema, waarop de kabels waren getekend.

Ze bekeek ze eens en keek toen beter. Die rechte zwarte strepen waren vast de draden voor de bewakingscamera's, want ze gingen allemaal naar een bepaald punt in het plafond, waar de zilverkleurige bol zat, nam ze aan, waar Angus het over had gehad. Ze vergeleek de bedrading in de kamer waar Saunders en Upchurch waren gedood. Daar was die bedrading niet. Geen bewakingscamera.

Nat keek nog eens. Ze kon de draden naar de andere bewakingscamera's zien gaan, maar de kamer waarin Upchurch en Saunders waren gedood had die bedrading niet. Ze ging de zwarte lijnen na die naar de andere kantoren liepen aan de kant van de gang. Er waren drie kantoren, en die hadden allemaal bedrading voor beveiligingscamera's, behalve eentje aan het einde bij de RA-balie.

Ze dacht erover na. Ze had Graf niet gevraagd waarom Saunders en hij Upchurch naar die kamer hadden gebracht. Ze had aangenomen dat dat was omdat het hun kantoortje was, maar misschien was het wel omdat er geen bewakingscamera was. Graf had dat moeten weten. Als hij dat niet had geweten voor de verbouwing, dan toch zeker wel erna. Zijn broer had de elektriciteitsschema's en zelfs een professor kon die begrijpen.

Ze kreeg het gevoel dat ze iets had ontdekt. Graf wist dus dat wat hij ook in die kamer zou doen, het niet zou worden vastgelegd. Dat veronderstelde een zekere mate van voorbereiding waardoor Grafs relaas van wat er was gebeurd haar nog leugenachtiger voorkwam. Dus óf Upchurch was bij drugs betrokken geweest, óf hij had ontdekt dat Graf en misschien ook Saunders erbij waren betrokken. Dus wat had Upchurch gedaan om gedood te worden? Misschien dat hij te veel winst naar zich toe trok, of dat hij iemand had bedrogen. Maar waarom hadden ze hem gedood, dat was toch wel erg riskant? Waarom hadden ze het hem niet gewoon erg lastig gemaakt?

Nat voelde zich in een hoek gedreven. Stel dat mevrouw Rhoden gelijk had en dat Upchurch een stil kereltje was geweest dat niemand ooit iets had gedaan? Hij werd gepest, eerst door zijn medeleerlingen, vervolgens door Graf. Ze moest het probleem van een andere kant bekijken, waardoor ze weer bij haar oorspronkelijke vraag uitkwam: stel dat Upchurch die ochtend niet het beoogde slachtoffer was geweest? Stel dat Graf Saunders had willen doden? Stel dat Graf Upchurch alleen maar had gebruikt als een excuus, zodat hij Saunders te grazen kon nemen?

Nat dacht erover na. Kon Graf zowel Saunders als Upchurch hebben vermoord? Kon dat wel, fysiek gezien? Ze ging het in haar gedachten na. Oké, Graf heeft dat zelfgemaakte mes bij zich. Hij vermoordt eerst Saunders, en dan Upchurch, en doet het voorkomen of Upchurch Saunders heeft gedood. Graf vertelt die leugen om zijn eigen misdaad te maskeren. Het zou dus kunnen. Als het zo was gegaan, hoever ging het dan door? Machik was er in elk geval ook bij betrokken. Maar waarom had Graf Saunders gedood, zijn beste vriend nota bene? En als het zo gegaan was, waarom had Saunders het haar dan niet verteld voordat hij overleed? Doordat hij er niets over had gezegd, leek het niet erg waarschijnlijk.

Nat schrok toen er werd aangeklopt. Ze liep naar de deur en keek door het kijkgaatje naar buiten. Ze voelde haar hart een sprongetje maken toen ze de bekende slordige paardenstaart, dikke grijze trui en spijkerbroek zag. Ze maakte de deur open.

'Natalie,' zei Angus zachtjes. Hij nam haar in zijn armen waardoor ze van de grond loskwam, en zette haar toen snel weer neer. 'Sorry, dat doet dus pijn.'

'Jeetje.' Nat trok, helemaal in de war, haar trui naar beneden. Dat was nog eens een omhelzing, hè?

'Kijk nou toch! Je bent blond!' Angus haalde zijn hand over haar korte haren.

'Dat is mijn vermomming.'

'Wat zie je er schattig uit, net een puppy! Een kleine gele puppy!'

Heel fijn. 'Ik ben een katachtige hoor, geen labrador.'

'Die vermomming is helemaal te gek.' Angus zette een bruine boodschappentas op het bed. 'Ik had je nooit herkend.'

'Mooi.'

'Je bent nog steeds knap.' Angus keek haar lang aan en Nat voelde zich ongemakkelijk door de stilte. Het werd haar allemaal een beetje te veel. Een motelkamer met een bed, en zij tweeën daar alleen. Zij, net weer single, en hij, altijd sexy. Nat wees naar het bed... eh, de tas.

'Wat zit daarin?'

'Allemaal prima dingen!' Angus leek weer tot zichzelf te komen en werd weer vrolijk, zoals altijd. Hij liep naar het bed en maakte de tas open. 'Hier zit alles in voor je om een echte vluchteling te worden. Ben je er klaar voor?'

'Ja, hoor.'

'Nou, voor de vluchteling die alles al heeft: voilà!' Angus haalde een roze tandenborstel uit de tas.

'Mijn lievelingskleur!' Nat lachte. Het was leuk om gek te doen na zo'n zware dag.

'Wist ik toch? Alle blondjes zijn dol op roze.'

'Dat ben ik, Voortvluchtige Barbie.'

'En dan nu, moet je kijken.' Angus stak zijn hand weer in de tas en haalde er een twaalfstuksverpakking Snickers uit. 'Voedingsstoffen!'

'Jammie!' Nat pakte de Snickers aan, want ze had meteen trek gekregen. 'Dat is echt perfect voor een meisje dat op de vlucht is.'

'Snickers behoren tot de vier basisvoedingsgroepen, zoals daar zijn pizza, de Strokes, rosé uit Californië en...' Angus haalde een rood-witte doos van Verizon uit de tas tevoorschijn, 'een nieuwe gsm.'

'Yes!' Nat pakte de doos. 'Helemaal perfect.'

'Dat is nog niet alles.' Angus hield een driestuksverpakking witte katoenen setjes van Hanes omhoog. 'Tada!'

'Heb je ondergoed voor me gekocht?' Nat barstte verbijsterd in lachen uit, pakte het pakje en sloeg hem ermee.

'Ik ben nog nooit op de vlucht gegaan zonder schoon ondergoed.'

'Dus als ze me doodschieten, hoef ik me nergens voor te schamen?' Nat keek naar het pakje. 'Maat 34? Denk je dat ik maat 34 heb? Mijn hand past daar niet eens in!'

'Weet ik veel.' Angus haalde zijn schouders op. 'Ik wilde niet dat je dacht dat ik de hele tijd aan je schattige kleine kontje dacht, wat natuurlijk wel zo is. Zeg dat maar niet tegen je vriend.'

Nats gezicht betrok. Ze voelde zich schuldig dat ze daar met Angus stond, met een pakje ondergoed in haar handen.

'Wat is er?' vroeg Angus.

'We zijn uit elkaar.'

'En moet ik dat erg vinden soms?' Hij hield zijn hoofd schuin. 'Want dat is niet zo, hoor. Ik pas veel beter bij jou, en dat weet jij ook wel.'

Hallo. Nat mepte hem weer met het pakje en hij draaide zich om naar de boodschappentas.

'Maar daar gaat het nu niet over, want je bent in gevaar. Dit is niet het juiste moment daarvoor.' Angus dook weer in de tas, en draaide zich toen om met een witte bankenvelop in zijn hand, die hij aan Nat gaf. 'Mijn moeder zei altijd dat een meisje geld nodig heeft om gekke dingen mee te doen, en jij bent het eerste meisje op wie ik gek ben.'

Slik. 'Meen je dat nou?'

'Wat het geld betreft of jou?'

Mij. 'Het geld.'

'Natuurlijk.'

Nat maakte de envelop open, en zag een dik pak gloednieuwe bankbiljetten. 'Jeetje, hoeveel is dat wel niet?'

'Duizend dollar. Mijn bank is gelukkig open op zaterdag. Ik had nog maar drie dollar op zak toen jij belde.'

'Angus, dit kan ik niet aannemen.'

'Natuurlijk wel, en je gaat het ook aannemen.' Hij sloot haar hand om de envelop, en zijn aanraking miste zijn uitwerking niet op Nat. 'Zie maar wanneer je me terugbetaalt. Nou, dan heb ik nog één ding in je vluchtsetje. Wacht even.' Hij draaide zich om, graaide in de tas en gaf haar weer een envelop. 'Dit is een enkeltje naar Miami; de trein vertrekt morgenvroeg uit Wilmington. Eerder kon ik je hier niet weg krijgen. Ik had een vlucht willen regelen, maar daar heb je een identiteitsbewijs voor nodig. Ik breng je morgen wel naar het station van Wilmington.'

'Nee. Als ik dit kaartje aanneem, ben jij medeplichtige geworden.'

'Nou, ik medeplichtig graag voor jou. Of hoe dat ook heet.' Hij keek haar recht in de ogen en Nat voelde de afstand tussen hen steeds kleiner worden.

'Angus, dat kan ik niet maken.'

'Ga nu maar, dan kijken we wel wat we verder moeten doen.'

'Waarom Miami?'

'Omdat het heel ver weg is en er een goede vriend van me woont, die een uitstekend advocaat is.'

'Ik red me wel.'

'Neem dat ticket nou maar. Voor mij, voor ons.'

Ons? Nat wist niet wat ze moest zeggen.

'Als je dit redt, zou het wel iets kunnen worden tussen ons. Ik ben gewoon egoïstisch bezig.'

Nats hart ging sneller kloppen, en voor ze iets kon zeggen, boog Angus zich naar haar toe en kuste haar zachtjes. Zijn baard voelde nog steeds koud aan tegen haar wang. Hij kuste haar onderzoekend, en zij kuste hem terug, proefde zijn warmte tot hij zich terugtrok en haar met onverholen verlangen aankeek.

'Ik hou van je, weet je dat?' fluisterde Angus.

Nat was sprakeloos, ze voelde zoveel tegelijk.

'Ik wil dat je veilig bent, en hier ver vandaan. Ik weet niet of dit wettelijk wel mag, maar ik weet wel dat ik van je hou en dat ik wil dat je veilig bent.' Hij kuste haar weer, met zijn hemelsblauwe ogen open, en Nat kuste hem terug, ook met open ogen, en gaf zichzelf helemaal. Hun blik en kus verbonden hen, de een aan de ander, en ze wist dat hoewel het veel te snel ging, ze stapelgek op deze man was.

'Angus, ik –' zei Nat, maar hij kuste haar weer, harstochtelijker dit keer, uitgebreider, en ze voelde zijn kriebelige trui helemaal om haar heen.

'Ik wist wel dat het zo zou zijn,' fluisterde Angus. Hij streelde haar gezicht, nam haar achterhoofd toen in zijn handpalm en trok haar weer naar zich toe.

Nat gaf zich over aan het gevoel, en genoot ervan. Hij kuste haar opnieuw en zijn handen gleden naar haar heupen. Hij ging op het bed zitten en trok haar voorzichtig op zijn schoot. Ze klom boven op hem, in haar spijkerbroek, en hij greep haar bij haar middel en trok haar naar zich toe. Hij kuste haar lang en ze wilde hem dicht tegen zich aan voelen, hem in haar voelen, en toen ze het niet meer kon uithouden, scheen hij dat te weten en trok hij zijn trui uit, en lachte toen zijn hoofd bleef steken. 'Help!'

'Hij blijft hangen aan je baard.' Nat lachte met hem mee en hielp hem een handje, en toen Angus' hoofd eindelijk weer tevoorschijn kwam, helemaal rood van het geworstel, keek ze hem aan en betastte ze verwonderd zijn baard, streelde over de rossige haren, en voelde dat die zowel zacht als borstelig waren. Hij trok zijn T-shirt snel uit, waardoor zijn gespierde borst zichtbaar werd, bedekt met donkerblonde borstharen, en zijn paardenstaart hing over zijn biceps.

Nat werd opgewonden bij de aanblik van zo'n echte man. Ze gaf hem een lange kus, stak zijn hand onder haar trui en begeleidde hem naar boven. Ze lachte blij toen hij hem over haar hoofd trok en naast het bed liet vallen.

'Arme schat,' zei Angus opeens, en Nat zag zijn gezicht betrekken. Toen wist ze het weer: haar borst, de schrammen. Geneerd hield ze haar armen voor haar borst, maar hij pakte haar handen en kuste ze.

'Nee, niets aan de hand. Laat me nou maar zien,' zei hij met een bezorgde blik, en hij trok voorzichtig haar handen naar beneden en bekeek Bufords werk.

'Ik maak het wel beter,' fluisterde hij, terwijl hij elke schram kuste. Er ging een rilling over haar rug toen hij zijn hand op haar schouders legde en de bandjes van haar beha naar beneden schoof. Hij maakte de sluiting los en zij deed hem uit en gooide hem op de grond terwijl ze allebei giechelden als kleine kinderen. Hij trok haar tegen zich aan, en ze voelde zijn sterke schouders en rug toen ze weer zoenden, hartstochte-

lijker en met verlangen, en toen werd alles anders, donker en dieper, zodra huid op huid kwam te liggen en zijn borst tegen de hare werd gedrukt.

Angus tilde haar op en legde haar ruggelings op het bed, maakte snel
de knoop van haar spijkerbroek los, ritste hem open en trok de spijkerbroek naar beneden, waarna haar slipje volgde. Nat was zo opgewonden
dat ze rilde toen hij zijn handen onder haar knieën stak en haar naar de
rand van het bed trok, en opeens waren ze geen kleine kinderen meer,
maar volwassenen, een vrouw en een man.

Die de liefde met elkaar gingen bedrijven.

35

Naderhand lagen ze helemaal gelukkig samen in het donker, Nat lag met haar hoofd op Angus' borst te spelen met zijn haar. 'Ik was nog nooit met een paardenstaart naar bed geweest,' zei ze.

'Ik lijk op mijn hond, weet je.'

'Hè?' Nat zag opeens het gehoorzaamheidsdipolima weer voor zich dat aan zijn muur hing.

'Ze is een reddingshond, deels een Afghaanse windhond, deels een golden retriever. Ze ziet eruit als een vervormde leeuwin.' Angus was helemaal relaxed. 'Mijn paardenstaart is net zo lang als haar staart.'

'Ik wil liever niet weten hoe je dat weet.'

'Nee, dat wil je zeker niet. Iedereen denkt dat ik mijn haar zo draag om politieke redenen, maar het is dus alleen maar om op Miss Sally te lijken.' Angus hield Nat stevig vast. 'Godsamme, wat ben je toch klein. Hoe kan zoveel vrouw in zo'n kleine verpakking passen?'

Wat weer een geheel andere betekenis gaf aan de naam Mug.

'Ik ben gek op je lijf.'

Nat glimlachte, ze was te verlegen om te zeggen dat ze ook dol op dat van hem was. Ze vond het opwindend dat hij zoveel sterker en groter was dan zij. De manier waarop hij de liefde bedreef was anders dan anders. In gedachten speelde ze haar lievelingsscène weer af, en ze kreeg er bijna weer een orgasme door. Nat had net geleerd dat ze buitengewoon seksistisch was in bed, zoiets leer je nu eenmaal als je met een holbewoner vrijde.

'Goh, wat was dat lekker. Vond je ook niet?'

Nat was gek op holbewoners die bevestiging nodig hadden. 'We hebben allebei wel een tien verdiend.'

Angus lachte zachtjes. 'Ik wist gewoon dat het fantastisch zou zijn. Dat moest gewoon wel.'

Nat ging, helemaal gelukkig, verliggen op zijn borst. 'En, had je deze verleidingsscène helemaal voorbereid?'

'Niet helemaal. Er is over het algemeen wel wat meer voor nodig om een vrouw in je bed te krijgen dan een tandenborstel.'

'Maar je had wel een condoom bij je.' Nat tilde haar hoofd op en zag hem grijnzen in het donker.

'Nee, nee, ik heb er drie bij me.'

'Wat een optimist ben jij.'

'O, ja? Ik spreek je nog wel over twintig minuten.'

Nat lachte en Angus knuffelde haar.

'Weet je waarom het zo fantastisch was?' vroeg hij.

'Nou?'

'Omdat het echte liefde is.'

Nat aarzelde. 'Denk je?'

'Dat weet ik wel zeker. Ik heb je meteen al verteld dat ik van je hou.'

'Vind je het niet wat snel?'

'Het is een emotie, Natalie. Dat kun je niet timen of analyseren. Ja, natuurlijk zal het zich verdiepen enzovoort enzovoort, maar het is er nu al. Het belangrijkste gedeelte, de wauwfactor. Dat is liefde.'

De wauwfactor. Nat dacht erover na. Ze wist wat hij bedoelde. Had ze ooit de wauwfactor gevoeld bij Hank?

'Het hindert niet als jij het nog niet weet, maar je houdt ook van mij, weet je.' Angus zuchtte. 'God, ik ben doodop. Dat komt vast door de medicijnen. Ben jij ook niet op?'

'Nou en of,' zei Nat, maar ze was al aan het bedenken wat ze hierna zou gaan doen.

'Maak je geen zorgen. Het komt allemaal in orde.'

'Kom, we gaan slapen. We zijn allebei moe.'

'Ik breng je morgen weg, en dan ben je veilig.'

Mooi niet. 'Oké, je hebt me overgehaald.' Nat had hem willen vertellen over de plattegrond en haar nieuwe theorie, maar het was maar beter dat hij het niet wist.

'Ik heb de wekker op mijn gsm al gezet,' zei Angus. 'Die trein mogen we niet missen. Heb je nog iets nodig?'

'Ga nou maar slapen.'

'Ik ook niet,' zei Angus. Zijn harige borst ging omhoog toen hij diep ademhaalde, en vervolgens hoorde ze zijn ademhaling rustig worden.

Ze wachtte tot hij ging snurken, toen stond ze op en trok snel haar kleren aan. Ze pakte zo stil mogelijk de dossiers bij elkaar, pakte haar portemonnee en jas en zocht naar het geld en de gsm die hij had meegenomen. Het geld kon ze vinden in het donker, maar de gsm tussen de kleren en de boodschappentas niet. Ze wilde het risico niet lopen dat hij wakker zou worden en liet het erbij.

Ze liep op haar tenen naar de deur, en bleef daar even staan om naar de slapende Angus te kijken. Ze hoopte maar dat hij zou begrijpen waarom ze ervandoor was gegaan. Ze maakte de deur op een kiertje open, glipte naar buiten en deed de deur zachtjes achter zich dicht.

Wauw.

Nat haastte zich door de koude nacht. Ze trok haar jas dicht om zich heen en klopte voor de tiende keer op haar portemonnee om zichzelf ervan te overtuigen dat de duizend dollar er nog steeds in zat. Ze moest snel weg zien te komen voor het geval Angus wakker zou worden. Ze keek de straat langs, met aan weerskanten tweeondereenkapwoningen en kleine bedrijfjes. Er was geen verkeer, geen taxi's of bussen en ook geen telefooncel. Een kopieerzaak zag er gesloten uit, net zoals de winkel van een tarotlezer, met de knipperende neonreclame van een hand in de etalage. Verderop op de hoek was een pizzeria en er stonden een paar oude auto's geparkeerd op het kleine parkeerterrein ervoor, wat Nat op een idee bracht.

Ze zette haar roze bril en NASCAR-petje op en liep snel naar het restaurant. Ze beende tussen de geparkeerde auto's door en opende de deur, waarna ze in een ruimte terechtkwam waar het rook naar oregano, gebakken pepperoni en sigaretten. Er stonden een paar rode tafels en aan eentje zaten drie tieners een hamburgerpizza te eten met een kan cola ernaast. Ze keken op toen Nat naar hen toe liep.

'Hoi, jongens.' Ze duwde de bril hoog op haar neus. 'Wil misschien iemand van jullie zijn auto aan mij verkopen?'

De tieners barstten in lachen uit. De langste, een knappe jongen met een nepdiamanten oorbel, zei: 'Hé, meen je dat nou?'

'Ja, ik heb dringend een auto nodig. Ik betaal contant.'

'Contant geld?'

'Ja.'

Een andere jongen, met pukkels, zei: 'Dat mag helemaal niet volgens de wet.'

Een advocaat in spe. 'Dat maakt mij niet uit.' Nat zei tegen de lange jongen: 'Zeg maar hoeveel.'

'Een miljoen dollar.'

Dan niet. Nat sprak de kleinste aan, die een gebreide muts van de Eagles droeg: 'En jij? Heb jij een auto?'

'Een Neon uit 1986. Tweehonderdduizend kilometer op de meter en er zit geen radio in, maar hij rijdt prima.' De Eagles-fan grijnsde. 'Hij is van mijn stiefzus.'

'Ik ben gek op Neons. Ben jij gek op contant geld?'

'Ja.' De Eagles-fan straalde. 'En ik heb een bloedhekel aan mijn stief-zus.'

'Verkoop hem, man!' riepen zijn vrienden. 'Ze zijn het hele weekend weg!'

'Heb jij even mazzel, vriend.' Nat pakte de envelop uit haar tas, liet de nieuwe biljetten zien en telde ze. 'Ik geef je driehonderd dollar voor de auto. Graag of niet.'

'Driehonderd dollar?' De ogen van de Eagles-fan lichtten helemaal op.

'Driehonderd, man! We kunnen het hele weekend feesten!' Ze lachten allemaal en de Eagles-fan het hardst.

'Joh, mijn stiefzus is vast pisnijdig. Ze draait helemaal door. Ze gaat uit haar kapelletje!'

'Doen, man!' riep de lange jongen. 'Ze komen er toch pas op zondagavond achter!' Ze gaven elkaar allemaal een high five en schreeuwden: 'Super!' 'Cool!' 'We hebben het voor elkaar, man!'

'Ik doe het!' De Eagles-fan pakte de biljetten aan.

Een kwartier later reed Nat in de oude blauwe Neon weg. Er hingen een geparfumeerde bal en een eindexamenbaret aan de achteruitkijkspiegel. Ze reed langs winkelcentra en huizen, en pas na een hele tijd vond ze het veilig om naar een goedkoop motelletje te gaan. Angus zou haar hier nooit vinden en hij noch de politie wist van de Neon af. Ze deed de auto op slot en liep naar binnen om nog een paar uur te slapen voor de dag aanbrak.

Ze moest rusten, zodat ze haar plan de volgende dag in werking kon stellen.

36

DE LUCHT WAS NOG STEEDS betrokken, en sterretjes ijs bleven op de ruiten van de Neon plakken toen Nat het parkeerterrein van het benzinestation van het warenhuis Wawa op reed. Ze keek op het klokje in de auto: 5.30 uur. Ze lag dus voor op schema. Een stel in skikleding stapte uit een zwarte Jetta die naast haar stond, ze kusten elkaar en sloegen hun armen om elkaar heen, en ze moest moeite doen niet aan Angus te denken. Hij zou inmiddels al wakker zijn, zonder haar, en ze hoopte maar dat hij het zou begrijpen. Ze dacht aan hun vrijpartij, die fantastisch was geweest, en zette het toen van zich af.

Ze keek om zich heen of de kust veilig was voordat ze uit de Neon stapte. Er was geen agent te bekennen, en op dit tijdstip waren maar een paar mensen aan het tanken. Ze pakte haar tasje, stapte uit de auto en liep naar de winkel met haar roze bril en haar NASCAR-petje op, maar schrok van de voorpagina van de dikke zondagskrant.

PROFESSOR RECHTEN OP DE VLUCHT kopte de *Daily Local News*, en op de begeleidende foto, die van de website van de universiteit was gehaald, stond Nat nog met lang donker haar. Ze boog haar hoofd. Gelukkig hadden ze geen opname van haar in vermomming. Ze pakte achteloos een krant, kocht een kop koffie, een bagel en een zonnebril, die ze de dag ervoor al had moeten kopen, en ging snel weer terug naar de Neon.

Zodra ze zat, las ze het artikel, benieuwd naar wat ze schreven. De vicerector magnificus werd omschreven als 'geschokt en verrast' door haar misdadigheid en Nat werd ineens beroerd. Wat zouden haar leerlingen ervan vinden? Carling en Warren? Ze kon haar vaste aanstelling nu wel vergeten. Haar ouders, de 'welgestelde familie Greco', wilden geen commentaar geven, en ze voelde met hen mee. Ze waren vast erg bezorgd. Ze overwoog hen te bellen vanuit een telefooncel, maar ze kon het risico niet nemen want de kans bestond dat hun telefoon werd afgetapt. Ze moesten haar maar vertrouwen. Ze stond er helemaal alleen voor.

Ze sloeg het stukje over dat ging over dat er drugs en een 'grote hoeveelheid geld' waren aangetroffen in haar auto op de plek waar trooper Shorney was vermoord. Ze las snel de rest van het artikel door, dat zo lang was dat het de hele bovenkant van de bladzijde besloeg, zodat ander nieuws, zoals het toegenomen aantal moorden in Philadelphia, de gevangene van de FBI die op dinsdag terecht zou staan, en de oorlog in Irak, daar geen plaats kreeg. Ze legde de krant op de passagiersstoel, draaide het contactsleuteltje om en reed bij de benzinepomp weg. Ze mocht dan haar baan kwijt zijn, maar ze had al een andere. Ze moest een moordenaar zien op te sporen.

Ze reed naar het noorden, naar West-Chester. Het was rustig op de weg en de zon deed af en toe een poging door te breken, wat te zien was aan strepen roze en violet, maar slaagde daar niet in. Ze had de avond ervoor het adres waar ze naar op zoek was doorgekregen van Inlichtingen. Ze gaf gas en reed een uur, en tegen de tijd dat de zon laag aan de wolkeloze hemel stond, was ze aangekomen bij een kronkelige straat met witte huizen in de wijk Heaven's Gate, en die zag er inderdaad hemels uit. Ze reed langs een bordje bij de ingang. Elke villa bestond uit drie woonlagen, met onderin een garage en daarboven een woonkamer met een enorm raam. Kleine busjes en andere gezinsauto's stonden op de opritten. Ze keek nog eens naar het adres dat ze op haar hand had geschreven en reed door. De Neon was de enige auto op straat en ze hield haar adem in toen ze bij een van de huizen het bordje op de zwarte brievenbus zag: GRAF.

Nat onderdrukte een angstvlaag en bleef rijden, terwijl ze recht voor zich uit keek door de zonnebrilglazen en met de NASCAR-pet op. Ze zag wat verderop een parkeerplaatsje, naast het bordje dat aangaf dat hier de woonwijk ophield. Ze keek even snel in haar buitenspiegel naar het huis van de familie Graf. Ze zette de auto naast de stoep neer, om het huis in de gaten te houden. Vroeg of laat zou Graf zichzelf verraden, en daar wilde ze bij zijn. Hij zou zich niet meer druk maken over haar; hij zou aannemen dat ze op de vlucht was om haar eigen hachje te redden. Je moest wel een buitengewoon stomme vluchteling zijn om terug te gaan naar Chester County.

Ze nam een slok koffie en at de bagel op terwijl ze steeds in de buitenspiegel keek. Toen ze haar ontbijt op had, pakte ze het dossier van de gevangenis dat ze had gestolen bij Phoenix Construction en las het. Er zaten een heleboel bonnetjes in voor bouwmateriaal: betonblokken, balken, gipsplaten, zakken cement en nog meer balken. De moed zonk haar in de schoenen toen ze de laatste bladzijde had gelezen. Er stond niets anders in het dossier. Nu had ze alleen de containers nog, en daar kon ze pas de volgende dag naartoe. Ze legde het dossier weer op de stoel en keek vanuit de koude auto naar het huis.

Er gingen uren voorbij: het was negen uur, toen tien uur, toen elf uur. Gezinnen reden af en aan, hun auto's vol met kinderen. Nat hield haar hoofd gebogen, met de pet flink naar beneden getrokken en deed net of ze de krant zat te lezen. Ze had Graf doorzien bij het huis van Saunders. Zij zag hem wel iemand vermoorden, zeker een zwarte. Maar een ding zat haar dwars: waarom had Saunders dat niet tegen haar gezegd toen hij stervende was?

Opeens ging de voordeur van het huis van de Grafs open en kwam er een man naar buiten. Het was Joe Graf. Hij had dezelfde gevoerde bodywarmer aan als toen bij Saunders, en een flanellen overhemd. Hij bleef even staan om een sigaret op te steken, waarbij hij zijn hoofd schuin hield en van zijn hand een kommetje maakte, toen opeens de deur weer openging. Er kwam een kind tevoorschijn met een witte broek en een blauwe ski-jas.

Nat kon zelfs van die afstand zien dat het een jongetje was. Het haar van het kind stond door de wind overeind en zijn kleine beentjes maalden om Graf bij te houden. Graf pakte zijn handje en het kindje huppelde met hem mee naar een zwarte Bronco. Hij maakte het portier open en tilde het kind erin, en klikte toen waarschijnlijk de autogordel vast. Niet echt wat je van een koelbloedige moordenaar zou verwachten, en Nat vond dat dit wellicht het stomste of het slimste was wat ze ooit had gedaan. Ze startte de motor, en reed een stukje naar voren, waar ze bleef wachten. Als Graf wegging, moest hij hierlangs komen. Een paar minuten later kwam de Bronco aanrijden en draaide de weg op. Nat liet twee auto's passeren en ging er toen achteraan.

Ze hield de zwarte Bronco in de gaten toen hij door de buitenwijken reed en het steeds drukker werd. Ze gingen door de drukke Ship Road, vervolgens Route 100 en 113, met een heleboel supermarkten, zonnestudio's, winkels voor kantoorbenodigdheden, speelgoedzaken, en winkelcentra die ze die dag al vaker had gezien. Ze keek de hele tijd rond of ze geen politiewagen zag. Ze volgde Graf terwijl hij eindelijk de nog drukkere Lancaster Avenue in reed, naar het westen, en bij een verkeerslicht kwam ze zelfs zo dichtbij dat ze het kind op de achterbank kon zien zwaaien. Ze ging wat langzamer rijden zodat er een vrachtwagen tussen hen kwam. In Paoli sloeg de Bronco Lancaster Avenue af en ging naar rechts naar een klein winkelcentrum met een donutwinkel, een Radio Shack en op de hoek weer een Wawa.

Ze ging helemaal achter aan het parkeerterrein van de Wawa staan, zodat ze vanuit de Bronco nauwelijks zichtbaar was, en keek toe terwijl

Graf de auto parkeerde en uitstapte, waarna hij meteen weer een sigaret opstak. Hij nam een paar trekjes voordat hij naar achteren liep en het achterportier opentrok. Met de sigaret tussen zijn lippen tilde hij het kind uit de wagen.

Nat kon zien dat Grafs zoontje een schatje was, ongetwijfeld een combinatie van zijn moeders Aziatische en zijn vaders slechte genen, maar nu liep ze natuurlijk een beetje op de zaken vooruit.

Graf pakte het kind bij de hand en liep met hem langs het winkelcentrum naar een zaak die ze niet had opgemerkt toen ze aan kwam rijden: Kwans Karate Studio. Ze zakte verslagen onderuit in haar stoel. Ze had Graf al als de moordenaar gezien, en hij was alleen maar een fantastische vader. Ze keek nerveus naar het verkeer. Liep ze de kans opgepakt te worden alleen maar voor een karateles? Graf ging naar binnen, de karatestudio in, en Nat bleef zitten wachten.

Opeens ging de deur van de karatestudio open en kwam Graf naar buiten. Nat dook vlug weg terwijl hij aan kwam lopen, in de Bronco sprong, optrok en snel wegreed.

Rijden! Nat startte de motor en volgde Graf terwijl hij op Lancaster Avenue een verboden U-bocht maakte en vervolgens naar het oosten reed. De twee auto's reden, met vier auto's tussen hen in, weer helemaal terug naar waar ze vandaan waren gekomen. Ze hoopte dat Graf geen boodschappen ging doen. Ze hield zichzelf voor rustig te blijven terwijl ze de Bronco volgde en met tien andere auto's het parkeerterrein van het Exton Square-winkelcentrum op reed, bij het drukke kruispunt van Route 30 en 100. Ze reed langzaam, achter aan de rij, terwijl Graf de Bronco neerzette, eruit sprong en snel bij een Houlihan's naar binnen liep.

Ze zette haar auto achter op het parkeerterrein neer. Wat was er aan de hand? Onderweg van Paoli naar Exton waren ze langs het ene na het andere eettentje gereden. Waarom was Graf niet bij eentje daarvan naar binnen gegaan? Was hij een fan van Houlihan's? Bestonden er wel fans van Houlihan's? Ze hield de deur van het restaurant in de gaten. Een goedgekleed ouder echtpaar ging naar binnen, met vier middelbarescholieren, gekleed in blauw-witte trainingspakken, erachteraan.

Ze kon zo ver weg niet door de getinte glazen bij Houlihan's naar binnen kijken. Ze wachtte, maar hij kwam niet naar buiten. Wat was hij daar aan het doen? Hij was niet aan het eten, dat sloeg nergens op. Daar had hij geen tijd voor als hij zijn zoontje weer moest oppikken. Ze moest het risico nemen om wat dichterbij te komen. Ze zette haar pet recht, duwde de zonnebril omhoog en stapte uit de Neon. Ze liep naar Houlihan's toe, hing een beetje rond bij de ingang en gluurde toen naar binnen.

Even later zag Nat hem opeens. Graf zat aan een tafeltje bij het raam. Er stond een glas limonade voor hem en hij keek door het raam naar buiten. Zo te zien zat hij op iemand te wachten. Had hij met die aardige vrouw van hem afgesproken? Ging hij vreemd? Nat hield haar hoofd gebogen, de pet over haar ogen getrokken. Er liepen mensen langs Grafs tafeltje, maar hij bleef naar buiten kijken. Vervolgens keek hij op zijn horloge.

Op wie zat hij te wachten?

'Pardon,' zei een oudere man met een leren jas aan, die naar buiten kwam.

'Sorry.' Nat deed een stap opzij, zodat hij erlangs kon, maar hij bleef staan.

'Bent u een fan van NASCAR? Ik ook!'

'Sorry, maar deze pet is niet van mij,' zei Nat. Ze wilde niet dat iemand zich haar herinnerde of op haar ging letten. De man liep door, zodat ze een felrode pick-up zag die net aan kwam rijden. Een zwarte man met een pet van de Sixers op en een dikke zwarte jas aan, stapte uit, liep snel naar Houlihan's toe en ging rechtstreeks naar Grafs tafeltje.

Nat kneep haar ogen toe. Die man kwam haar bekend voor. Waren het vrienden? Wist de man dat Graf een racist was? De man ging tegenover Graf zitten, en ze praatten met hun hoofden dicht bij elkaar. Ze bleef kijken. Ze had het idee dat ze niet zo lang in gesprek zouden blijven omdat de karateles vast niet langer dan een uur zou duren. Het had al een halfuur geduurd om hier te komen. Graf had niet veel tijd. En Nat dus ook niet.

Ze trok haar pet nog meer naar beneden en liep terug naar de Neon, langs de rode pick-up. Het was een F-250. De kentekenplaat was uitgegeven in Pennsylvania. Ze wandelde onopvallend om de pick-up heen, toen haar oog erop viel: een kleine Calvin-sticker. Waar had ze die eerder gezien? Ze zag een wazig beeld voor zich. Nacht. Een gladde weg. De Ford F-250. De zijkant van het gezicht van de bestuurder amper zichtbaar door de getinte ruit. Toen wist ze weer waar ze die man van kende: hij was de bestuurder geweest van de zwarte pick-up die Angus en haar had aangereden.

Kon dat wel? Ze keek weer naar de kentekenplaat. Die was uit Pennsylvania, niet Delaware. Maar kentekenplaten konden zo verwisseld worden. Pick-ups konden worden geschilderd. Het was alweer een paar dagen geleden. Zou het dezelfde pick-up zijn? Hij zag er wel heel anders uit dan de zwarte. Hij was felrood, en had glimmende witte strepen op de zijkant. Achter op de truck stond in krullerige witte letters:

IN MEMORIAM ANJELA REYNOLDS 2002–2006.

Maar toch. Was het dezelfde pick-up, maar dan rood geschilderd? Was dat de bestuurder die hen had aangereden? Ze keek om zich heen, maar er keek niemand. Het winkelende publiek liep snel door, omdat het zo koud was. Ze pakte haar sleutels uit haar zak, liep naar de zijkant van de pick-up en maakte een kras van een paar centimeter. Er kwam een zwarte streep tevoorschijn. De pick-up was zwart onder dat felle rood. Het was dezelfde pick-up en dezelfde bestuurder.

Wauw. Nat draaide zich om en liep zo nonchalant mogelijk naar de Neon. Haar hersens draaiden op volle toeren. Waarom kenden de pickupbestuurder en Graf elkaar? Had Graf iets te maken gehad met het ongeluk? Waarom wilde deze man Angus en haar kwaad doen? Was hij lid van een drugsbende? Kon ze het maar met Angus bespreken, maar ze had die stomme gsm niet meegenomen. Ze zou de pick-upbestuurder volgen, niet Graf, als hij Houlihan's uit kwam. Ze was al bijna bij de Neon, toen ze een vrouw hoorde krijsen.

'Help!' riep de vrouw. 'Help dan toch!'

Nat draaide zich op haar hakken om en zag tot haar verbazing een oude vrouw naar haar wijzen.

'Hou dat meisje tegen!' De oude vrouw had een gsm in haar hand. 'Ze heeft die pick-up bekrast. Ik heb het zelf gezien! Ik bel het alarmnummer!'

Nat bleef stokstijf staan. Iedereen bleef staan en draaide zich naar haar om. De pick-upbestuurder en Graf kwamen Houlihan's uit lopen. De oude vrouw riep naar de pick-upbestuurder en zwaaide met haar mobieltje. Graf en hij keken naar Nat. De uitdrukking op Grafs gezicht veranderde opeens toen hij haar herkende.

En op haar af kwam rennen.

37

Nat draaide zich om en rende naar de hoofdingang, waarvan de dubbele toegangsdeur duidelijk was aangegeven. Er liepen een hoop mensen rond op het parkeerterrein en ze liep eerst tegen een moeder met een klein jongetje met een ballon in zijn hand aan, en vervolgens tegen een groep kleine meisjes met feesthoedjes op. Ze stormde door de glazen deuren naar binnen. Haar pet vloog van haar hoofd. Haar tas bonkte tegen haar heup. Haar hart ging tekeer van inspanning en angst. Ze rende door een brede gang met beige tegels waar Houlihan's en een cd-winkel zaten. Whitney Houston zong over een geliefde. De gang kwam uit op een chique fontein, en Nat zwenkte naar rechts, viel bijna, en keek toen achterom. Graf kwam haar achterna, duwde een man opzij en kwam steeds dichterbij.

Ze vloog door de gang, langs een juwelier met een glinsterende etalage, op zoek naar een uitgang of een winkel waarin ze zich kon verstoppen. Er kwamen twee vrouwen Kitchen Kapers uit met een verbijsterde uitdrukking op hun gezicht en Nat besefte dat dat kwam doordat ze een doodsbange vrouw zagen die achtervolgd werd door een grote dikke man. Er kwamen drie vrouwen Lane Bryant uit die hun wenkbrauwen optrokken toen ze het zagen, en duidelijk hetzelfde dachten, en achter hen stonden twee zwangere vrouwen te praten voor Mother Maternity.

Dit was een winkelcentrum. Met andere woorden: vrouwengebied.

'Help!' schreeuwde Nat. 'Mijn man wil me vermoorden!'

'Lieve hemel!' riep een van de oudere vrouwen, die zich opstelde achter Nat. 'Beveiliging! Die arme vrouw wordt achternagezeten door haar man!'

'Hou die man tegen! Hij is gewelddadig!' De zwangere vrouwen droegen hun steentje bij. 'Pak hem! Die eikel!'

Nat schreeuwde nog harder terwijl ze door de glimmende gang rende. 'Hou mijn man tegen! Hij wil me vermoorden!'

'Kijk dan!' 'Moet je zien!' 'Niet te geloven. Die eikel met dat flanellen overhemd wil zijn vrouw slaan!' Mensen bleven vol afschuw staan kijken. Iemand riep om de beveiliging. Anderen wezen. Binnen de kortste keren had Nat alle aandacht van het winkelende publiek, en ze stonden allemaal aan haar kant. Ze rende een hoek om voor JCPenney en knalde bijna tegen een groep jongens in blauwe footballjacks op. 'Jongens, help!' riep Nat. 'Mijn man wil me vermoorden!' 'Wil hij een meisje slaan?' vroeg een van de footballspelers. 'Dat is niet zo mooi,' zei een andere, terwijl ze naast elkaar gingen staan. Nog steeds op de vlucht, keek Nat om en ze zag Graf bij de footballspelers aankomen, die hem meteen tegen de grond werkten. Om de chaos compleet te maken, kwamen er twee beveiligingsmedewerkers aan rennen. Ze was te bang om om te kijken, maar Graf kon haar nu nooit meer te pakken krijgen. Ze zag een pijl naar de uitgang, rende snel naar rechts en flitste de volgende gang door, waarbij ze een paar mensen liet schrikken. Ze moest hier uit zien te komen. Vroeg of laat zou Graf het kunnen uitleggen en de politie bellen. Ze racete de uitgang uit, de koude lucht in, en draafde over het drukke parkeerterrein, bedacht op rondrijdende auto's. Ze kwam uit bij een weg en een gebouw. Er hing een bordje waarop stond: CHESTER COUNTY BIBLIOTHEEK.

Een bibliotheek? Daar zouden ze haar nooit zoeken. Ze zouden denken dat ze er met haar auto vandoor zou gaan, maar als ze dat zou doen, zouden ze haar zo in de gaten krijgen. Ze rende naar de grote bibliotheek, opgebouwd uit gele bakstenen, met moderne schuine daken en getinte ruiten, en toen ze bij de ingang was, ging ze gewoon lopen, trok ze haar kleren recht en liep ze snel naar binnen.

Ze slaakte een zucht van verlichting toen ze binnen was, en onderging de stilte als een verademing. Het was een grote en moderne bibliotheek, met een dik grijsblauw tapijt op de grond, een brede entree en in het midden een open boekenkast. De balie was rechts, waar bruine bordjes hingen met daarop BETALINGEN, TERUGGAVE en BIBLIOTHEEKPASJES. Er stonden mensen te wachten.

Nat liep naar rechts, langs de balie en een brede gang in, waar het beduidend minder druk was. Ze dook tussen de boekenstellingen om zich te verstoppen. Er waren overal boeken om haar heen en ze voelde zich helemaal thuis tussen de geplasticifeerde omslagen en de pictogramaanduidingen. Een doodskop op de rug gaf aan dat ze bij de detectives was beland, waar ze dol op was. Toen zag ze opeens een stel computers aan de andere kant van de ruimte staan. De opzoekhoek. En er was bijna niemand in de buurt.

Ze liep naar de overkant, langs een heleboel andere computers, waar op een paar moderne houten bureaus computers en groene periodieken stonden. Er waren hier alleen maar een stel tienermeisjes, die zaten te kletsen en te giechelen, en zich ongetwijfeld ook ergens voor verstopten. Nat was klein genoeg om voor een van hen door te gaan als ze zich ook zo gedroeg. Ze liep snel naar de stoel naast hen, ging zitten, en boog zich over een toetsenbord. De meisjes stonden allemaal om een computer heen, dus zij ging ook internet op. Ze was aan het surfen en giechelde op hetzelfde moment als de meiden, maar hield wel haar hoofd gebogen.

De blondste tiener zei: 'Niet te geloven dat hij die foto van haar op zijn MySpace-page heeft gezet, want hij heeft me gemaild en zei dat hij haar helemaal niet mocht en haar alleen maar meenam naar het schoolbal omdat hij me wilde laten zien...'

Terwijl ze aan de computer zat, kreeg Nat een inval. Ze ging naar Google en tikte 'Anjela Reynolds' en 'Pennsylvania' in, en ze kreeg meteen de resultaten te zien. Ze klikte de bovenste aan. ANJELA REYNOLDS (76) WAS TOT DE BESTE 65+-GOLFSTER UITGEROEPEN...

De blonde tiener zei: 'Ik wilde hem mailen, en weet je wat hij deed? Hij had me op zijn spamlijst gezet! Niet te geloven, toch? Wat een lul, zeg. Dus ik heb mijn moeders e-mailadres gebruikt en toen zag ik dat hij online was terwijl hij tegen mij had gezegd dat hij met zijn ouders naar de bioscoop zou gaan en...'

Nat klikte de volgende mogelijkheid aan. Het artikel kopte met KIND GEDOOD IN VUURGEVECHT. Ze las het artikel snel door.

De dood van de kleine Anjela Reynolds is een klassiek geval van een onschuldig slachtoffer. Helaas was dit keer het slachtoffertje pas vier jaar. De kleine Anjela zat vredig in haar blauwe wandelwagen te doezelen toen er een vuurgevecht losbarstte tussen twee rivaliserende drugsbenden voor haar moeders rijtjeshuis in Chester. De politie denkt dat het derde schot Anjela's vroege dood betekende.

Nat las door, maar er stond niets in over de man die op zijn pick-up haar naam had staan. Ze keek naar de foto op de webpagina. De familie zat diepbedroefd bij het graf, met voor hen een kleine witte lijkkist. Een vrouw leunde vol verdriet met haar hoofd tegen de schouder aan van een man met cornrows. Nat herkende de man meteen. Het was de bestuurder van de pick-up. Ze keek naar het onderschrift van de foto.

(VAN LINKS NAAR RECHTS) OM DE KLEINE ANJELA REYNOLDS ROUWEN HAAR MOEDER LETICIA REYNOLDS, HAAR VADER MARK PARRAT UIT CHESTER...

Mark Parrat. Hij was de bestuurder van de pick-up. Nat dacht erover na. Was Parrat ook degene met de bivakmuts op geweest? Was hij degene die de trooper had doodgeschoten en Barb had verwond? Ze gaf als zoekopdracht 'Mark Parrat Chester Pennsylvania' en las de kop: MARK PARRAT VRIJ NA BORG. Wat had Parrat gedaan? Ze wilde net het artikel lezen, toen ze achter zich een hoop herrie hoorde en ze keek over de meisjes heen. Een beveiligingsmedewerker stond te praten met de bibliothecaresse, die een lange corduroy rok en snowboots droeg. Nat boog snel haar hoofd en hoopte dat hij haar niet zou zien.

Het blonde tienermeisje was nog aan het vertellen: 'Dus heb ik gesms't, maar ik zei niet dat ik wist dat hij online was, en ik vroeg in welk restaurant hij zat omdat Kimmy en ik...'

Vanuit haar ooghoek zag Nat de beveiligingsmedewerker weglopen. Ze ging snel verder met het artikel:

Mark Parrat uit Chester werd vandaag op borgtocht vrijgelaten, in afwachting van een aanklacht wegens drugshandel en wapenbezit. Parrat is naar verluidt de rechterhand van drugskoning Richard Williams, die aangeklaagd is wegens moord op zes concurrenten in de Bex Street-slachting. Williams zit vast wegens drugshandel en samenzwering. De rechtszaak tegen hem is deze winter.

Nat knipperde met haar ogen. Richard Williams. Ze kende die naam. Hij was de federale gevangene in de Chester County gevangenis. Zijn rechtszaak begon aanstaande dinsdag. Het klopte helemaal met haar theorie. Graf en Machik hadden vast drugs aan de gevangenen verkocht, samen met Parrat en Williams. Saunders had het ontdekt, en Graf had hem vermoord zodat hij zijn mond zou houden. Upchurch was gewoon gebruikt om Saunders die kamer in te krijgen waar geen beveiligingscamera was. Het zou allemaal prima zijn gelopen, als er geen gevangenisopstand was geweest en Nat niet die kamer in was gerend.

Het meisje was nog steeds bezig: 'Dus ik zei tegen Courtney dat ik wel wat troost kon gebruiken en dat we ijs moesten kopen en popcorn met roomboter erop en *Miss Congeniality II* moesten huren, ook al heb ik die al tig keer gezien...'

Nat stond snel op, draaide zich geluidloos om en liep terug tussen de boekenstellingen door en gluurde over de boeken heen. De bibliothecaresse ging terug naar de balie en Nat liep naar de deur en ging snel naar buiten.

De adrenaline gierde door Nat heen, dus ze had amper last van de bittere kou. Ze hield haar hoofd gebogen en keek rond of ze Graf of de beveiligingsmedewerker zag. Maar nee. Alleen maar twee vrouwen met blauwe canvas boodschappentassen die naar de bibliotheek gingen en mensen met grote volle tassen die uit het winkelcentrum kwamen. De Neon stond helemaal aan de andere kant van het winkelcentrum. Ze liep rustig door, kwam langs JCPenney, maar bleef op haar hoede voor beveiligingsmedewerkers, want ze voelde zich zonder NASCAR-petje erg onveilig. Ze haastte zich langs de winkel, sloeg de bocht om naar het parkeerterrein en de entree van het winkelcentrum en bleef opeens staan.

Er stond een zwart-witte politiewagen voor Houlihan's. Het achterportier stond open. De oude vrouw die iets had gezegd over de kras, zat op de achterbank van de auto, met haar arm tegen zich aan gedrukt. Een agent stond met haar te praten. Nat kon niet zien wat er aan de hand was, maar er kwam een ambulance aan, die naar de politieauto toe reed. Niemand keek naar Nat. Ze hield haar hoofd gebogen en liep naar de Neon.

Er liepen twee vrouwen langs die in gesprek waren. 'Niet te geloven, toch?' zei de een. 'Die zwarte man liep die oude mevrouw zo omver en reed weg. Hij reed haar bijna aan met zijn pick-up.'

Parrat. Nat liep door. De zwarte Bronco van Graf stond nog steeds op zijn plek, dus hij kon elk moment opduiken. De achtervolging in het winkelcentrum was alweer een kwartier geleden. Graf had de politie dus al kunnen uitleggen dat zij de schuldige was. Ze onderdrukte haar angst. Ze kon het zich niet veroorloven in paniek te raken.

De ambulance stopte naast de politiewagen. De agent ondersteunde de oude dame naar de ziekenauto. Nat liep snel langs een rij geparkeerde auto's en rende om een wegrijdende Lexus SUV heen. Ze hield de ambulance in de gaten. De chauffeur stapte uit en praatte met de vrouw en de agent, zodat ze hen niet meer kon zien.

Nog drie rijen auto's tussen haar en de Neon. Ze moest er meer vaart achter zetten. Een vuile witte Tahoe reed langs en Nat rende eromheen. Nog maar twee rijen. Een busje remde af om te parkeren en haastte zich tussen de geparkeerde auto's door. Nog een rij. Ze zette een tandje bij en kwam eindelijk bij de Neon aan.

Yes! Haar hand trilde toen ze de sleutel pakte en ze stak hem in het slot, opende het portier, sprong erin en startte de motor. Ze trapte het gaspedaal in en wilde net wegrijden toen er opeens een zwarte Hummer tevoorschijn schoot en pal voor haar bumper met piepende remmen tot stilstand kwam.

Nat greep het stuur beet en wachtte op de klap, die niet kwam. Ze moest door haar paniek net voor de Hummer zijn weggereden. *Toet! Toet!* De chauffeur van de Hummer toeterde verontwaardigd. De enorme chromen grille blokkeerde Nat. De bestuurder van de Hummer schreeuwde naar haar, maar ze lette niet op hem en keek naar de politiewagen. De agent keek waar de herrie vandaan kwam, en schermde zijn ogen af tegen de zon. De chauffeur van de ambulance ondersteunde de oude dame en zij wees opeens naar de Neon.

Nat rukte haar stuur naar links, trapte op het gaspedaal en reed de stoep op om het parkeerterrein af te komen. Er stonden auto's te wachten voor een verkeerslicht waardoor de uitgang vol stond. Ze racete als een stuntvrouw naar de middenberm en scheurde het parkeerterrein af via de ingang, waarbij ze bijna tegen een busje aan reed. Ze schoot Lancaster Avenue op en hield het gaspedaal ingetrapt.

Ze hoorde een politiesirene, maar Nat had geen tijd om achterom te kijken. Het was druk op Lancaster Avenue en ze reed de berm in en rechtdoor, steeds sneller totdat ze 115, 130 kilometer per uur reed. Bestuurders keken haar met open mond na. Ze bleef gas geven. De Neon scheurde over de berm. Ze keek in haar achteruitkijkspiegel. De politiewagen kwam het winkelcentrum uit racen.

Vlak achter haar aan.

38

Nat dacht snel na. De agent zou haar op een rechte weg zo inhalen. De Neon kon niet tegen diens zware motor op. De sirene werd luider toen de politiewagen dichterbij kwam. Er gingen al auto's aan de kant om hem erdoor te laten.

Ze schoot een zijstraat in en deed haar best niet in paniek te raken. Ze greep het stuur stevig beet en klemde haar kaken op elkaar, draaide naar links en reed hard door. In het wilde weg nam ze een bocht naar rechts en ze lette op de weg. Huizen, bomen en auto's vlogen langs. Een oude man die zijn vuilnis buitenzette, stak zijn vuist naar haar op. Een vrouw die haar poedel uitliet, tilde hem vlug op. De politiesirene kwam achter haar aan. Ze zag de auto in haar achteruitkijkspiegel opduiken, maakte een ruime bocht en gaf weer gas.

Nats hart klopte haar in de keel. Ze reed de volgende straat in. Een grijze Mercedes kwam haar tegemoet. Ze reed naar de stoep om erlangs te rijden, en schoot toen met piepende banden door. Meteen daarna hoorde ze nog een sirene, wat verder weg dan de andere. De agent moest om versterking hebben verzocht.

Ze trapte op het gaspedaal. Ze kon de politiewagens nog niet zien, maar wel horen. Ze zag alleen nog maar de weg. Opeens moest ze uitwijken omdat een Taurus-gezinsauto, met een paar kinderen op de achterbank, de oprit uit kwam rijden.

Lieve god! Ze wilde niemand vermoorden. Ze wilde zelf ook niet dood. Ze moest hier weg zien te komen. Ze nam een bocht naar rechts, slippend over een stukje ijzel achter in de straat, en zag toen een bordje. Route 100.

Ze racete door, volgde de bordjes en vloog de oprit op voor de snelweg. De politiewagen kwam net de bocht om, pal achter haar aan. Door de rechte weg kreeg de politie de kans dichterbij te komen; de grille van de dienstwagen leek wel een muil. Ze kwamen tegelijk op de snelweg, de achtervolger en de achtervolgde. De andere sirene kwam dichterbij. Het verkeer week uit voor de sirene en Nat scheurde over de middelste baan, met de politie pal achter haar. Het was nu of nooit. Ze klemde haar kaken op elkaar en gaf plankgas.

De snelheidsmeter van de Neon gaf 145 aan en bleef daar hangen. Nat racete naar de berm, zodat ijs en grint opspatten. Het stuur ging alle kanten op. Ze kon de wagen maar net in bedwang houden. Opeens zag ze een stuk ijs voor zich in de berm. Ze had amper tijd om iets te doen en hoorde zichzelf gillen toen ze het stuur naar links trok. De achterkant van de Neon schoof weg, maar ze hield de macht over het stuur, want door haar angst was ze diep geconcentreerd.

Boem! Ze hoorde een luide knal. Nat keek in haar achteruitkijkspiegel. De politieauto tolde in een afwisselend zwarte en witte wazige vlek rond. Hij moest op het stuk ijs terecht zijn gekomen. Maar er was nog een politiewagen. Ze zouden haar op de snelweg te pakken krijgen. Ze probeerde te bedenken waar ze naartoe moest gaan. Ergens waar ze haar niet zouden verwachten. Ze zag een bordje waarop stond BRANDYWINE VALLEY MUSEUM en ze wist dat ze goed zat. Ze reed naar de afslag voor haar terwijl ze hoorde dat de andere sirene steeds dichterbij kwam. Ze nam de afslag, reed om een auto heen die voor het rode licht stond te wachten en schoot naar voren.

Toet! Nat deed net of ze het niet hoorde en nam een bocht naar rechts en toen een naar links. Ze nam gas terug en zag dat de omgeving een stuk rustieker was en voor de eerste keer in wat een erg lange tijd leek, haalde ze weer adem. Ze nam de volgende bocht met veel snelheid, toen weer een bocht, en kwam uit op een B-weg.

Onderweg zat ze na te denken. Ze moest de Neon kwijt zien te raken. De politie wist het kenteken. Zodra er een opsporingsbevel uitging, zou ze opgepakt worden. Iemand die een agent had vermoord, zou in een felblauwe Neon niet lang blijven rondrijden. Het was nog zo'n twintig minuten rijden, toen tien, toen vijf. Ze was er bijna en keek naar de stenen schuren, stallen en buitengebouwen of ze er iets aan had. Ze reed langs een goed onderhouden huis, zag toen een vervallen stenen schuur en kwam tot stilstand.

Op een verschoten bordje stond: TE KOOP. Er lag een modderig veld om de schuur heen, met hier en daar wat sneeuw. De stenen brokkelden af en door de afbladderende verf op de groene deur was grijs hout te zien. Een grintpad leidde van de weg naar de schuurdeur, en eromheen was een hek met schrikdraad, dat kapot was. Het was helemaal perfect.

Ze sprong uit de Neon, rende naar het hek en trapte het om. Ze stapte weer in, en reed over het hek heen. Ze stapte uit, liep haar het hek en trok het overeind. Toen rende ze terug naar de auto en reed de oude oprit op, maar ze bleef op het grint zodat er geen bandensporen te zien waren.

Ze kwam bij de schuur en liet de motor van de auto draaien, stapte uit en trok aan de deurknop. Na een tijdje gleed de deur over de roestige rail naar rechts. Ze wurmde zich naar binnen en schoof, nat van het zweet, de deur helemaal open. In de donkere schuur keek ze om zich heen. Er hingen spinnenwebben aan de balken van het plafond als de vitrage van haar moeders, en hooi dat naar schimmel rook lag naast een stel vuilnisvaten. Er lag een stuk oud zeil over een stoffige werkbank en een vettige oude rode olietank. Tegen de smerige stenen muur zag ze een eg, onder het vuil, en oud hooi en stenen.

Nat haastte zich terug naar de auto, reed hem de schuur in, zette de motor af en stapte uit. Ze stopte het dossier van het bouwbedrijf in haar tas, rende naar de deur en trok hem dicht. Het was donker in de schuur, omdat er geen ramen in zaten, alleen maar wat ventilatiegaten. Ze herinnerde zich het blauwe stuk zeil dat op de werkbank lag en liep ernaartoe toen haar ogen aan het donker gewend waren. Ze pakte het zeil, liep weer naar de auto en gooide het eroverheen, zodat allebei de bumpers bedekt waren.

Voor de eerste keer die dag voelde ze zich goed. Het zag ernaar uit dat ze zowel de politie als Graf ontlopen was. Ze had nooit gedacht dat ze tot zoiets in staat was. Haar vader had het vast ook nooit geloofd, hoewel ze niet wist of hij zou wel zo trots op haar zou zijn. Maar op de een of andere manier deed dat er niet meer toe. Ze zette een stap naar achteren om haar handwerk te bewonderen, toen ze opeens een luid gekraak hoorde.

En voordat ze wist wat er gebeurde, zakte ze door de grond.

39

Nat had geen idee wat er was gebeurd. Ze zat wijdbeens onder in een donker, nauw gat. Ze was op haar achterwerk gevallen, en dat deed pijn. Ze keek geschrokken omhoog. De houten vloer, anderhalve meter boven haar hoofd, was versplinterd. Ze zat drie meter onder de grond, of misschien nog wel meer.

Ze krabbelde kermend van pijn overeind, en pakte een stukje hout op dat mee was gekomen en op haar been was gevallen. Het voelde licht en poreus aan. Ze kon het zo doormidden breken. Het was volkomen verrot: houtworm, of misschien wel termieten. Opeens viel haar iets vreselijks in: stel dat de Neon boven op haar zou vallen?

Ze sloeg automatisch haar handen over haar hoofd, alsof dat ook maar enigszins zou helpen. Toen keek ze angstig omhoog. Het was donker in het gat, het enige licht kwam van boven, door het versplinterde hout. De Neon stond rechts van het gat. Ze keek om zich heen, maar kon niets zien. Ze stond met haar rug tegen een muur, draaide zich om en voelde eraan. De wand was koud en nat. Vies. Ze trok haar hand terug en rook eraan. Aarde. Ze draaide zich weer om en kon niets zien.

Ze dacht na. De vloer van de schuur bestond uit aarde en steen; alleen het gedeelte vlak bij de deur was van hout. Doordat ze er met de auto overheen was gereden, hadden de oude planken een opdoffer gekregen en ze hadden het begeven toen ze erop was gaan staan. De Neon stond op een stevige aarden ondergrond, dus die zou niet vallen.

Heel fijn. Ik mag dan in een gat in de grond zitten, ik krijg tenminste niet de auto op mijn kop.

Nat voelde aan de wand voor haar. Het was net of het gat gegraven was, lang en smal, maar groot genoeg voor een mens. Ze zag voor zich dat iemand het met zijn wijsvinger had gemaakt, die in de aarde zat te graven alsof er een zaadje moest worden geplant. Maar ze moest eruit zien te komen. Ze sprong, maar kwam lang niet hoog genoeg. Toen ze weer op de grond terechtkwam, gleed ze een beetje uit, maar ze voelde geen aarde op die plek. Hoe kwam dat?

Ze tuurde naar beneden, maar het was te donker om iets te zien. Ze vond het maar eng. Wat was daar? Ze zag opeens het afgrijselijke filmbeeld voor zich van een slangenkuil. Ze wilde wegschuifelen, maar kon geen kant op. Ze stond letterlijk met haar rug tegen de muur. Ze sprong weer, maar gleed opnieuw weg toen ze neerkwam. De grond in het gat was ongelijk. Ze kon geen hand voor ogen zien. Toen viel haar opeens iets in. Aan de sleutelring van de Neon hing van alles en nog wat, typisch iets voor een tienermeisje.

Ze haalde de sleutels uit haar jaszak. Er hing een pluchen hartje aan, een klein Zwitsers zakmes en een piepklein zaklampje. Nat knipte het lampje aan en scheen ermee op haar voeten. Geen slangen, alleen maar aarde. De zaklamp wierp een vage, bijna doorzichtige lichtkring op de aarden muur voor haar, en ze snakte naar adem. De muur aan die kant van het gat was niet helemaal dicht, zoals ze had aangenomen. Hij was open tot boven haar knieën, en leek naar een ander gat te leiden.

'Hallo?' zei ze, maar ze hoorde geen echo. Ze ging zo goed en zo kwaad als het ging in het krappe gat op haar hurken zitten en scheen met de zaklamp in het volgende gat. De straal was niet sterk genoeg om te tonen wat daar was. Ze zag al schatkisten vol met gouden munten voor zich en skeletten vastgeketend aan de muur. Ze ging zitten, stak haar voeten in het gat en scheen met de zaklamp langs haar lijf naar binnen. Ze kon dicht bij haar voeten een aarden bodem zien.

Nat liet zichzelf als een kind op een modderige glijbaan naar beneden zakken en tuimelde in een groter gat. Ze piepte, maar de aarde dempte het geluid. Ze scheen met de zaklamp om zich heen in dit nieuwe gat. Er was aarde aan alle zes de kanten, rijke bruine aarde met oranje kleistrepen erdoorheen. Er zaten hier en daar stenen. Het plafond was zo hoog dat ze rechtop kon staan, als je tenminste niet langer was dan Nat, en net als de muren, was dat verstevigd met oude houten planken.

Zijn deze planken ook vergaan? Word ik straks levend begraven? En hoe zit het met zuurstof? Ik ben eigenlijk best wel gesteld op een beetje zuurstof.

Nat zette de negatieve gedachten van zich af. Ze stond in een soort kamertje dat door mensen was gemaakt. Het leek haar te veel werk voor alleen maar een voorraadkamer. Ze scheen met het zaklantaarntje op een van de planken achterin, toen haar wat krassen opvielen. Ze liep ernaartoe en richtte de straal op de planken. Daarin stonden de initialen C.J. gekerfd en daaronder T.J. Ze streek er met haar vingers overheen. Ze waren er met een primitief mes in gekrast. Ze keek wat verder op de plank. Er stonden nog meer initialen: L.M., C.M. Toen zag ze een datum: 28 april 1860.

'Lieve hemel,' zei Nat hardop. Ze kon het niet geloven. 1860. Ze wist wat dat inhield, want ze gaf daar elk jaar les in. Dit was een halte van de Spoorloze Spoorweg. Een reeks gaten onder de grond, verborgen door luiken, en geheime schuilplekken voor slaven die uit Maryland en van nog dieper uit het zuiden wilden ontsnappen. Een paar haltes waren huizen geweest met schuilplekken, maar de meeste waren ondergebracht in bijgebouwen, zodat ze sneller weg konden komen als de slavenjagers opdoken. Er waren heel wat historische huizen in Chester County waar slaven zich hadden verstopt. Nat kende ze allemaal, en vond hun namen als geschiedkundige prachtig: het huis van Moses en Mary Pennock, het huis van Eusebius en Sarah Barnard. Mordecai en Esther Hayes. Isaac en Thomazine Meredith.

Nat keek verrukt om zich heen. Dit gat was nog niet bekend. Het was bijna honderdvijftig jaar lang perfect verstopt geweest, en nu had zij het ontdekt. Een geheime plek voor heel veel arme, wanhopige zielen. Nat had de geschiedenis van het recht gedoceerd, en nu zat ze ermiddenin. De tranen sprongen haar in de ogen en ze onderdrukte ze terwijl ze met haar vingers over de planken streek. Ze vroeg zich af hoeveel dappere mensen naar het noorden waren ontsnapt. Hoeveel er waren teruggekeerd. Hoeveel er waren opgepakt, geslagen, of zelfs gedood.

Dit was heilige grond en de planken waren ook heilig, vol gekrast met initialen en datums, die Nat bij het licht van de zaklantaarn kon lezen. L.B., aug. 1859; M., 1862; LU, 1861. Enkele slaven hadden hun naam voluit gezet: January Grandy, Hannah Clemen. Sommigen hadden getallen bij hun naam geschreven, waarvan Nat dacht dat het hun leeftijd moest zijn: Jed, 19. Mary, 9. Veel initialen waren niet meer te onderscheiden, maar ze kon ze nog wel voelen met haar vingertoppen. Ze wist nog dat ze Angus over de Spoorloze Spoorweg had verteld toen ze in de Kever zaten en naar de gevangenis reden. Wacht maar tot ze hem over deze geheime plek onder de grond kon vertellen!

Nat knipperde met haar ogen. Een geheime plek onder de grond. Mensen hadden die gebruikt om naar de vrijheid te kunnen vluchten. Ze moest voor de zoveelste keer weer denken aan Saunders' laatste woorden.

Zeg tegen mijn vrouw dat het eronder zit.

Ze dacht erover na, zoals ze zo vaak had gedaan. Maar dit keer vanuit een andere invalshoek. Saunders had gezegd: 'Het zit eronder.' Terwijl hij dat had gezegd, had hij op de grond van de kamer van de bewakers gelegen, de kamer zonder camera. Misschien had hij het helemaal niet over zijn huis gehad. Nat had dat aangenomen omdat hij had gezegd 'zeg tegen mijn vrouw'. Maar als ze nu even dat gedeelte liet varen... Stel dat Saunders had bedoeld dat 'het' onder de kamer lag waarin hij toen was, dus in de gevangenis? En wat zou er onder een gevangenis zitten?

Een tunnel?

'Hallo,' zei Nat hardop in het donkere gat. Het zou kunnen. Dat was helemaal niet zo gek. Door tunnels konden mensen ontsnappen. Ze stond er zelf in eentje. Maar voor wie zou de tunnel in de gevangenis zijn? Het duurde niet lang voor ze het wist.

Richard Williams.

Williams was de drugskoning die al bijna een jaar in de gevangenis zat. Hij wilde vóór de rechtszaak ontsnappen, omdat hij levenslang zou krijgen voor datgene waarvoor hij werd aangeklaagd. En hij had geld genoeg om een tunnel voor hem te laten graven. Hij had Graf ervoor kunnen betalen. En Graf had zijn broer de aannemer erbij gehaald. Het zou gemakkelijk kunnen gebeuren onder het mom van de verbouwing. Als Phoenix, of Jim Graf dan, 's nachts had gegraven terwijl Joe Graf dienst had, zou niemand het weten. En al helemaal niet als Machik er ook bij betrokken was.

Nat zag opeens het licht. Het ging helemaal niet om drugs. Het was veel winstgevender dan dat, en veel erger. Ze lieten een gevaarlijke moordenaar door een tunnel onder de grond ontsnappen. Hoeveel zou Williams betalen om onder zijn straf uit te komen? Een paar miljoen dollar, misschien zelfs meer? Geen wonder dat Machik als een speer die kleedjes uit de kamer van de bewakers had gehaald. Die kleedjes hadden over de toegang van de tunnel gelegen, en als iemand ze had bekeken, dan zou de aarde aan de onderkant zijn opgevallen. Geen wonder dat ze de kamer hadden verbouwd toen Nat en Angus vragen gingen stellen. Ze moesten de tunnel zien te verbergen. Geen wonder ook dat er zoveel balken waren besteld. Het had een jaar gekost om te graven en nu stonden ze op het punt er gebruik van te gaan maken, zodat er een gewetenloze moordenaar op vrije voeten zou komen.

Nat snakte naar adem toen ze begreep wat er was gebeurd. Saunders was vermoord omdat hij een complot had ontdekt voor een ontsnapping en niet voor drugs. Upchurch bleef nog steeds het geofferde lam. Toen besefte Nat opeens nog iets. Als de moord op Saunders en Upchurch bedoeld was om de ontsnapping te verbergen, dan was de opstand misschien ook wel niet spontaan geweest. Die was aan de andere kant van de gevangenis ontstaan om iedereen af te leiden van de moorden die elders plaatsvonden. Een opstand in de rehabilatieafdeling was perfect om iedereen bezig te houden terwijl Saunders en Upchurch in de kamer van de bewakers werden vermoord.

Ze dacht na. Dat leek logisch. Ze had tegen de stroom in moeten werken om die ochtend hulp te krijgen. Alle mannen van het SWAT-team en de PI's renden de andere kant op, naar de RA. Alleen maar omdat ze was aangerand, was ze de verkeerde kant op gerend om hulp te zoeken, en had ze de slachtpartij in het kantoortje ontdekt.

Ze was verbijsterd door het complot en moest opeens denken aan het krantenartikel dat ze die dag had gelezen. De rechtszaak tegen Williams zou deze week beginnen. Ze kon zich herinneren dat in het artikel had gestaan dat het op dinsdag zou zijn. Dat kwam overeen met de reden waarom Graf met Parrat bij Houlihan's had afgesproken: ze moesten alles nog een keer doornemen. Williams zou de volgende dag naar Philadelphia worden overgebracht.

Dat betekende dat Williams deze avond nog uit de gevangenis zou moeten ontsnappen.

En Nat was de enige die dat wist.

40

Nat keek verbijsterd naar de ingekerfde initialen in het bleke, dunne licht van de zaklantaarn, als een manestraal in het donker. Ze dacht nog eens over haar theorie na, maar het leek allemaal te kloppen. Maar wat kon ze ermee doen? Hoe kon ze het aan iemand vertellen? Ze had geen gsm bij zich, helemaal niets. Ze keek op haar horloge, waarvan de cijfers een akelig groene kleur hadden en op deze historische plek anachronistisch opgloeiden. Het was 16.10 uur. Ze zouden wachten tot het donker was voordat ze Williams lieten ontsnappen. Ze hadden de dekmantel van het donker nodig. Ze moest ze tegenhouden en ze had daar niet veel tijd meer voor.

Eerst moest ze uit het gat zien te komen. Ze scheen met het zaklantaarntje op de muur waar het eerste gat in zat. De stenen waarvan ze aanvankelijk had gedacht dat ze lukraak waren gebruikt, waren zo geplaatst dat er een soort trap was ontstaan. Ze was verbijsterd door de slimheid en de moed van deze onwetende mensen. Ze zette haar voet op de onderste stapsteen en hij was stevig genoeg om haar te houden, en gebruikte vervolgens de andere om weer in het oorspronkelijke gat terug te komen, waar ze probeerde te bedenken hoe ze uit het gat kon komen. Ze kon zelf treden uit de aarden muur graven. Ze had nu gezien hoe het moest. Ze had zelfs een mesje om dat te doen. Ze fluisterde een bedankje en ging aan de slag.

Bijna twee uur later was ze het gat uit en ze had een plan en nog maar erg weinig tijd. Ze veegde aarde van haar broek en jas, haalde het blauwe zeil van de Neon en trok de schuurdeur open. Er reed een enkele auto op de weg; ze zag eerst de koplampen en vervolgens de achterlichten. Het was zondagavond, dus er zou weinig verkeer zijn. Daardoor zou ze eerder opvallen bij de politie, maar dat moest dan maar. Het was in elk geval donker, en het was koud. De sterren stonden als diamanten op het zwarte fluweel van een juweliersuitstalling aan de heldere lucht te stralen.

Ze stapte in, startte de motor en reed achteruit de schuur uit en de oprit op naar de weg, waarbij ze dwars door het gammele hek heen reed. Ze trapte het gaspedaal in en scheurde de weg op. Ze had een telefoon nodig. Ze remde af toen ze langs een huis reed en dacht erover om te vragen of ze die van hen mocht gebruiken, maar verwierp dat idee toch maar. Het risico was te groot. Ze reed door en zag een verlichte dorpswinkel voor zich, maar die was gesloten. Na verschillende huizen zag ze een benzinestation met een telefooncel.

Ze reed ernaartoe en zette de auto dusdanig neer dat het kenteken vanaf de weg niet te zien was. Toen stapte ze uit en rende naar de telefooncel. Ze liet de deur op een kier staan, zodat het licht niet aan zou gaan en gebruikte de zaklantaarn om het alarmnummer te bellen. De verbinding kwam tot stand en Nat zei: 'Ik wil doorgeven dat er vanavond iemand uit de gevangenis van Chester County zal ontsnappen –'

'Met wie spreek ik?' vroeg de telefoniste.

'Dat maakt niet uit. Ik weet zeker dat de gevangene Richard Williams zal ontsnappen uit –'

'Mevrouw, waar bent u nu?'

'Wilt u alstublieft naar me luisteren? Als u niet luistert, loopt er straks een uiterst gevaarlijke crimineel weer vrij rond.'

'Mevrouw, waar is het noodgeval?'

'In de gevangenis.'

'Bent u daar nu, mevrouw?'

'Nee, maar er zal snel iets gebeuren in de gevangenis. U moet de politie ernaartoe –'

'Loopt u gevaar, mevrouw?'

'Nee, maar er zal een ontsnap –'

'Het spijt me. Dit nummer is alleen voor noodgevallen bedoeld. Als u een misdaad wilt aangeven, bel dan...'

Nat herhaalde het nummer, hing op en diepte nog een muntje op uit haar zak en belde toen de politie. Ze zette een andere stem op, voor het geval Milroy, Mundy of een van de andere troopers zou aannemen en zei: 'Is trooper Mundy aanwezig?'

'Nee, die is er niet. Met wie spreek ik?'

'Dat kan ik niet vertellen. Vanavond zal er een gevangene uit de gevangenis van Chester County ontsnappen en –'

'Ginny, schatje, je denkt toch niet dat ik je stem niet herken? Je lijkt wel een transseksueel.' De trooper grinnikte. 'Ik heb toch gezegd dat je dit soort telefoontjes niet meer moet plegen, anders mag je nooit meer blijven slapen. Ophouden, nu.'

'Nee, luister nou. Ik ben Ginny niet. Het is de waarheid.'

'Wie ben je dan wel, als je Ginny niet bent?'

'Dat maakt niet uit, maar luister nu toch. Stuur nu meteen een auto naar de gevangenis.'

'Ginny, ik zei toch dat je niet meer moest bellen? Kappen nu.' Hij hing op.

Nat hield wanhopig de hoorn in haar hand. Wie kon ze nu nog bellen? Ze keek nerveus naar de weg. Er reed een busje langs. Ze belde Inlichtingen, haalde weer een muntje uit haar zak tevoorschijn, en draaide het nummer van de FBI in Philadelphia. Toen ze iemand aan de lijn kreeg, zei ze: 'Ik weet niet precies wie ik hiervoor moet hebben, maar ik weet dat er vanavond iemand uit de gevangenis gaat ontsnappen –'

'Pardon, maar met wie spreek ik?' vroeg de agent.

'Dat maakt niet uit. Maar u moet me geloven. Er zitten mensen van u bij de Chester County gevangenis die Richard Williams in de gaten houden, nietwaar?'

'Wie wil dat weten?'

'Mooi. Vanavond zal er een ontsnapping plaatsvinden. Een PI, de onderdirecteur en een drugsdealer hebben samen de ontsnapping van Williams geregeld –'

'O, dat hebben ze samen geregeld dus?' De agent zuchtte. 'En hoe bent u daarachter gekomen?'

'Ik heb een en een bij elkaar opgeteld. Er was een gat van de Spoorloze Spoorweg en –'

'Sorry hoor, mevrouw, maar we hebben het heel erg druk. Ik raad u aan hulp te zoeken.'

'Nee, ik ben niet gek. Wilt u alstublieft naar me luisteren? Richard Williams –'

'Ga nu maar hulp zoeken.' De verbinding werd verbroken.

Nat hing op. Ze wist het niet meer. Ze richtte de zaklamp op het gsm-nummer dat ze op haar hand had geschreven en dat na de douche vaag was geworden, en belde Angus. Ze zag een auto op de weg rijden toen de telefoon overging, en werd emotioneel. Ze kreeg verbinding, en wilde net iets zeggen toen ze de voicemail hoorde. Ze vermande zich en wachtte op de piep.

'Angus, ik weet niet waar je bent of wanneer je dit bericht hoort.' Nat wachtte even. Ze wilde hem over de tunnel vertellen, maar ze had geen idee wat hij dan zou gaan doen. 'Dag.'

Ze was helemaal op en verbrak de verbinding. Eigenlijk wilde ze haar vader bellen, maar dat was natuurlijk van de gekke. Ze kon niet meer terug, dus moest ze vooruit. Ze moest de ontsnapping tegen zien te houden, en als niemand haar wilde helpen, dan zou ze het zelf moeten doen. Maar ze was niet dapper genoeg om er zelf op af te gaan. Zo was ze nu eenmaal niet. Ze hadden allemaal gelijk toen ze dat hadden gezegd. Ze was een geleerde, een geschiedkundige. Dit hield wel wat meer in dan je haar verven en domme petjes opzetten. Dit zou wel eens gevaarlijk kunnen zijn.

Ze moest opeens denken aan de verborgen kamer onder de grond en al die initialen, elk van iemand die buitengewoon moedig was geweest. Die mensen hadden gestreden voor gerechtigheid, onder omstandigheden die veel erger waren dan de hare. Als die het konden, dan moest zij het toch ook kunnen? Ze had drie jaar rechtsgeschiedenis gegeven, en ze had nooit begrepen waarom. Maar de geschiedenis herhaalde zich. Nu ook weer.

Ze rechtte haar schouders, liep de telefooncel uit en haastte zich terug naar de auto. Tijdens het rijden keek ze steeds in de achteruitkijkspiegel en remde af toen ze de bocht nam en, midden in de smeltende sneeuw, de gevangenis zag. Ze kwam dichterbij en zag het prikkeldraad en de lampen, en vlak bij de voordeur de zwarte sedan van de FBI-agenten. Ze kon alleen maar bij hen komen via het wachthuis, maar daar kon ze moeilijk langs gaan. Ze wist niet welke PI's er bij de ontsnapping waren betrokken, en Graf had misschien een van die mannen op de uitkijk gezet, omdat deze avond de ontsnapping zou plaatsvinden.

Nat bekeek de gevangenis goed toen ze met een rustig gangetje langsreed om geen aandacht te trekken. Het gebouw stond ver van de weg af en ze kon er niet stiekem naartoe lopen. De gevangenis was dusdanig ontworpen dat iedereen die wilde ontsnappen duidelijk zichtbaar zou zijn; en natuurlijk zou iedere idioot die erín wilde komen ook duidelijk zichtbaar zijn. Ze ging ervan uit dat de tunnel van de gevangenis naar de weg moest lopen, of in elk geval er dicht bij in de buurt. De tunnel had gemakkelijk in een jaar, of iets minder, gegraven kunnen zijn. Ze nam aan dat Parrat er die avond zou zijn om Williams op te pikken op de plaats waar hij boven de grond zou komen. Graf en Machik zouden ook dienst hebben, en ze zouden vast een verhaal klaar hebben over hoe Williams was ontsnapt. En dan opeens zouden ze schatrijk zijn.

Ze reed langs de ingang van de gevangenis en lette op of ze ergens iets zag wat wees op een tunneluitgang. Ze nam de bocht om een bosje altijdgroene bomen, en reed toen de heuvel op, met de blauwe watertoren als gids. De helling werd steiler en ze reed achter de watertoren om, en ging langzamer rijden toen ze achter de gevangenis was. Ze keek tussen de bomen door.

Ze kon geen tunneluitgang zien, maar ze zag wel een andere manier om plan B uit te voeren.

41

NAT MOEST METEEN TOESLAAN. Ze reed door totdat ze een open plek tussen de bomen zag, zette de auto neer in de berm en werd door de bomen rechts afgeschermd voor de bewakers in het wachthuis. Ze trok het dashboardkastje open en keek erin. Oude stukjes kauwgum, losse cd's, twee condooms, een tube handcrème en een doosje lucifers vielen op de passagiersstoel.

Bingo! Maar ze had nog meer dingen nodig. Ze stapte uit de auto en keek om zich heen. Het was donker, maar ze pakte de zaklantaarn en scheen ermee op de berm. In de vage lichtkring waren gravel, smeltende sneeuw en modder te zien. Ze bleef kijken en zag opeens een grote grijze steen. Ze schopte er hard tegenaan, en toen nog een keer. Ze kreeg hem maar een paar millimeter van zijn plaats, wat betekende dat hij zeer geschikt was. Ze ging op haar knieën zitten en verwijderde de sneeuw eromheen totdat ze hem eindelijk los kreeg. Toen tilde ze hem kreunend op en liep er zo snel mogelijk mee terug naar de auto.

Ze pakte haar tas, waar het dossier van het bouwbedrijf nog in zat, en hing die aan haar schouder. Toen pakte ze de steen, stapte ermee uit de auto en legde hem op de bodem van de auto. Ze pakte alle takken, gevallen bladeren en stokken van de grond die ze kon vinden, legde ze op de passagiersstoel, en pakte toen de bruine map die om het dossier van het bouwbedrijf had gezeten en zette die tussen de stokken. Ze streek een lucifer af en stak de map aan, die meteen vlam vatte. Toen ging het hout ook branden.

Ze keek om zich heen. De meeste sneeuw was gesmolten, maar de grond was nog zo koud dat hij stevig bleef. Er walmde donkergrijze rook in de auto. Het vuur verwarmde haar gezicht. Het was zover. Ze vermande zich en keek naar haar doelwit. Vlak bij de gevangenis, naast een keet van het bouwbedrijf, stond een rij witte tanks met propaangas. Haar hart klopte in haar keel. De propaantanks stonden zo ver van de weg af dat de huizen aan de straat geen gevaar liepen, en ook te ver weg bij het gevangenisgebouw om dat gevaar te laten lopen. Ze deed net als Graf. Als hij chaos kon creëren, dan kon zij dat ook.

Ze keek twee keer of de handrem wel aan was getrokken, en rolde toen de zware steen op het gaspedaal. De motor bromde kwaad en de wielen draaiden tegenstribbelend rond, waardoor modder, natte sneeuw en grint opspatten. Ze telde tot drie en haalde de auto toen van de hand-rem af en de Neon ging er als een speer vandoor, de heuvel af, recht-streeks naar de propaantanks. De auto racete over het terrein terwijl de vlammen uit de ramen lekten. De bewaker kwam het gebouw uit ge-rend, maar hij was te laat. De Neon knalde al tegen de propaantanks aan en reed de grote witte tanks omver alsof het bowlingkegels waren.

Kaboem! Kaboem! De tanks ontploften met een oorverdovende knal en een oranje vlam schoot de lucht in. Vonken regenden neer als vuur-werk. Er vlogen stukjes metaal door de lucht. En er hing een dikke rook-wolk. *Kaboem!*

Nat verschool zich achter de bomen. Er gingen sirenes af in de ge-vangenis. Er floepten lampen aan die alle hekken om de gevangenis be-schenen. De bewaker rende naar de brand. Twee FBI-agenten kwamen uit de zwarte sedan op het parkeerterrein hollen. PI's kwamen uit de ge-vangenis tevoorschijn. Het leek wel op een gevangenisoproer. Maar Nat kon nog even niets doen.

Opeens hoorde ze achter zich iemand schreeuwen en ze draaide zich om. Aan de andere kant van de straat gingen deuren van woonhuizen open. De bewoners kwamen naar buiten om te zien wat er aan de hand was. Een echtpaar van middelbare leeftijd haastte zich over hun stoep naar de overkant van de straat.

'Moet je kijken!' zei Nat, wijzend. Ze hield haar gezicht van hen af-gewend naar de brand toe. 'De propaantanks bij de gevangenis zijn ont-ploft!'

'Lieve hemel!' De vrouw trok een blauwe gevoerde jas dichter om zich heen en keek naar de brand; de oranje vlammen dansten in haar afge-schermde ogen. Haar grijsharige man, in een lange parka, kwam achter haar staan en ze zei tegen hem: 'George, moeten we niet even naar on-ze propaantanks kijken?'

'Nee, die komen echt niet spontaan tot ontploffing, liefje.'

'Hoe is dat dan gebeurd?'

'Geen idee,' antwoordde Nat, die net deed of ze naar de brand keek terwijl er steeds meer buren naar haar en het oudere echtpaar toe kwa-men lopen. Wanneer zou de politie arriveren? Waarom duurde het zo lang? Ze mocht het risico niet lopen dat ze haar zagen. Haar haar was zo blond dat het lichtgaf in het donker. Ze kon niet langer blijven staan. Ze liep naar de gevangenis en lette niet op de mensen achter haar, die naar haar schreeuwden.

'Hé, wacht!' riep een man. 'Dat blondje! Ze stond bij een auto toen ik de vuilnis buitenzette.'

Nee, hè? Nat hoorde iets achter haar en draaide zich om op hetzelfde moment dat een boze man van middelbare leeftijd haar jasje beetpakte.

'Terug, jij. Wat ben je eigenlijk aan het doen?'

'Laat los!' Nat trok zichzelf los en rende de heuvel af. Niemand mocht haar tegenhouden. Ze was er nu bijna.

'Stop!' schreeuwde de man, die haar achternakwam. Opeens hoorde ze in de verte sirenes loeien. Ze rende, met de man op haar hielen, zo snel mogelijk door, gehinderd door de modder en de sneeuw.

'Blijf staan! Ik bel de politie!'

Nat slaakte een kreet toen ze opeens bij de kraag werd gegrepen waardoor ze bijna werd gewurgd. De man had haar te pakken en trok haar naar achteren, zodat ze viel en in de natte sneeuw terechtkwam. Ze klapte met haar hoofd op de koude grond en stikte zowat toen de man zich over haar heen boog. Ze trapte zo hard ze kon tegen zijn been.

'Au!' De man sloeg dubbel en viel op de sneeuw; Nat krabbelde overeind en rende snel weg. De sirenes kwamen dichterbij. Politie. Brandweer. Er was hulp onderweg. De propaantanks brandden als een fakkel, de lucht om het zwarte skelet van de Neon was felverlicht. Ze draafde erlangs in de richting van de gevangenis terwijl de hel losbrak.

Er kwamen nog meer PI's de gevangenis uit rennen. Het SWAT-team holde naar de brand toe met draagbare brandblusapparaten. De Neon stond in lichterlaaie. Het rook naar brandend rubber. Iedereen brulde waarschuwingen en orders, en rende alle kanten op. In de chaos viel het niemand op dat er een kleine blonde vrouw naar de ingang van de gevangenis racete.

Nat bleef rennen. Ze zag drie politiewagens van rechts aan komen rijden. Ze scheurden de bocht om en reden naar de oprit van de gevangenis. Achter hen kwamen twee gele brandweerwagens met rode zwaailichten en loeiende sirenes. Ze holde naar de ingang. De oprit was verlicht en ze zag opeens de vrouwelijke cipier Tanisa. Nat rende naar haar toe.

'Tanisa, ik ben het, de vriendin van Angus!' schreeuwde ze om over het kabaal heen te komen, en ze greep Tanisa bij de arm. 'Williams wil vanavond ontsnappen. Graf zit erachter en Machik ook!'

'Jij?' Tanisa keek haar stomverbaasd aan, en zei toen woedend: 'Jij hebt Barb Saunders neergeschoten!'

'Nee, dat is niet waar. Richards heeft het gedaan, hij –'

'Je hebt die trooper vermoord!' krijste Tanisa, die haar een kaakslag wilde geven, maar Nat ging er snel vandoor. Tanisa gilde tegen een andere PI: 'Hou haar tegen! Pak die blonde griet!'

Nat draafde voor de bende uit. Er kwamen politiewagens aanrijden met loeiende sirenes. Troopers in uniform kwamen uit de wagens. Brandweermannen in zware canvas pakken sprongen uit de brandweerwagens en rolden de brandslangen af. Iedereen liep van hot naar her, het was één grote chaos.

Nat rende in al die verwarring naar de ingang, maar zag opeens een agent aan de andere kant van de massa die ook naar de ingang rende. Ze ving een glimp op van de zijkant van zijn gezicht. Ze herkende hem door de cornrows. Hij had een grijs uniform aan maar was geen trooper.

Het was Mark Parrat, de chauffeur van de pick-up. De man die in Houlihan's was geweest en waarschijnlijk ook degene met de bivakmuts op. Ze wilde net een kreet slaken, toen ze opeens van achteren werd beetgegrepen door twee sterke armen. Voor ze het wist, viel ze voorover op de harde, natte oprit met iemand op haar rug. De pijn explodeerde in haar voorhoofd.

'Zo slim ben je dus nu ook weer niet, hè, professor?' zei een man in Nats oor.

Toen werd alles zwart.

42

'Wakker worden!' zei een man. 'Het komt wel goed, meid. Als je maar weer op je benen staat. Je moet gewoon weer overeind komen.'

Wie heeft mijn vader binnengelaten?

'Wakker worden! Kom nou, zo hard heb ik je nu ook weer niet geslagen.'

Nat voelde dat er iemand op haar wang klopte. Haar voorhoofd bonkte, haar oren tuitten. De tunnel. De ontsnapping. Ze zag Saunders weer voor zich, bloedend op de grond. Ze hoorde zichzelf zeggen: 'Het zit eronder.'

'Wakker worden, professor. Het komt allemaal in orde.'

Nat sloeg haar ogen op. Ze lag plat op haar rug op de oprit van de gevangenis. Er was een hoop kabaal. Brandweermannen, agenten, en PI's renden schreeuwend af en aan. Over al om haar heen zag ze beweging. Iemand hing over haar heen; door de lampen was zijn gezicht duidelijk te zien. Trooper Mundy.

'Goedemorgen, professor. Nu u wakker bent, kan ik u arresteren.'

'Nee, u moet naar me luisteren.' Nat werd overeind gehesen. Ze vocht tegen de mist in haar hoofd. Er stroomde een straaltje warm bloed over haar gezicht. Ze bleef met moeite op haar knikkende knieën staan. 'Er is een tunnel onder de grond. Ze laten Williams vanavond ontsnappen. Parrat is hier. Hij gaat –'

'U gaat met mij mee.'

'Trooper, kijk er nou toch naar! Er zit een tunnel onder de grond! Ik heb de brand gesticht om ze tegen te houden! Ik heb hun plannen in de war gegooid. Parrat komt Williams eruit halen!'

'Hebt ú de brand gesticht? Schandalig gewoon!' brulde Mundy, die haar door de menigte voorttrok. 'Ik heb u verdedigd tegenover Duffy. U hebt me voor gek gezet.'

'Hij heeft een nep-politie-uniform aan!' Nat verzette zich tegen Mundy, sloeg op zijn armen, en gebruikte al haar kracht om weer bij de ingang te komen. 'Hij heeft de trooper vermoord! Hij heeft Barb neergeschoten!'

'O, nepagenten, hè? U bent helemaal gek geworden.'

'Nee, echt waar. Graf is erbij betrokken, samen met Machik en –'

'Ik heb gehoord dat u het bureau hebt gebeld en naar me hebt ge-vraagd, en net deed of u een man was. Ik weet niet wat er aan de hand is, maar u bent zo gek als een deur.'

Mundy bleef Nat weg trekken, maar dat kon ze niet laten gebeuren. God wist wat Parrat nu zou gaan doen. Dit was haar laatste kans. Williams zou ontsnappen. Mundy wilde niet naar haar luisteren. Niemand wilde naar haar luisteren. Haar studenten niet, haar broers niet, haar vader niet. Ze werd hoe langer hoe kwader. De woede die ze haar leven lang al had opgekropt kwam plotseling tot uitbarsting. Mug. Geleerd-heid uit boeken. Waarom wilde niemand toch naar haar luisteren?'

'Wilt u verdomme eens een keer naar me luisteren!' schreeuwde Nat zo hard dat haar stem oversloeg. 'Parrat gaat Williams helpen ontsnap-pen! Er zit een tunnel onder de grond! Daarom is Saunders gestorven! Ik kan het u laten zien!'

Pop, pop, pop. In de gevangenis ging een automatisch geweer af. De menigte kwam meteen in beweging. Agenten en PI's renden naar de ge-vangenis.

'Dat is Parrat! Hij is al binnen!' schreeuwde Nat in alle herrie, en Mun-dy keek eerst verbijsterd en toen woedend.

'Het is goddomme toch niet te geloven!' schreeuwde hij, en toen til-de hij Nat op, hij gooide haar als een zak over zijn schouder en liep met haar naar een lege politiewagen. Hij maakte het achterportier open en wilde haar op de achterbank zetten.

'Nee, laat me los, luister nou toch!' Nat stribbelde tegen, maar ze red-de het niet. Mundy duwde haar op de achterbank en toen het achter-portier bijna tegen haar aan kwam, raapte ze al haar moed bij elkaar en schopte hem tegen zijn schenen. Mundy deinsde achteruit en zij zag haar kans schoon, sprong de auto uit en racete naar de gevangenis. De trooper kwam achter haar aan en pakte haar arm beet.

'Hou je dan nooit op?' vroeg hij vertwijfeld, en net op dat moment hoorden ze geschreeuw uit de gevangenis komen. De menigte deinsde achteruit, en was opeens stil. Nat was te klein om iets te kunnen zien, en Mundy duwde haar achter zijn brede rug, maar ze gluurde om hem heen.

Wat ze zag was een afschuwelijk tafereel.

43

'ZEG MAAR DAG tegen de directeur, allemaal!' riep een baldadige gevangene. Hij kwam uit de gevangenis tevoorschijn en ging in het licht staan, met een zwarte Glock in zijn hand die hij tegen de slaap van de gegijzelde hield. De donkere ogen van de gevangene waren tot spleetjes geknepen, zijn mond was een dunne streep. Dit moest Richard Williams wel zijn; zijn kwaardaardigheid was zelfs terwijl hij een T-shirt en blauw overhemd droeg overduidelijk. Williams schreeuwde: 'Als iemand ook maar iets uithaalt, krijgt meneer de directeur McCoy een kogel door zijn kop waar jullie allemaal bij zijn.'

Nat keek vol walging toe. Directeur McCoy, in een colbert en met een stropdas om, was verstijfd van angst. Zijn blauwe ogen bleven op het wapen tegen zijn slaap gericht. Zijn mond was vertrokken tot een grimas. Williams gebruikte de directeur als een menselijk schild; hij sloeg zijn getatoeëerde arm om de man heen en marcheerde hem voor zich uit. De PI's, agenten en brandweermannen bleven als verlamd op de oprit staan, een levend toonbeeld van rechtsdienaars die niets konden uitrichten. De auto brandde nog steeds op de achtergrond.

'Oké, mensen, dit gaat er gebeuren. Jullie blijven allemaal rustig. Mijn jongens en ik gaan een stukje lopen naar onze auto. Als onze chauffeur of iemand van ons gewond raakt, worden deze brave mensen neergeschoten.' Williams duwde McCoy voor zich uit over de oprijlaan. Halverwege stond een zwarte sedan met draaiende motor en een sticker van de veiligheidsdienst. Hij kon niet dichterbij komen vanwege de brandweerwagens. De agenten en PI's bleven stokstil staan en keken geboeid naar de show van de misdadiger.

Williams ging door. 'We hebben al een lijk voor jullie: de PI die me uit de cel heeft gelaten. Zorg ervoor dat er niet meer bij komen. Eén held is genoeg.'

Er was wat commotie bij de ingang van de gevangenis en opeens kwam er iemand de deur uit, achter Williams en directeur McCoy. Het was Parrat, de chauffeur van de pick-up. Hij liep naar buiten in zijn nep-politie-uniform en hield zijn wapen tegen de wang van een andere gegijzelde. Nat snakte naar adem toen ze zag wie zijn slachtoffer was.

Tanisa. De mond van de PI bleef grimmig gesloten, maar haar ogen waren groot van schrik. De PI's in de menigte stonden als aan de grond genageld toen ze haar herkenden. Parrat hield Tanisa's armen op haar rug, en hij duwde haar voor zich uit. De twee liepen pal achter Williams en de directeur aan, als een gruwelijke parade.

Een PI in de menigte riep: 'Laat haar gaan!'

Parrat reageerde niet, maar Tanisa wel. 'Schiet hem neer!' krijste ze luid en duidelijk.

'Hou je bek, trut!' blafte Parrat en hij drukte zijn pistool tegen Tanisa's oor. Nat voelde met haar mee.

Williams liep door, met McCoy voor zich, en zei: 'Rustig nou maar, mensen. Blijf nu maar rustig en doe niets. Het komt allemaal goed. Als jullie maar rustig blijven. Er komt nog iemand bij, en dan gaan we weg.'

Nat keek naar de ingang. Er kwam nog iemand naar buiten met een gegijzelde. Graf stapte het spotlight in in zijn uniform, zijn ogen koud als het metaal van een pistool, en hij had zijn wapen gericht op Machik. Er ging een schok door de menigte toen ze dat zagen.

Een van de PI's riep: 'Je bent uitschot, Joe! Je bent zelfs erger dan uitschot!'

Graf lette er niet op, en Nat was de enige die niet verrast was door zijn daad. Het punt was dat Graf Machik als gegijzelde had genomen. Maar dat klopte ook wel. Niemand was ervan op de hoogte dat Machik bij het complot betrokken was, behalve Graf en zij. In wezen smokkelde Graf, vlak voor iedereen, een medestander naar buiten.

Een andere PI riep: 'Je komt er niet mee weg, Joe!'

Mundy verroerde zich en Nat voelde iets op haar hand. Ze keek ernaar. Ze zag een bult achter in Mundy's jasje, bij zijn riem. Een pistool.

'Goed gedaan, mensen,' zei Williams. Directeur McCoy was doodsbang; het wapen werd nog steeds tegen zijn slaap aan gedrukt. 'Jullie doen het prima, en ik ben trots op jullie. Als er nou niemand iets stoms doet, komt het allemaal goed.'

Nat keek naar de menigte. Niemand bewoog zich. Ze durfden het risico niet te nemen. Williams zou ontsnappen. Er parelde zweet op het voorhoofd van de directeur. Als iemand iets deed, zouden de directeur en Tanisa gedood worden. Nat viel niet op achter Mundy's rug. Ze was te klein, en eindelijk was dat eens een voordeel. Ze moest iets doen. Ze bleef doodstil staan, maar haar hand gleed onder het jasje van Mundy. Als de trooper het voelde, was hij wel zo slim dat niet te laten merken. Wat er vervolgens gebeurde, bevestigde dat. Hij wilde dat ze het wapen pakte. Ze kreeg de kolf van het pistool te pakken en trok. Maar hij kwam niet mee.

'Mijn vriend en ik nemen deze brave mensen met ons mee.' Williams' stem kwam dichterbij. Hij moest nu pal voor Mundy staan. 'Als we op veilige afstand zijn laten we ze, zo goed als nieuw, ergens achter. Dus als jullie rustig blijven, raakt er niemand gewond.'

Nat trok weer, maar het wapen bleef zitten. Zat het vast? Nee. Het zat natuurlijk in een holster. Ze tastte naar een riempje over het wapen. Ze zat er even mee te hannesen maar toen was het los en kon ze eindelijk het pistool pakken, dat warm was van Mundy's lichaam. De loop kwam tevoorschijn.

Oké, ik ga niemand neerschieten. De docenten kunnen hier niet alles regelen.

Nat liet het wapen voorzichtig in Mundy's rechterhand glijden, en ze tintelde bijna toen hij het aanpakte zonder iets te laten merken.

Williams zei: 'Jullie blijven allemaal –'

Opeens vloog Mundy's arm omhoog en vuurde hij. Er was een oorverdovende reeks *pop pop pops* te horen, gevolgd door een spervuur. De schietpartij was een ziekmakend waas. Een rood gat explodeerde in Willams' slaap. Hij viel op de grond. Parrat was verrast door de aanval en Tanisa draaide zich om en gaf hem een dreun met haar elleboog. Hij viel en werd onmiddellijk neergeschoten door de agenten in de menigte, omtollend door de inslag van de vele kogels.

Graf richtte op Mundy, maar vloog naar achteren toen hij zelf werd neergeschoten en zijn pistool in het wilde weg kogels afvuurde. Eentje raakte Machik in zijn hoofd en die viel ter plekke neer. De menigte kwam naar voren, waarbij Nat bijna omver werd geduwd. Ze liet hen langs rennen en kneep haar ogen dicht om niets meer te zien. Ze kon niet geloven wat er was gebeurd.

Ze ging er struikelend vandoor, en ademde frisse lucht in. Ze boog naar voren en hield zich vast aan de grote koude bumper van een van de brandweerwagens, in de hoop dat ze niet zou overgeven. Vervolgens voelde ze een grote hand op haar schouder en ze draaide zich om. Het was Mundy, die het pistool in de holster stak.

'Gaat het, professor?' vroeg hij.

'Redelijk.' Nat glimlachte aangedaan. Ze kon maar moeilijk geloven dat het eindelijk achter de rug was. 'Nou goed, niet zo redelijk eigenlijk.'

'U hebt het prima gedaan. Dapper, hoor. Sorry dat ik u zo op de huid heb gezeten.'

'Maakt niet uit.' Nat zei maar niet: 'Dat heb ik toch gezegd?' Na zo'n bloedbad vond ze dat niet erg passend.

'Kunt u me de tunnel laten zien?' Mundy sloeg troostend zijn arm om haar heen.

Nat knikte, en veegde een traan weg die vreemd genoeg over haar wang biggelde.

44

N<small>AT ZAT IN</small> de groezelige verhoorkamer met een kop slechte koffie en terwijl ze werd opgenomen door de zwarte videocamera, legde ze aan trooper Mundy, trooper Duffy en de officier van justitie alles uit wat er was gebeurd sinds ze hier de laatste keer had gezeten. Ze vertelde ook over haar ontdekking van de halte van de Spoorloze Spoorweg, maar ze waren niet zo enthousiast over de historische betekenis ervan als zij. Toen ze klaar was, lieten de drie haar alleen in de verhoorkamer om te overleggen. Ze overwoog een advocaat te bellen, maar deed het toch maar niet. Ze voelde zich capabel, blij.

Nat wachtte en ging in gedachten alles nog eens na. Ze hadden een pleister op haar voorhoofd geplakt, en haar nek deed nog zeer doordat die man bij de gevangenis haar had getackeld. Ze veegde haar broek af, die bij de knie gescheurd was. Haar schoenen waren kletsnat en ze kon zich de laatste keer dat haar tenen droog waren geweest niet meer herinneren. Ze dacht aan Angus, maar ze had hem of haar ouders nog niet gebeld. Het verhoor had langer geduurd dan ze had verwacht. Ze keek net op haar horloge toen de deur openging en Mundy naar binnen stapte.

'Slecht nieuws,' zei hij, terwijl hij de deur zachtjes achter zich dichtdeed.

'Ben ik de pineut?'

'Nee.' Hij glimlachte vermoeid, trok een stoel bij en plofte er zo zwaar op neer dat hij wegschoof. 'We hebben iemand gestuurd om Jim Graf van het bouwbedrijf op te pakken.'

'Phoenix.'

'Ja.' Mundy steunde op zijn brede dij en keek haar met zijn eerlijke bruine ogen aan. 'Hij is dood. Heeft zich in de badkamer verhangen.'

Nats ingewanden krompen samen. Ze vroeg zich af hoe Agnes, Grafs secretaresse, daarop zou reageren. Ze pakte de beker en nam een slok koude koffie.

'Hij wist dat hij erbij was.'

'Vreselijk.' Nat zette de beker neer en Mundy woelde met zijn hand door zijn haar.

'We starten nu een onderzoek om uw verhaal te staven. Ik denk dat het wel zal kloppen allemaal.' Hij schudde zijn hoofd. 'Dat was me wel wat, die tunnel.'

'Zeg dat wel.' Nat kon het ook nauwelijks geloven. De tunnel, die meer een kruipruimte was, was zo lang als een voetbalveld, en liep van de nieuwe medewerkerskamer naar het bos altijdgroene bomen, ver van de huizen verwijderd. De tunnel was verstevigd met balken, zoals die ze had gezien in de Spoorloze Spoorweg, maar niet zo goed gemaakt. Graf en zijn vrienden hadden noch de hersens, noch de ziel van dat soort mensen gehad.

'De troopers praten ook met de mensen in de buurt, en twee buren hebben een politiewagen gezien die daar de hele nacht heeft gestaan. Ze zien zo vaak politiewagens in de buurt van de gevangenis, daarom hebben ze het niet aangegeven.'

'Ze wisten natuurlijk niet dat het Parrat was, in zijn neppolitiewagen.'

'Inderdaad.' Mundy trok zijn wenkbrauw op. 'Wat een plan. Over het algemeen zijn slechteriken niet zo slim.'

'Williams was slim. Hij was het opperhoofd van slechteriken.'

Mundy grinnikte en keek in zijn aantekenboekje. 'Uiteraard zullen we u niet vervolgen voor de moord op Matty of voor de aanslag op Barb Saunders.'

'Hoe gaat het met haar?'

'Nog steeds hetzelfde.'

Nat was bezorgd.

'We zullen met de directeur en de onderdirecteur praten, maar we denken niet dat zij erbij betrokken zijn. Machik is de hoogste die erbij was.'

'Dat was ook niet nodig. Het was al een onzalig complot, tussen de slechteriken en de goeieriken. Nou, ja, de voormalige goeieriken.'

'Maar een dode kunnen we niet vervolgen. Dus is het fini, wat de wet betreft.'

'Er zou wel iemand naar Upchurch' tante moeten gaan, mevrouw Rhoden. Ze mag wel een compensatie krijgen voor wat er is gebeurd met haar neef, als dat mogelijk is.'

'Ik zal kijken wat ik kan doen.'

Nat dacht aan Machik, die dood was geschoten, en toen aan Graf. Vervolgens dacht ze aan dat schattige zoontje van Graf, die huppelend naar karateles ging, en zijn aardige vrouw. 'Denken dat soort lui dan nooit eens aan hun gezin als ze dit soort dingen doen?'

'Eerlijk gezegd, nee. Hun gezin is lang niet zo belangrijk voor hen als geld. Trouwens, u moet nog wel het een en ander uitleggen, jongedame.' Mundy keek in zijn opschrijfboekje en pakte een geel potlood uit zijn borstzakje. 'U hebt openbaar eigendom vernield.'

'Pardon?'

'De propaantanks en het hek.'

Nat lachte schamper. 'Doe me een lol.'

'Ik kan geen kant uit.'

'Meent u dat nou?'

'Dit komt van de officier van justitie af.' Mundy keek nog een keer in zijn boekje. 'En ze klagen u ook aan voor baldadigheid.'

Nat snoof. 'Omdat ik die pick-up met mijn sleutel heb bewerkt?'

Mundy knipperde met zijn ogen. 'Hè?'

Oeps. 'Waarvoor dan?'

'Omdat u de Neon in brand hebt gestoken.'

Nat zei niets en Mundy keek verbaasd op.

'Gaat u daarmee akkoord?'

'Ik zie mezelf graag als baldadig. Weer eens iets nieuws.' Nat stond op en veegde haar broek af. 'Maar goed, dat lijkt mij een kwestie van een paar boetes.'

'Een heleboel boetes.'

'Dan kan ik nu gaan, neem ik aan? Ik heb wel weer genoeg gehoord zo.' Nat had geen zin om ertegen in te gaan. Ze was moe en verdrietig, en ze had hard en lang genoeg gestreden. 'Mag ik even bellen? Mijn ouders zijn vast helemaal over de rooie.'

'Maar natuurlijk.' Mundy stond op, haalde een gsm uit zijn zak en gaf die aan haar. Hij zei: 'De pers staat al buiten. Ik moest u vertellen dat de officier van justitie het zeer op prijs zou stellen als u niet met de pers zou praten. Hij stelt wel een verklaring op.' Mundy keek haar met een duistere glans in zijn ogen aan, meer als man dan als trooper.

'Zeg maar tegen de officier van justitie dat ik het zeer op prijs zou stellen als hij mijn boetes zou kwijtschelden als beloning voor wat ik voor de gemeenschap heb gedaan.'

'U leert het al, prof.' Mundy glimlachte en Nat ook. Ze toetste het nummer van haar ouders in terwijl hij haar een klopje op haar rug gaf. 'Kom maar naar me toe als u klaar bent. Ik zet u wel even thuis af.'

'Graag.' Nats ouders namen niet op, dus belde ze haar vaders gsm. Die bleef maar overgaan. Ze wilde net het toestel uitzetten toen hij opnam. 'Pap? Met mij, Nat.'

'Waar zit je?' Haar vader leek heel bezorgd. 'We hebben je op je mobieltje gebeld.'

'Alles is in orde. Ik ben weer op het politiebureau, maar het is hele-maal geregeld.'

'Nat, hoor eens, we zijn in het ziekenhuis. Kun je hiernaartoe komen?'

'Hè? Hoezo?'

'Paul heeft een hartinfarct gehad.'

45

Nat liep de ziekenkamer op de intensive care binnen waar Paul lag, met een grauw gezicht en zijn ogen gesloten. Er zat een doorzichtige groene buis in zijn neus, hij had een infuus in zijn arm, en er zat een witte plastic klem op zijn vinger, die verbonden was met een monitor waarop, in glanzend blauw, een onmiskenbaar onregelmatige grafiek van pieken en dalen was te zien. Ze had die avond heel veel erge dingen gezien, maar dit was het ergst.

'Nat, kom erin,' zei haar vader, die naar haar toe liep en haar stevig omhelsde. Zijn wang leek wel schuurpapier terwijl hij anders zo gladgeschoren was, en hij rook ook niet naar zijn favoriete Aramis. Hij liet haar los, hield haar op een armlengte afstand, zijn ogen verdrietig en glanzend bruin, totdat hij haar haar zag. 'Wat heb je met je haar gedaan?'

'Dat is een heel verhaal. Wat is er gebeurd?' Nat keek langs hem heen naar het bed, waar Junior en Tom aan de ene kant naast zaten en haar moeder en Hank aan de andere kant. Ze hadden allemaal rode ogen en zagen er moe uit.

'Hij was basketbal aan het spelen met Hank, en hij ging opeens onderuit.' Haar vaders stem brak, wat Nat nog nooit bij hem had gehoord. 'Hij had een hartafwijking, zijn aortaklep.'

'Maar hij is pas zesentwintig,' zei Nat, alsof haar vader dat niet wist.

'Het is niemand opgevallen toen hij nog jong was, en de medicijnen tegen de verkoudheid die hij slikte verergerden het op de een of andere manier. Hij was niet buiten adem door de verkoudheid maar door zijn hart. Ik snap er helemaal niets van.' Haar vader krabde aangedaan op zijn hoofd. 'Ze hebben de klep gerepareerd.'

'Heeft hij een hartoperatie ondergaan?' Het duizelde Nat. Ze had het allemaal gemist. Ze bleef maar naar Paul kijken, die er zo stil bij lag, zijn handen langs zijn zij. Ze voelde zich schuldig dat ze had gedacht dat zijn verkoudheid niets voorstelde. Met moeite perste ze de vraag eruit: 'Het komt toch allemaal wel in orde?'

'Dat weten ze nog niet.' Haar vaders schouders, gehuld in een blauw overhemd, zakten naar beneden. 'Ze zeiden dat ze pas over een paar uur weten of hij het haalt.'

'Dit is toch niet te geloven!' Nat kon er gewoon niet bij. Paul was altijd zo levendig geweest. 'Wanneer is het gebeurd?'

'Gisteravond, om een uur of zeven.'

Nat dacht na. Toen had ze met Angus in bed gelegen. Haar broer kreeg een hartaanval op een basketbalveld terwijl zij had liggen vrijen. Ze zette het van zich af. 'Zijn jullie de hele tijd bij hem geweest?'

'Ja. We hebben op de stoelen in de gang geslapen. Dat mag niet, dus ze hebben nu een hekel aan ons.'

Nat had hun jassen herkend toen ze de gang door liep. 'Hebben ze dan geen wachtkamer bij de intensive care?'

'Die ligt te ver van de kamer af. Ze kunnen mijn rug op met al hun regeltjes.' Haar vader glimlachte. 'Ga nu maar naar je moeder.' Hij liep met haar mee naar het bed, waar haar moeder haar armen naar haar uitstak en haar een knokige, maar toch nog geurende omhelzing gaf.

'Fijn dat je er weer bent. Alles goed?'

'Ja hoor.'

'Wat is er met je gebeurd, Nat?' vroeg haar vader, en ze besefte dat zij geen idee hadden wat er in de gevangenis had plaatsgevonden. Ze had zich bij het politiebureau een weg moeten banen tussen de verslaggevers en de camera's door en het hele verhaal was al op de radio geweest. Maar haar ouders en broers waren hier geweest, en hadden niet naar tv gekeken of naar de radio geluisterd of kranten gelezen; ze waren alleen bezig met Paul. Hun wereld was van het ene op het andere moment veranderd, en ze hadden geen tijd gehad om aan haar te denken; en zo hoorde het ook.

'Dat maakt niet uit,' zei Nat.

'Schatje, hij komt er weer helemaal bovenop, dat weet ik gewoon.' Haar moeder, met opgezette ogen van het huilen, gaf haar vermoeid een klopje op haar rug. Haar make-up was helemaal verdwenen en ze droeg een blauw trainingspak waarmee ze normaal gesproken nooit ofte nimmer buitenshuis zou komen.

'Ik ook, mam. Je had dus gelijk.'

'Dat soort dingen gebeuren.' Haar moeder knipoogde naar haar, maar ze zag er afgetobd uit, net als haar man. Zo waren ze helemaal zichzelf, zoals ze hen alleen maar op kerstochtend had gezien. Wat een vreemde gedachte, Nat schaamde zich er bijna voor.

'Hoi, Nat,' zei Hank. Hij stond naast haar moeder, en ze keek hem heel even aan.

'Dag.'

'Leuk je weer te zien.' Hij voelde zich net zo slecht op zijn gemak als zij, maar deed een stap naar voren en omhelsde haar vluchtig. Het voelde vertrouwd aan, sterk en warm, en ze liet hem snel los omdat de tranen haar in de ogen schoten. Aan de ene kant was het heel anders dan vroeger, en aan de andere kant precies hetzelfde; iets waarmee ze op dit moment totaal niet overweg mee kon.

'Hoi, Nat,' zei Junior ernstig aan de andere kant van het bed, en Tom glimlachte even naar haar.

'Leuk kapsel.'

'Bedankt.' Nat had het gevoel dat ze in een andere wereld was terechtgekomen, waar zesentwintigjarigen een hartinfarct kregen en broers je een complimentje gaven. Ze wilde de kamer uit gaan en weer naar binnen komen, zodat Tom de draak met haar kon steken en Paul een lamp zou breken. Paul. Haar kleine broertje. Zijn voeten waren zachte witte tentjes aan het eind van het bed, en ze legde haar hand op zijn tenen, alsof ze hem zo bij haar kon houden.

'Hij ziet er wat beter uit, vind je niet?' vroeg haar moeder terwijl ze naar Paul keek, en haar vader hield zijn hoofd schuin en keek ook.

'Volgens mij heb je gelijk, Di.'

'Ik kan hem ook horen ademhalen. Veel krachtiger dan eerst.' Haar moeder boog zich voorover naar Pauls gezicht, waarbij haar haar bijna op zijn wang viel. 'Ik hoor het. John?'

Haar vader knikte blij. 'Ik hoor het ook. Net alsof hij nu via zijn borst ademhaalt.'

Ze bogen allemaal naar voren en luisterden. Nat kon het nergens mee vergelijken, maar zo te horen leek Pauls ademhaling normaal. 'Dit lijkt me prima, toch?'

'Het lijkt mij wel, mam,' zei Junior.

Tom was het ermee eens. 'Zeker weten.'

Maar Hank grinnikte zachtjes. 'Zo rustig is Paul nog nooit geweest.'

Haar vader trok zijn wenkbrauw op.

Haar moeder knipperde even met haar ogen.

Tom en Junior keken op.

Dat heb je toch niet echt gezegd? Wij kunnen grapjes maken over Paul, maar jij niet.

Nat hoefde niet naar Hank te kijken om te weten waarom hij het had gezegd. Ze wist dat hij zich slecht op zijn gemak voelde met haar erbij en door wat er met Paul was gebeurd, en het feit dat het was gebeurd terwijl zij aan het basketballen waren. En helaas had hij door al die dingen deze stomme opmerking gemaakt. Hij zou nooit weten waar of wanneer iedereen besefte dat hij geen echte Greco was, maar Nat wist dat het op dat moment was.

'We mogen elk uur maar een kwartiertje bij hem blijven,' zei haar vader, die niet op de opmerking inging. 'We hebben nog maar drie minuten. Die vreselijke zuster komt elke keer precies op tijd binnen.'

'Ze zijn gek op regeltjes, hè, pap?' vroeg Nat, die nog steeds Pauls tenen vasthield.

'Dankzij je vader mochten we allemaal naar binnen,' zei Hank, met een scheve glimlach.

'Goed gedaan, pap.' Nat voelde de tranen in haar ogen schieten. Ze vroeg zich af hoeveel mensen hij had bedreigd met een proces, lichamelijk geweld, of beide. Er gebeurde iets met haar op dat moment, en toen ze dacht aan Tom en Junior en haar moeder en vader, die naast het bed van haar broer stonden als menselijke veiligheidshekken, dag en nacht, een armetierig kwartier elk uur, vast van plan om hem te beschermen tegen wie hem ook kwaad wilde doen of weg wilde halen, alsof ze een klein legertje waren. Dat deden ze omdat hij een van hen was, en zij waren ieder het belangrijkste in het leven van de anderen.

En op dat moment wist Nat iets wat ze daarvoor nog nooit had beseft: dat ieder van deze mensen dat ook voor haar zou doen, vanaf de dag dat ze was geboren tot haar laatste snik, verbonden als ze waren door dezelfde naam en hetzelfde bloed. En als de prijs die je daarvoor moest betalen af en toe een kat was, een tactloze opmerking of dat wat je zei van tafel werd geveegd, dan was het dat allemaal waard.

Omdat ze familie waren.

46

'Mevrouw greco, deze kant op kijken, graag!' riep een fotograaf die de volgende dag tussen de menigte buiten haar appartement stond. 'Mevrouw Greco, hebt u commentaar?' 'Nat, had jij er iets mee te maken dat de ontsnapping van Williams niet doorging?' 'Mevrouw Greco, toe! Enig commentaar?' 'De officier van justitie van Chester County beweert dat u deel uitmaakte van de bevrijding van de gijzelaars. Kunt u dat uitleggen?'

Nat stak haar hand op toen ze snel het gebouw in liep. Ze had maar zo'n twee uur in het ziekenhuis geslapen, maar niemand kon haar deze dag tegenhouden, zelfs de pers niet. Het ging goed met Paul. Ze kwam met een blij gevoel de hal in, totdat ze bij de balie kwam waar Bill in zijn uniform zat.

Oeps. Nat was het helemaal vergeten. Hij had haar zijn Kia een paar dagen geleden voor een dagje uitgeleend, en ook nog zijn mobieltje. Wat moest ze zeggen? Ik was op de vlucht?

'Professor.' Bill kwam hoopvol glimlachend overeind en Nat voelde zich meteen schuldig.

'Het spijt me heel erg. Ik regel vandaag nog een auto en een gsm voor je. Ik heb het nogal druk gehad.'

'Dat maakt niet uit. Dat weet ik toch. U hebt de slechteriken gevangen. U bent beroemd!' Met een nieuw respect keek Bill haar stralend aan.

Nat bloosde. 'Nee, niet echt.'

'Toch wel!' Bill gebaarde naar de pers buiten. 'Ze staan hier al de hele avond. Ze hebben me over u ondervraagd, en ik heb ze verteld hoe aardig u bent en hoe slim. U bent een held!' Hij stak zijn hand naar haar uit. 'Ik wil u graag de hand drukken.'

'Goh.' Nat gaf hem een hand en Bill trok haar naar de balie toe.

'Vertel eens: hebt u mijn auto gebruikt om weg te komen?'

Nat trok een gezicht. 'Eerlijk gezegd wel ja.'

'Te gek! Mijn vrouw zegt dat we hem nu op eBay moeten verkopen.' Bill prees hem aan: 'Te koop: vluchtauto.'

Lieve help. 'Heel fijn, Bill.' Nat liep naar de lift en drukte op het knopje. 'Tot straks.'

'Zou u uw handtekening op de auto willen zetten, net zoals bij Jay Leno?' riep Bill haar achterna, maar Nat deed net of ze het niet hoorde toen ze de lift in stapte en de deuren dichtgleden. Ze wilde douchen, zich omkleden en gaan werken, als ze tenminste nog een baan had.

En ze zou het ook wel leuk vinden om Angus weer te zien.

Nat duwde de zware deur van het universiteitsgebouw open en kwam in de grote hal, waar de gewelfde wolwitte koepel, grote ramen en glimmende marmeren trap getuigen waren van de old-Ivy-achtergrond. Het wemelde van de studenten, die tussen de lessen door praatten en lachten, en een paar draaiden zich naar haar om toen ze binnenkwam. Haar blauwe pumps tikten op de geboende roze met gele marmeren vloer. Ze had een klassiek blauw mantelpakje aan, met haar witte punkkapsel, waardoor ze tegenstrijdige signalen uitzond.

'Hoi, Marie.' Nat zwaaide naar de beveiligingsmedewerkster toen ze langs de balie liep.

'Staan blijven, mevrouw,' riep de medewerkster hard, waarbij haar stem weergalmde in de hal. 'Kan ik uw identiteitsbewijs even zien?'

Nat draaide zich om. 'Ik ben het, Marie. Nat Greco.'

'Professor Greco?' Marie grijnsde breed toen ze haar herkende. 'Sorry hoor, ik had uw gezicht niet gezien. Nou, welkom terug. Ik wist wel dat u niemand had vermoord.'

'Bedankt.' Nat kromp ineen en een voor een draaiden de studenten zich naar haar om.

Marie pakte haar krant en zwaaide ermee. 'Dankzij u kon die crimineel niet ontsnappen. Ik heb het allemaal gelezen, op de voorpagina. Mag ik uw handtekening op uw foto?'

'Straks misschien,' zei Nat, maar toen ze zich omdraaide, was ze omringd door studenten die haar bewonderend aangaapten. Ze herkende er een paar van haar lessen, en Warren, Carling en Chu van haar seminar, bekeken haar met andere ogen.

'Hebt u echt een auto opgeblazen, professor Greco?' vroeg Warren terwijl ze er allemaal bij kwamen staan. 'Cool, zeg.'

'Ik heb niet –'

Chu greep in. 'Nee, ze heeft olietanks opgeblazen.'

'Nee, echt, ik –'

'We wisten helemaal niet dat u zo gevaarlijk was!' Carling grijnsde en stak zijn hand omhoog. 'Geef me een high five!'

'Hierzo!' Nat gaf hem een high five en snapte opeens waarom mensen dat zo vaak deden. Het was gewoon hartstikke cool.

Op dat moment ging de deur van de docentenkamer open en kwam vicerector magnificus McConnell naar buiten lopen met een stapeltje papieren in zijn hand. Toen hij Nat zag, verstrakte zijn gezicht.

'Professor Greco,' zei hij en hij liep naar haar toe, terwijl de studenten stil toekeken.

'Dag, Jim.' Nat dacht dat hij haar wel eens zou kunnen wurgen, totdat ze een dikke bos grijs haar achter hem op zag duiken, met de bekende rode vlinderdas en een bril met schildpadmontuur. Het was rector magnificus Samuel Morris, net terug van het Afrikaanse *veld*, en precies op tijd. Zijn halfgeloken ogen gingen wijd open achter zijn bifocale lenzen en hij grijnsde haar zoals altijd hartelijk toe.

'Ha, die Nat!' Rector magnificus Morris, een beminnelijke mollige man die altijd naar pijptabak rook, omhelsde haar stevig. 'Wat hoor ik nu toch allemaal?'

'Het is een heel verhaal, Sam.' Nat genoot van zijn omhelzing totdat ze McConnell met toegeknepen ogen zag staan toekijken. Rector magnificus Morris liet haar net genoeg los om een arm om haar schouder te leggen, en nam haar met zich mee door de grote hal naar de lobby.

'Ik wil er alles over weten. Ik heb de hele ochtend al geweigerd met de pers te praten, en ik zal je vertellen waarom. Ik heb met de politie gesproken. Ze hebben mij, op mijn verzoek, een verklaring gefaxt.'

Slik. Nat kon niet uit zijn toon opmaken of ze op het punt stond ontslagen of geprezen te worden, en dat zou hij toch niet ten overstaan van al die studenten doen. Ze waren nu allemaal in de lobby, glimlachten naar haar en zwaaiden zelfs even in het voorbijgaan. Melanie Anderson, die haar seminar volgde, ging klappen, en de andere studenten deden spontaan mee in de weergalmende lobby. Nat bedankte hen met een blij knikje, en rector magnificus Morris glimlachte naar hen terwijl ze de hoek omsloegen naar zijn kantoor toe.

Vicerector magnificus McConnell kwam bij hen lopen. 'Sam, we kunnen het hier niet gewoon bij laten. Ik heb Nat uitdrukkelijk verboden niet meer naar de gevangenis te gaan, maar ze is toch gegaan.'

'Daar zaten de slechteriken namelijk,' zei Nat luchtig, maar rector magnificus Morris deed net of hij hen niet hoorde en marcheerde door de hal, waar nog meer studenten zich aan haar vergaapten, mompelden en vervolgens applaudisseerden.

McConnell ging door: 'Dit is de eerste keer dat we een rechtendocent hebben gehad die werd vervolgd wegens moord, of de aanklacht nu werd ingetrokken of niet. Dat is nog nooit eerder gebeurd. Ik heb verleden week diverse keren gewaarschuwd –'

'Niet hier, Jim.' Rector magnificus Morris bracht hem met een handgebaar tot zwijgen en wendde zich tot Nat. 'We moeten even onder vier ogen praten.'

Nats moed zonk haar in de schoenen. Waar zat hij mee? Diefstal? Fraude? Brandstichting? Er was keus genoeg.

Vicerector magnificus McConnell fronste zijn wenkbrauwen. 'Ik zou daar graag bij aanwezig willen zijn. Zoals je weet, zou professor Greco dit jaar haar vaste aanstelling krijgen en –'

'Dank je, maar dat is niet nodig.' Rector magnificus Morris liep met Nat snel weg bij de vicerector magnificus, langs de secretaresses, die haar bewonderend aankeken, en zijn kantoor in, waar hij haar een stoel bij het bureau aanbood. 'Ga zitten.'

'Bedankt,' zei Nat onzeker, en Morris deed de deur achter hen dicht en keek haar ernstig aan.

'Ik kom maar meteen ter zake. In de verklaring van de politie staat dat je je hebt verstopt in een tunnel, die gebruikt werd voor de Spoorloze Spoorweg. Klopt dat?'

'Nou ja, het was eigenlijk een gat,' zei Nat verrast.

'Dat gat was tot dan toe nog niet bekend? Jij hebt het zelf ontdekt?'

'Volgens mij wel. Het was vol met balken.'

'Verbazingwekkend.' Rector magnificus Morris boog zich over het bureau en zijn grijze ogen lichtten op met intellectuele bezieling. 'Als dit bekend wordt, worden we door elke geschiedenisfaculteit in het land gebeld. Dit is een opsteker voor onze universiteit.'

'Echt waar?' zei Nat. Toen verbeterde ze zichzelf. 'Dat is natuurlijk inderdaad zo.'

'Jij gaat er natuurlijk over publiceren.'

O, ja? 'Natuurlijk. In de balken die het gat ondersteunen, zijn een heleboel initialen en namen gekerfd, uit die periode, en ik wil een paar van die namen natrekken.' Nat dacht hardop na, maar dit was erg belangrijk voor haar, ook al had niemand anders er tot op dit moment iets om gegeven. 'Er zijn bestanden, weet u, van verschillende slavenfamilies en de route die ze vanuit Maryland en uit het zuiden hebben gevolgd. Ik geef er les over.'

'Dat zal me even een prachtig artikel worden,' zei Morris stralend.

'Het vervelende is alleen dat vicerector magnificus McConnell niet denkt dat ik les kan blijven geven, hoe graag ik het ook zou willen. Ik zou het graag ter aanvulling van mijn andere lessen blijven doen.'

'O, maar je moet er zeker nu in les blijven geven. Wat dat artikel betreft, kun je er misschien een boek van maken?'

'Vast wel.' Nat ontspande zich. Ze zou niet worden ontslagen als ze een boek schreef. Zo moeilijk kon het toch niet zijn? Een heleboel halve zolen schreven boeken. Ze was, voordat ze gevaarlijk werd, altijd een boekenwurm geweest.

'We kunnen veel doen met deze ontdekking. Onvoorstelbaar.'

'Ik zou er zelfs met mijn studenten naartoe kunnen gaan.'

'Een schoolreisje, in een rechtenfaculteit?' Morris' gezicht betrok.

Nat vond het maar beter er niet op door te gaan.

Voorlopig althans.

Tien minuten later haastte Nat zich door de drom opgewonden studenten in de zonnige hal heen. Ze vroegen haar van alles, sloegen haar op de rug en feliciteerden haar met haar moed, haar nieuwe kapsel en omdat ze iets had opgeblazen. Ze bedankte hen, en ze barstte van opluchting en blijdschap bijna uit haar vel. Tegen de tijd dat ze naar beneden naar de afdeling Praktijklessenprogramma ging en de glazen deur openduwde, waar zoals altijd Angus met zijn paardenstaart, oude trui, spijkerbroek en laarzen, omgeven was door studenten, liep ze bijna naast haar schoenen. Ook al zag hij er onverzorgd uit, hij was nog steeds de mooiste man die ze ooit had gekend.

Wauw.

'Natalie!' riep Angus uit toen hij haar zag. Hij grijnsde breed en zijn helderblauwe ogen lichtten op. Hij baande zich een weg door de studenten, nam haar in zijn wollige armen en plantte dezelfde zachte, warme kus die ze zich nog kon herinneren van toen ze hadden gevrijd, op haar lippen. Ze kuste hem terug terwijl ze in zijn armen lag, zodat ze hun geheim verraadden, en de studenten joelden, en toen ze elkaar weer kusten, voelde Nat een warmte zich diep vanuit haar binnenste over haar huid verspreiden, waardoor ze wist dat ze eindelijk veilig was.

47

Enkele weken later was Nat begonnen aan een nieuw hoofdstuk in haar leven. Ze had een relatie met Angus en gaf vol vertrouwen les. Haar status van beroemdheid was toegenomen naarmate er meer artikelen over haar verschenen en verslaggevers met camera's van de *New York Times*, cnn en Court TV bij haar lessen aanwezig waren, zodat zelfs Chu haar hand soms opstak. Paul was aan de beterende hand, volgde een strikt dieet en praatte zelfs wat zachter, maar ze was pas helemaal gelukkig toen ze hoorde dat Barb Saunders weer was opgeknapt en het ziekenhuis had verlaten.

Nat ging Barb op een zonnige zondagmiddag bezoeken; ze reed met het raampje naar beneden naar haar huis, zodat de wind door haar korte haar speelde. Het was heerlijk om haar eigen kleur weer terug te hebben, maar ze dacht niet dat ze het weer zou laten groeien, dat stond niet zo goed bij haar lengte. Haar blauwe plekken en schrammen waren verdwenen en de gemene krabben op haar borst waren ook allang weg. Ze voelde zich helemaal zichzelf, zo in haar spijkerbroek en een zwart T-shirt met een groene waxjas eroverheen om warm te blijven. Haar leven stond weer op de rails, en ze had alles weer goedgemaakt: ze had de Kia en de gsm aan Bill teruggegeven en voor de eigenaar van de Neon een dikke cheque uitgeschreven. Het was het geld waard geweest, en ze had het allemaal achter haar gelaten en genoot nu van het koele briesje dat door het raam naar binnen waaide en de geur van lente met zich meedroeg.

De sneeuw was gesmolten en het saaie bruin van Chester County verdween zienderogen. Er groeide al wat gras hier en daar, aan de struiken zaten groene blaadjes en de knoppen in de bomen hadden dezelfde kleur als Granny Smiths. Paarden die in de winter een deken hadden gedragen, lieten nu hun grijsgevlekte, chocolade- en kastanjebruine vacht zien, kleurrijke accenten in de wei terwijl ze stonden te grazen. Het was een heerlijk ritje en ze was erg benieuwd naar Barb. Angus kon niet mee omdat hij moest werken, maar dat vond ze niet erg, ze wilde liever met vrouwen onder elkaar zijn. Het was met haar en Barb begonnen, en zo moest het ook eindigen.

Ze nam een andere route omdat ze niet langs de plek wilde komen waar trooper Shorney was doodgeschoten. Daar wilde ze niet aan herinnerd worden, deze dag niet, en op andere dagen ook niet. De slechteriken hadden hun straf gehad en iedereen had het gerechtigheid genoemd, maar Nat wist inmiddels wel beter. Gerechtigheid bracht de mensen niet meer terug. Gerechtigheid was een intellectueel concept, en emotie won het altijd. Gerechtigheid was het woord dat we gebruikten als we niet konden krijgen wat we eigenlijk wilden: alles weer zoals vroeger dus. Gerechtigheid was een troostprijs, meer niet.

Ze kwam aan bij het huis, zette de auto ervoor neer, en zag Barb in een plastic stoel in de tuin zitten lachen terwijl haar zoontjes op driewieler, fiets en step op de oprit reden. Barb was afgevallen in het ziekenhuis en dat was duidelijk te zien in haar gezicht: haar wangen waren iets ingevallen. Maar ze zag er gelukkig uit. Haar blonde haar zat in een paardenstaart en ze had een lichtblauw jack en een spijkerbroek aan.

'Hallo, stuk!' Nat pakte haar spullen, stapte uit en liep op haar instappers over het bruingroene hobbelige, zompige gras. 'Lekker aan het zonnen?'

'Inderdaad. Dit is het ware leven.' Barb klopte grijnzend op een stoel naast haar. 'Jen is binnen, die is bezig met het eten. Stoofpot met aardappels.'

'Wat een goede zus heb jij.'

'Ze doet ook de was. Ik maak er zo veel mogelijk misbruik van.' Barb lachte en Nat lachte met haar mee.

'Dit is voor jou.' Nat gaf haar een boeket bloemen en Barb rook er met een lieve glimlach aan.

'Hartstikke bedankt. Ik ben dol op rozen.'

'Ik ook. Hoe gaat het ermee?'

'Elke dag een stukje beter.' Barb legde de rozen op haar schoot en gebaarde naar de jongens. 'Met hen gaat het ook steeds beter. We redden het wel.'

'Dat weet ik.' Nat was er om iets te zeggen. 'Ik vind het heel erg wat er met jou is gebeurd.'

'Laat maar zitten, joh.'

'Ze zijn me die avond gevolgd.' Nat kreeg een brok in haar keel. 'Ik heb ze naar je toe geleid.'

'Hou op. Je hebt niets verkeerd gedaan. Je moest een boodschap doorgeven en dat heb je ook gedaan. Laat dus maar.' Barb klopte haar op haar arm.

Zeg tegen mijn vrouw. Ze vond het nog steeds raar dat Saunders dat had gezegd, maar ze wilde er niet weer over beginnen. 'Het lijkt allemaal zo lang geleden.'

'Ja, hè?' Barb glimlachte moeizaam en Nat wilde het niet langer uitstellen maar haar meteen de verrassing geven.

'Trouwens, ik heb iets voor jou en de kinderen. Het is van de studenten en de faculteit.' Nat haalde een envelop uit haar tas en handigde hem zwierig over aan Barb.

'Wat is dit nu weer?' Barb maakte de envelop open en haar ogen werden groot toen ze de cheque zag. 'Lieve hemel! Dat kunnen we niet aannemen, hoor.'

'Je zult wel moeten, anders klagen we je aan.'

'Maar het is veel te veel.' De tranen stonden in Barbs ogen, en Nat slikte moeizaam de brok in haar keel weg.

'Het is voor de kinderen. Neem nou maar aan, joh, voor ons.'

'Hartstikke bedankt, maar wat is het veel!' Barb vouwde de envelop dubbel en stopte hem in haar zak en beide vrouwen zwegen even, om hun emoties in bedwang te houden. Ze wisten dat ze door moesten.

'Er zijn havermoutkoekjes als toetje,' zei Nat, die Barb de kartonnen doos gaf.

Barb grijnsde, het ongemakkelijke moment was voorbij. Ze maakte de strik los en deed het deksel open. 'Ze zien er heerlijk uit.'

'Dat zijn ze ook. Ik eet er altijd drie tegelijk.'

'Het leven is maar kort. Je moet eerst het toetje eten.' Barb pakte een koekje en nam er een flinke hap van. 'Pak er ook een voordat die kleine monstertjes de kans krijgen.' Ze riep de kinderen: 'Koekjes, jongens!'

'Bedankt.' Nat pakte een koekje en de jongens sprongen van hun fiets af en kwamen aanrennen.

'Mam, mam! Mag ik een koekje?' riep de jongste, die aan kwam hollen in een te grote spijkerbroek.

Barb greep hem bij zijn arm voordat hij op haar schoot sprong. 'Rustig aan, knulletje. Zeg eerst maar eens dank u tegen professor Greco.'

'Dank u!' riepen de kinderen in koor, het professorgedeelte vergetend, en ze snaaiden gauw een koekje.

'Graag gedaan,' zei Nat lachend. Ze renden terug naar hun fietsjes en probeerden tegelijkertijd te fietsen en te eten waarbij ze tegen elkaar op botsten. 'Alles tegelijk, zie ik.'

'Zoals altijd.' Barb schermde met haar hand haar ogen af en keek naar de kleinste die op zijn rode driewielertje naar de stoep reed. 'Zo is het wel ver genoeg!' riep ze zwakjes uit.

'Zal ik even roepen? Ik ben docent.'

'Dat hoeft niet.' Barb keek naar hem, haar ogen hard door de zon en bezorgdheid, en Nat sloeg haar gade terwijl ze het zoete havermoutkoekje at. Bij de stoep stonden een paar grote witgeschilderde stenen, en de kleine jongen reed daar recht op af. Barb maakte een toeter van haar handen. 'Schatje, niet daarnaartoe. Dat is papa's tuin, dat weet je toch?'

'Oké,' schreeuwde de kleine jongen, die het koekje in zijn mond stak zodat hij het stuur kon beetpakken en de oprit weer op kon rijden.

'Wat is papa's tuin?' vroeg Nat, en Barb brak een stukje van een koekje af.

'Een bloembed dat Ron met de kinderen heeft aangelegd. Tulpen en narcissen, bollen die uitkomen. Hij zei altijd dat dit zijn speciale tuin was omdat ze vanzelf groeiden,' zei Barb verdrietig. 'Dat was niet waar, hoor. Hij was uren bezig met wieden. Hij heeft die drie stenen ook beschilderd met ons huisnummer.'

Nat keek naar de witte stenen. Ze waren haar in de winter niet opgevallen omdat ze toen onder de sneeuw verscholen zaten, maar nu waren ze duidelijk te zien.

'Ron was altijd bang dat een ambulance hier de weg zou kwijtraken. Hij heeft fluorescerende verf gebruikt voor de stenen en de nummers er heel groot op geschilderd.'

'Ik ben zo terug.' Nat stond al overeind. Ze liep naar de witte stenen toe, omdat ze opeens een rare ingeving had gekregen.

'Wat is er?'

Nat liep om de stenen heen en keek naar de cijfers: 523. Elk cijfers was in het zwart op een aparte steen geschilderd. Zeg tegen mijn vrouw. Het ligt eronder. Onder die...

'Nat?' Barb kwam aan lopen.

Die. Drie? Nat ging op haar hurken zitten, pakte de steen met de zwarte 3 en wrikte hem van zijn plaats.

'Wat doe je?' vroeg Barb, maar toen zat Nat al verbijsterd naar de grote kring te kijken waar de witte steen had gestaan. Ermiddenin lag een gesealde plastic zak met een gele envelop erin.

Nats hart ging als een razende tekeer.

'Wat is dat?' vroeg Barb verbaasd.

'Geen idee, maar het lag eronder. Onder dríé.'

'Hè?'

'Weet je nog wat Ron heeft gezegd? "Het zit eronder. Onder die..." Hij zei natuurlijk "drie", ik heb het verkeerd verstaan.'

'Daar had ik zelf op moeten komen!' Barb sloeg haar hand voor haar mond en Nat pakte de plastic zak, veegde de natte aarde eraf en las de naam op de envelop, die er met pen op was geschreven. Er stond *Barb* op. Nat was ontroerd, ze kwam overeind en gaf hem aan haar.

'Voor jou. Dit wilde hij je natuurlijk geven.'

Barb pakte de plastic zak aan, terwijl haar jongens een stukje verderop aan het spelen waren en deden of ze auto's waren. Ze opende de zak, haalde de envelop eruit en maakte die open. Er zaten een paar betypte velletjes papier in, met nog wat andere vellen achterop geniet. Bovenop zat een klein stukje blauw papier, een met de hand geschreven briefje dat Barb las, waarna ze met tranen in haar ogen opkeek.

'Hij schrijft dat hij van me houdt,' zei ze na een tijdje met betraande ogen en een trillende lip. 'Hij schrijft dat hij zielsveel van mij en de jongens houdt.'

Nat veegde haar tranen weg, en moest denken aan die avond toen Barb zo overstuur was geweest omdat Rons laatste woorden niet over haar waren gegaan. Maar na al die tijd, bleek dat zijn laatste woorden wel degelijk voor haar waren bestemd. Hoe tragisch het ook was, Nat had het gevoel dat de cirkel nu rond was.

'En hij schrijft dat als ik dit nu lees, hij er niet meer zal zijn.' Barb stem brak, maar ze ging door met voorlezen, haar tranen verbergend voor haar kinderen. '"Ik had het in de garage willen verstoppen, maar ik wilde het zo ver mogelijk bij jou en de kinderen verbergen, voor het geval iemand ernaar zou komen zoeken. Geef deze bladzijden zo snel mogelijk aan de politie, dan kunnen zij deze mannen oppakken. Laten zij het overnemen. Zorg voor je zelf, en ik hou van jou en onze zoontjes, ook nu nog."'

Nat slikte moeizaam, en vermande zich. Saunders was vermoord omdat hij iets had geweten, maar uiteindelijk had hij toch gewonnen, doordat hij het bewijs onder een steen had verborgen. Daar waren ze vast naar op zoek geweest, die dag na de begrafenis. Niet naar drugs of naar geld, maar naar bewijs.

'Wat ben ik blij met dit briefje,' zei Barb die haar ogen afveegde. 'Wat fijn dat je het hebt gevonden. Je had me niets mooiers kunnen geven.' Ze haalde het briefje van de vellen papier af, en gaf ze toen, met de envelop en de plastic zak, aan Nat. 'Neem jij het alsjeblieft mee en geef het aan de politie.'

'Weet je het zeker?' Nat pakte de papieren aan.

'Ik voel hoofdpijn opkomen en ik wil niet dat de kinderen zien dat ik van slag ben.'

'Ik regel wel een kopietje voor je. Dan kun je het lezen als je er klaar voor bent.'

'Hartstikke fijn, bedankt.' Barb schermde haar natte ogen af en hield het briefje dicht tegen zich aan. 'Dit is belangrijk voor me. Dat mijn man van mij en zijn zoons hield. Dat hij in zijn laatste momenten aan ons dacht.'

'Dat kan ik begrijpen,' zei Nat, toen Barbs onderlip het opeens begaf.

'Ik ga naar binnen. Let jij even op de kinderen?'

'Natuurlijk.' Nat voelde met haar mee. 'Zal ik met je mee naar binnen gaan?'

'Nee, let maar liever op de kinderen.' Barb draaide zich om en liep met gebogen hoofd naar het huis. 'Ik ben zo terug, jongens. Niet op de straat, hè? Mama heeft een beetje hoofdpijn.'

'Heb je weer migrijn, mammie?' riep de jongste vanaf zijn driewielertje, en Barb gaf hem een kushandje.

'Hopelijk niet, tijger. Ik ben zo terug. Hou je je wel met twee handen vast?'

Nat keek haar na, om er zeker van te zijn dat ze de deur zou bereiken, en toen richtte ze haar aandacht op de bladzijden die Ron Saunders had getikt.

En wat daarin stond, deed haar leven op zijn grondvesten schudden.

48

NAT STOND AAN DE KANT van de weg, onderuitgezakt in de bestuurders-stoel. Een iel middagzonnetje stond aan de vaalblauwe hemel, en de wind blies de gevallen droge bladeren de weg op, de laatste dans van de winter. Het zag er net zo landelijk uit als anders, maar ze kon het niet meer waar-deren. Niet nadat ze had gelezen wat Saunders had geschreven. Ze had de lunch overgeslagen om met de papieren naar de politie te gaan, en Barb en Jennifer hadden dat prima begrepen.

Maar Nat had tegen hen gelogen. Ze was niet naar de politie gegaan. Ze zat nog steeds in de Volvo, vlak bij een kruising. De weg rechts ging naar de barakken van de politie. De weg links leidde naar huis. Ze wist nog niet welke ze moest nemen. Ron Saunders had een verhaal verteld dat gebaseerd was op afgeluisterde gesprekken en amateurdetectivewerk, waarin hij het complot om Williams te laten ontsnappen precies zo beschreef als Nat had uitgevogeld. Alleen had ze een ding over het hoofd gezien.

Ze las de eerste alinea opnieuw, maar die luidde nog steeds hetzelfde.

Ik had op 28 april vorig jaar dienst en ik ging met Angus Holt mee, die Richard Williams kwam bezoeken. Ik dacht dat Williams Holt als ad-vocaat wilde hebben. Holt dacht dat ook, dat zei hij tegen mij. We had-den op dat moment overlast van ratten, dus ik moest overal vergif strooi-en, ook in de luchtschachten. Ik hoorde Williams aan Holt vragen of hij een ontsnapping wilde voorbereiden. Williams zei dat 'een van zijn jon-gens', Mark Parrat, Holt zou betalen als hij Williams eruit kreeg voor hij voor de rechtbank moest verschijnen. Holt vroeg waarom Williams zijn hulp nodig had, en Williams zei dat hij van de directeur altijd zijn ad-vocaat mocht spreken, daar zou niemand wat van denken, maar hij kon niet met de PI's spreken en bovendien wist hij niet welke PI's hij 'veilig' kon benaderen.

Nat wreef over haar gezicht. Ze kon het gewoon niet geloven. Angus had nooit gezegd dat hij Williams had ontmoet, niet op de dag dat ze samen voor het eerst naar de gevangenis waren gegaan en ook niet daarna, of zelfs onlangs nog. Maar Saunders had geen reden om het te verzinnen. De rest van de bladzijden bevatte gegevens over de financiën en andere plannen, die

Saunders had afgeluisterd en opgeschreven. Het grootste gedeelte van zijn verhaal klopte, dus waarom zou dat gedeelte dan niet kloppen? Angus kon toch nooit met Graf en Machik onder één hoedje hebben gespeeld? Ze had hen zelf zien vechten. En als hij echt bij het complot had gehoord, waarom zou Parrat hen dan met zijn zwarte pick-up hebben aangereden?

Nat las de volgende alinea opnieuw, waar het verhaal doorging:

Holt wilde niet meedoen, maar Williams bood steeds meer. Ze werden het eens over drie miljoen dollar vooraf en een miljoen nadat Williams was ontsnapt. Holt zei dat zijn positie wellicht 'mogelijkheden bood' om Williams eruit te krijgen. Holt beweerde dat hij alle PI's kende en wist welke PI omkoopbaar was, Graf bijvoorbeeld. Hij zei ook dat hij met iemand zou praten die hogerop zat, wellicht Machik. Holt zei dat hij het zou regelen en dan weer met Williams zou spreken.

Nat werd misselijk. Het was te erg om aan te denken. Angus had zijn leven aan het civiele recht gewijd. Hij had zoiets nooit kunnen doen, en hij gaf helemaal niets om geld. Zijn appartement was net zo eenvoudig ingericht als zijn kantoor, zijn kleding stelde niets voor en zijn grootste bezit was de Kever. Ze had nog nooit iemand ontmoet met zo weinig interesse in materiële zaken. Kon ze zich zo in hem vergissen? Ze kende hem. Ze hield van hem.

Ze las de laatste alinea over Angus.

Daarna heeft Holt nog twee keer met Williams gesproken, maar ik kon ze niet afluisteren zoals bij Graf en Machik. Ik doe hier kopietjes bij uit het bezoekersboek om aan te tonen dat Holt Williams drie keer heeft bezocht, en de boeken tonen aan dat Holt er is geweest. Ik heb geen bewijs dat Holt inderdaad heeft meegedaan. Dat is aan jullie. Ik denk wel dat ze het gigantisch in de doofpot aan het stoppen zijn, want ik keek verleden week in het bezoekersboek en de bladzijden met Holts naam erop waren eruit gehaald. Het is er een met losse bladen, dus je kunt niet zien dat ze eruit zijn gescheurd, maar ik weet dat ze erin hebben gezeten, en de kopietjes zijn daar het bewijs van.

Nat bladerde naar de achterste bladzijden, waar kopietjes van het bezoekersboek aan vast zaten geniet. Er waren drie verschillende data. Ze ging langzaam met haar vinger over de handtekeningen. Ja hoor, het was echt Angus' handtekening. Ze kende zijn handschrift van kaartjes en liefdesbriefjes die hij in haar aktetas stopte. Zelfs van boodschappen-lijstjes. Ze woonden zowat samen. Hij had zijn eigen sleutel. Hij zou die avond ook komen, om te blijven slapen, wanneer ze terug was van het etentje bij Barb Saunders.

Ze legde de papieren op de passagiersstoel en keek naar de gevallen bladeren die door de wind over de weg dwarrelden en zo droog waren dat ze in bruine vieze stukjes uiteenvielen. Of misschien zag zij dat alleen maar zo. Er was geen bewijs dat Angus daadwerkelijk bij het complot betrokken was. Stel dat hij aanvankelijk ja had gezegd en daarna van gedachten was veranderd? Misschien had hij zich uiteindelijk wel teruggetrokken. Uiteraard zou hij niet toegeven dat hij er ooit bij betrokken was geweest, daar zou hij zich te zeer voor generen.

Ze bekeek de kruising. Ze kon naar links rijden, Angus thuis ontmoeten en hem ernaar vragen. Ze kon de man van wie ze hield het voordeel van de twijfel gunnen. Ze vertrouwde hem, en hij had haar ook vertrouwd.

Of ze kon naar rechts gaan, naar de politie, en hem aangeven. Hun de bladzijden geven. Ze zouden hem oppakken voor verhoor. Ze zouden hem handboeien omdoen. De verhoorkamer. De pers. De flitslampen. Ze wist wat het hem zou doen, zijn reputatie. Ze had het zelf meegemaakt. Een aanklacht stond gelijk aan een veroordeling, al helemaal op de rechtenfaculteit. Hij kon nog steeds niet buiten de universiteit lesgeven. Dat vond hij vreselijk. En dan moest zij hem verraden? Het zou hem kapotmaken, en hun relatie ook.

Nat keek weer naar de kruising en ging haar mogelijkheden na. Links of rechts? Rechts of links?

Ze draaide de sleutel om in het contact en trapte het gaspedaal in.

49

'Schat, ik ben er weer!' riep Nat bij de deur. Zo groetten ze elkaar altijd, en ze wilde het allemaal zo normaal mogelijk houden voordat ze hem de papieren liet zien. Maar vervolgens hoorde ze het onmiskenbare geluid van een kurk die uit een champagnefles plopte.

'Hé, meisje!' Angus kwam stralend de keuken uit lopen met een fles champagne in de ene en twee glazen in de andere hand. Hij had haar flanellen lievelingsshirt en een spijkerbroek aan en hij zag er erg op zijn gemak uit in haar appartement, met het gedimde licht en de boeken overal om hem heen: de perfecte achtergrond voor twee rechtendocenten. Het brak haar hart hem zo te zien, en ze hoopte maar dat hij het allemaal kon uitleggen, zodat het opgelost zou zijn.

'Champagne?' vroeg ze.

'We hebben iets te vieren. Ik heb de zaak tegen de stad vandaag voor elkaar gekregen.' Angus omhelsde haar stevig en gaf haar een dikke kus, maar Nat hield haar hoofd erbij.

'Echt waar? Super!' Ze produceerde een glimlachje, trok haar jas uit en legde die en haar tas op de stoel.

'De advocaat van de stad heeft het opgegeven. We hebben bewezen dat de waterleidingen in de armere wijken lang zo snel niet worden gerepareerd als in de rijkere.'

Nat kon zich nog herinneren waar het over ging. Hij gaf heel veel om deze zaak en hij was er nachten voor in touw geweest.

'We hadden twee fantastische experts die een rapport hebben geschreven en die hebben de reactietijd vergeleken tussen een breuk in de waterleiding in Philadelphia en in andere grote steden. Toen we daar slecht uit kwamen, gaf de vent van de stad toe.' Angus zette de twee glazen op de salontafel en schonk champagne in een ervan. 'We hebben een heel aardige compensatie gekregen en een decreet, dus we kunnen hen vijf jaar lang flink aanpakken als ze weer de fout in gaan.' Hij gaf Nat het volle glas en schonk er toen een voor zichzelf in. Hij keek haar licht fronsend aan. 'Wat ben je stil? Het viel zeker niet mee om Barb weer te zien?'

'Nee. Eigenlijk niet.'

'Nou, eerst een toost.' Angus stak zijn glas in de lucht, glimlachte lief en zijn zachtblauwe ogen keken haar aan. 'Op jou, omdat je me tot grote dingen inspireert.'

'En op jou,' zei Nat snel, waarna ze vlug een slok champagne nam omdat die beter weg te slikken was dan de brok in haar keel.

'Nou, vertel.' Angus ging zitten en plaatste zijn glas op zijn bovenbeen. 'Kom naast me zitten en vertel maar hoe het is gegaan.'

'Eh... nog niet.' Nat bleef staan en verzamelde moed. 'Ik wil je iets vreemds vragen.'

'Ga je gang. Maar wil je niet eerst gaan zitten?' Angus klopte op de bank.

'Nog niet.'

'Goed.'

'Heb je Williams ooit ontmoet? Ik bedoel ervoor?'

'Hoe bedoel je?' Angus fronste verbaasd zijn wenkbrauwen.

'Nou, of je ooit Richard Williams in de gevangenis hebt ontmoet.'

'Even denken.' Angus hield zijn hoofd schuin. 'Nee, niet dat ik weet. Hoezo? Zei Barb van wel dan? Hoe weet zij dat dan?'

Nee, hè? 'Nou, ze wist het niet zeker. Ze zei alleen maar dat ze dat dacht.' Nat had niet verwacht dat hij het zou ontkennen, dus ze kon geen kant meer op. 'Zij zei dat ze had gehoord dat jij zijn advocaat zou worden.'

'Ik?' Angus grinnikte. 'Ik ga toch geen gangster vertegenwoordigen? Dat is helemaal niets voor mij.'

Nat kreeg een rood hoofd. 'Maar je hebt toch ook andere gevangenen vertegenwoordigd? Jij werkt nu eenmaal voor criminelen.'

'Maar niet voor lui zoals Williams. Die zijn de top. Daar hoor ik nog niet bij.'

Nat begreep er niets van. Hij ontkende het glashard. Waarom deed hij dat? Ze zakte in de stoel tegenover hem neer.

'Wat is er?' Angus knipperde met zijn ogen. 'Is er wat met je? Voel je je niet goed?'

Een gebroken hart, ja.

'Wat is er, schatje?'

'Ik snap het niet.' Nat zette haar glas neer, pakte haar tas en haalde de papieren eruit. 'Ik moet je wat vragen, en ik wil dat je de waarheid spreekt. Want ik hou van je en ik vertrouw je.'

'Oké,' zei Angus rustig. 'Is het een spelletje?'

'Nee.' Nat legde de papieren op haar schoot. 'Ik heb deze papieren bij Barb thuis gevonden. Ron heeft ze geschreven. Hij zei dat hij jou en

Williams heeft horen praten over een complot om hem tegen betaling van vier miljoen dollar uit de gevangenis te krijgen. Hij denkt dat je samenspande met Graf, Machik en Parrat.'

Angus keek haar verontwaardigd aan. 'Dat is te gek voor woorden!'

'Dat weet ik, en daarom ben ik niet naar de politie gegaan. Ik hou van je, en ik wéét dat het te gek voor woorden is, en ik wilde je de kans geven het uit te leggen. Want ik weet dat je zoiets nooit zou doen.'

'Ik heb het ook niet gedaan. Dat zou ik echt nooit doen! Ik kan het gewoon niet geloven dat je me van zoiets beschuldigt.'

Ik ook niet. 'Dat snap ik. Ik vind het vreselijk, maar waarom heb je dan met Williams afgesproken? Jouw handtekening staat in het bezoekersboek. Ik heb hier de kopietjes.' Nat hoorde de wanhoop in haar stem. Angus perste zijn lippen op elkaar, zodat ze wegzonken in zijn donkerblonde baard.

'Kijken dan? Er moet een vergissing zijn gemaakt.'

'Oké.' Nat gaf hem de kopietjes van het bezoekersboek. Hij stond op om ze aan te pakken en las ze staande. Even later ging hij weer zitten.

'Wat zijn dat voor papieren?' Angus gebaarde. 'In je hand.'

Nee.

'Natalie?'

'Geef me nou maar gewoon antwoord. Ik heb je de kans gegeven. Ik hou van je.'

Angus keek naar de kopietjes en toen weer naar haar, zijn gezicht opeens betrokken. Zijn glimlach was verdwenen. Zijn wenkbrauwen hingen naar beneden.

'Zeg het nou maar. Ik ben naar jou toe gekomen. Ik wil het weten.'

Angus nam een slok champagne en zette toen het glas neer.

Nat wachtte ademloos. Er moest gewoon een goede verklaring voor zijn.

'Goed, Williams vroeg of ik hem eruit kon krijgen. Ik heb erover nagedacht, maar ik heb nee gezegd. Ik had dat nooit kunnen doen, dat weet je.'

Nat kreeg een brok in haar keel. 'Je hebt hem drie keer bezocht.'

'Dat is zo.'

'Waarom loog je er dan over?'

'Ik schaamde me.'

Nat voelde een steek. 'En waarom had je drie keer nodig om Williams te vertellen dat je hem niet wilde verdedigen?'

Angus keek haar nijdig aan. 'Je zit me te beschuldigen. Daar komt het gewoon op neer.'

'Wees nou maar eerlijk. We hebben het erover gehad, en je hebt nooit verteld dat je hebt overwogen om Williams te verdedigen. Waarom niet?'

Angus keek haar over de vergeten champagne heen aan.

Nat wachtte.

'Het is voorbij, Nat. Laat nou maar.'

Nee. 'Nee. Je zou nooit bij dat complot betrokken kunnen zijn geweest, Angus. We hebben het zelf uitgevogeld.'

'Dat klopt. We houden van elkaar.'

'Ik weet nog dat we het er in de auto over hadden wat er in dat kantoortje was gebeurd. Jij zei dat Graf Upchurch had vermoord.' Toen daagde het Nat opeens. Hij had haar om de tuin geleid, de aandacht van Saunders afgeleid. 'Jij zei zelfs dat er tapes waren van van de opstand.' Toen besefte ze het. 'Je wist dat dat me niets zou opleveren, toch?'

'Nat, nee...'

'En bovendien heb je me in gevaar gebracht toen je me die ochtend meenam naar de gevangenis, naar jouw klas!'

Angus was even stil. 'Ik hou echt van je, weet je.'

'Was je nou wel of niet bij dit complot betrokken?' Zeg het alsjeblieft.

'Ik wist niet dat Buford en zijn maat in de klas zouden zijn. Ik zou nooit toelaten dat je gewond zou raken. Nooit.' Angus keek haar over de tafel heen aan. 'Ik hou van je. Dat weet je toch?'

Nats mond werd droog. 'Maar je wist wel dat er een opstand zou zijn?'

'Ik dacht dat het tot de RA beperkt zou blijven. Dat was althans de bedoeling.'

Nat kon haar oren niet geloven. 'Het was een afleiding voor de moord op Ron Saunders.'

'Het had nooit zover mogen komen. Het was hun schuld dat het zo liep, en toen moesten ze het wel doen. Het was niet mijn idee. Ik wilde er niets van weten.'

Nats mond viel open.

Angus zat daar maar en deed zijn ogen dicht.

'Angus.' Nat voelde haar hart tekeergaan. Het was zo stil in het appartement dat ze kon zweren dat ze zelfs de belletjes in de champagne kon horen. 'Je hebt geen geld aangenomen om Williams te laten ontsnappen. Dat zou illegaal zijn.'

Angus sloeg zijn ogen op. 'Dat zou inderdaad illegaal zijn, maar het zou niet onrechtvaardig zijn.'

Nat kon geen woord uitbrengen. Ze had het gevoel alsof ze in een andere dimensie zat. Haar wereld stond op zijn kop. Ze hield van deze man, maar hij was gek geworden.

'Weet je nog dat we het, op de dag dat we elkaar voor het eerst ontmoetten, hadden over het verschil tussen recht en gerechtigheid?' vroeg Angus rustig. 'Daar is dit een prima voorbeeld van. Toen Williams het me vroeg, dacht ik meteen: nee, natuurlijk niet. Maar hij bood steeds meer, en toen dacht ik: ik kan een hoop goeddoen met dat geld.' Angus' ogen glinsterden in het zachte lamplicht. 'Ik kon Praktijklessenprogramma's financieren, getuigendeskundigen aannemen, mensen helpen. Die deskundigen die ik had ingehuurd in de zaak tegen de stad kostten maar liefs vijfentwintigduizend dollar. Waar had ik dat van moeten betalen? Ik heb de mensen geholpen die Williams kwaad had gedaan. Met zíjn geld. Zo werd het weer goedgemaakt.'

Nat voelde zich als verdoofd.

'Ik heb er dit jaar bijna een ton van uitgegeven. We hebben vijftien deskundigen ingehuurd in verschillende zaken. Zo duurden de verklaringen veel korter. Ik heb er een eersteklas advocaat bij gehaald. Het niveau van de advocatuur was net zo hoog als bij grote bedrijven. Ik heb de strijd gestreden voor mijn cliënten en ik heb de zaken met dat geld gewonnen. Dat is gerechtigheid. Ook al heeft het niets met recht te maken.'

'Ron Saunders is dood, en Upchurch ook,' fluisterde Nat, die bijna geen woord meer kon uitbrengen.

'Dat had ik niet verwacht. Dat wist ik niet. Ik dacht dat Williams zou ontsnappen en dat ze hem binnen een paar maanden weer zouden oppakken. Dat gebeurt toch altijd? Dat soort tuig komt altijd weer in de problemen. Ik zat er zelfs aan te denken om hem zelf te verraden.'

'Maar hij doodt mensen. Kinderen. Ze komen om bij vuurgevechten. Dat soort mannen vernielt hele wijken.'

'Door hem kon ik bereiken wat ik wilde, en dat was voor mij de moeite waard.'

De tranen sprongen Nat in de ogen. 'Dit kan toch niet waar zijn? Ze wilden ons met die pick-up die avond doodrijden. Parrat reed tegen ons aan.'

'Weet ik, en daar was ik behoorlijk kwaad over. Ze wilden me wippen. Ze hadden me niet meer nodig. Ik had alleen maar alles geregeld.' Angus kwam overeind en liep naar haar toe. 'Ik was er niet echt bij betrokken, Natalie. Ze wilden dat ik jou zou vermoorden, maar dat deed ik natuurlijk niet. Dat kon ik niet. Ik was verliefd op jou. Echt waar.'

Nats hart sloeg een slag over. 'Me vermoorden?'

'In dat motel in Delaware. Ze zeiden dat ik je moest vermoorden, maar dat wilde ik natuurlijk niet. Ik zou jou nooit vermoorden. Ik wilde je helpen vluchten.'

Lieve hemel. Nat dacht weer aan die nacht. Die nacht was ze bij hem weggegaan. Hij had haar opgespoord om haar te vermoorden. Zou hij het hebben gedaan? Vertelde hij haar de waarheid?

'Je gelooft me toch wel?'

Volgens mij ben je gek. En ik ben gek dat ik verliefd op je ben geworden.

'Kijk me niet zo aan. Ik was er niet zo erg bij betrokken als zij. Ik was alleen maar de koerier tussen de twee partijen, net als een advocaat.'

'Net als een advocaat? Je hebt geld aangenomen om iets onwettigs te doen. Om een gevaarlijke man los te laten. Je keek een andere kant op toen ze Ron Saunders en Simon Upchurch vermoordden. Je –'

'Geef die papieren eens,' zei Angus ongeduldig terwijl hij zijn hand uitstak.

'Nee.'

'Natalie, geef hier.'

'Dat kan ik niet.'

'Wat staat erin? Wat voor bewijs had hij? Hij had helemaal geen bewijs. Er was geen bewijs. Ik ben erg voorzichtig geweest.'

'Angus, toe.' Er rolde een traan over Nats wang. 'Zeg dat het niet waar is. Zeg alsjeblieft dat het niet waar is. Het kan nog.'

'Hier met die papieren!' Angus griste het stapeltje uit haar handen en keek haar toen aan. 'Ze zijn blanco!' De witte vellen papier dwarrelden naar de grond. 'Wat is hier aan de hand?'

Opeens vloog de deur van het appartement open en kwamen er vier troopers met getrokken wapen de zitkamer binnen stormen. 'Handen omhoog!' riepen ze. 'Handen omhoog en snel!' In de gang stonden nog meer troopers.

'Hè?' Angus stak verbijsterd zijn armen omhoog.

Nat stond met grote ogen geschokt toe te kijken. Saunders had gelijk gehad: het was allemaal waar geweest, maar er was niet genoeg om hem te kunnen beschuldigen. Dat wist ze heel goed, en Mundy en de officier van justitie wisten dat ook. Dus hadden ze een microfoontje onder haar T-shirt geplakt. Zij had Angus zover gekregen dat hij het had toegegeven, en door zijn eigen woorden zou hij nu jarenlang achter de tralies belanden.

Toen ze daaraan dacht, kromp ze ineen van ellende.

50

'Sorry dat ik zo laat ben!' riep Nat, die de deur achter haar dichtsloeg en de elegante hal van haar ouders in liep. Het kwam nog steeds leeg over nu Jelly er niet meer was om haar te begroeten, maar op een dag als deze moest ze niet aan vervelende dingen denken.

'GEFELICITEERD MET JE VERJAARDAG, NAT!' riep Paul vanuit de keuken. Toen ze bij hem kwam, gaf hij haar een klinkende high five.

'Dank je, broertje! Wat heb je voor me gekocht?'

'EEN KITTEN.'

Nats hart sloeg een slag over. 'Echt waar?'

'NEE, GEKKIE.' Paul barstte in lachen uit, en Nat gaf hem een zet. 'HÉ, VOORZICHTIG ZEG, IK BEN EEN HARTPATIËNT, HOOR!'

Zo ging het elke zondagmiddag. De julizon scheen door de ramen naar binnen en kleurde de keuken citroengeel, en haar familieleden, in pastelkleurige golfkleren, liepen door de kamer als een paar schaduwen. Haar moeder was bezig meloen in stukken te snijden voor haar specialiteit, meloen met prosciutto; haar vader schonk zichzelf een Heineken in, en Tom en Junior waren aan het armdrukken aan het granieten kookeiland met twee grote flessen bier naast zich.

'Tom gaat winnen,' zei Nat, die Junior in zijn zij kietelde.

'Hé, dat is niet eerlijk!' Junior gaf niet op, en Nat kon nog net het bierglas pakken voordat het omviel.

'Gefeliciteerd, lieverd!' riep haar moeder, die op haar af kwam lopen met het mes en haar kort omhelsde, gevolgd door Big John Greco, die haar dicht tegen zijn witte poloshirt aan drukte. Hij was nog steeds bezweet van de wedstrijd van die middag.

'Gefeliciteerd, meisje,' zei hij, en met een grijns hief hij zijn glas naar haar op.

'Bedankt, pap. Heb je gewonnen?'

'NEE, IK HEB GEWONNEN!' kwam Paul tussenbeide, die bij hen kwam staan. 'MET TWEE SLAGEN! DE KONING IS DOOD, LANG LEVE DE KONING!'

'Je hebt gewoon geluk gehad,' zeiden Nat en haar vader tegelijk.

Haar vader zei: 'Twee zielen...'

Nat glimlachte. 'Precies.'

'Hank wenst je ook een prettige verjaardag. Ik heb hem verleden week nog gesproken.'

Geen spijt. 'Doe hem maar de groeten, oké?'

'Doe ik!' schreeuwde Junior achter hen, die net de armdrukwedstrijd had gewonnen.

'JE HEBT GEWOON GELUK GEHAD!' zeiden ze allemaal lachend.

'Gefeliciteerd, zusje,' zei Junior met een scheve grijns, en Tom kwam naar haar toe en gaf haar een kusje op haar wang.

'Bedankt voor de hulp, professor.'

'Graag gedaan.' Nat glimlachte. 'Trouwens, ik heb goed nieuws –'

'PAP, JE VERKNALDE HET AL IN DE TWEEDE HOLE. DAARNA WERD HET ALLEEN MAAR ERGER.'

Tom schudde zijn hoofd. 'Het ging toen helemaal niet mis, idioot. Het was op de vijfde, bij de tweede slag. Ik had het nog zo tegen hem gezegd. Het balletje rolt daar altijd heel vreemd.'

Junior snoof. 'Helemaal niet. Het was op de zesde. Ik zei nog dat hij zijn 8-iron moest gebruiken, maar hij pakte de 9. Ik heb er vijfentwintig dollar aan verdiend, en hij kwam er nog gemakkelijk vanaf. Heel gemakkelijk.'

'Hou toch op, jullie. Jullie hebben het allemaal mis.' Haar vader stak zijn hand op en de jongens hielden hun mond.

Nat wachtte totdat Big John zijn oordeel velde. De verkeerde golfclub. De verkeerde hole. De verkeerde wat dan ook.

Haar vader zei: 'Jullie zus wilde wat vertellen. Dus hou je kop en luister naar haar.'

Zo! Nat knipperde met haar ogen. Heel even was ze kwijt wat ze wilde gaan zeggen.

'NOU, ZEG HET DAN!'

'Paul,' waarschuwde haar vader hem met gefronste wenkbrauwen, en haar moeder keek op.

Nat kende die blik: niet tegen Paul schreeuwen, lieve.

Maar haar moeder zei: 'Wat heb je voor nieuws, schatje?'

Nat keek van haar moeder naar haar vader, en weer terug. Wie waren deze mensen?

'Nat?' vroeg haar vader.

Nat keek hem wantrouwend aan, maar zo te zien luisterde haar vader echt. Hij keek haar aandachtig aan, zijn mond verwachtingsvol een beetje open. Ze had mensen op tv zien luisteren, dus ze wist hoe ze er dan uitzagen. Zelfs haar moeder hield haar hoofd schuin, en het mes hing stil boven de meloen. Ze luisterden zowaar allemaal. Naar haar.

Nat zei: 'Ze gaan mijn boek over de Spoorloze Spoorweg uitgeven. Ik heb drie hoofdstukken ingeleverd en ze hebben me een aanbod gedaan.'

'Wat fantastisch, meisje!' zei haar vader, die haar weer stevig tegen zich aan drukte, en haar moeder kwam haar weer omhelzen, en dit keer zonder het mes.

'Een schrijver in de familie!' zei ze. 'Wat ben ik trots!'

'Goed gedaan, zus!' zei Junior.

'Gefeliciteerd, Nat!' riep Tom, maar het laatste woord was voor Paul. 'HEEL MOOI, MAAR OP DIE TWEEDE HOLE...'

Dankwoord

IK BESTEED ALTIJD veel tijd aan onderzoek, maar dit keer al helemaal. Of het nu was vanwege het legenestsyndroom of omdat ik weer eens een intelligente uitdaging wilde (tuurlijk, joh), maar ik ben les gaan geven aan de faculteit rechten van de universiteit van Pennsylvania. Inderdaad, de school van Nat Greco heeft mij in dienst als adjunct-professor (dus de pias van de faculteit), en die grote collegezaal is die van mij. Ik geef geen les in rechtsgeschiedenis, maar ik heb wel een leergang opgezet die 'Recht en fictie' heet, en gaat over recht en gerechtigheid in boeken, films en tv-series. Daardoor weet ik precies hoe het is om voor een klas studenten te staan die slimmer zijn dan ik. (Verrassend leuk.) Ik hoop dat *Op de hielen* er baat bij heeft gehad dat ik in Nats pumps heb gestaan en uit de eerste hand heb ervaren hoe fantastisch, en ook moeilijk, het is om les te geven. Ik ben nog nooit zo moe geweest als na een les, en ik heb er groot respect door gekregen voor iedere onderwijzer die ik ooit heb gehad, wat heet, voor iedere onderwijzer die er op aarde rondloopt. Dus mijn dank gaat uit naar alle onderwijzers, naar hun opofferingen, hun toewijding en hun liefde. Ik vond het leuk om van mijn heldin een docente te maken, want zij zijn elke dag een held. Dit boek is aan hen opgedragen.

Ik wil ook duidelijk maken waar de werkelijkheid eindigt en de fictie begint, dus hier is de disclaimer. De universiteit van Pennsylvania bestaat echt, maar de hele faculteit, de staf, de administratie en de studenten in dit boek zijn geheel verzonnen. De echte rector magnificus, Michael Fitts, is een briljant rechtsgeleerde die oprecht van zijn school, de faculteit, de staf en de studenten houdt. Rector magnificus Fitts heeft het begrip rector magnificus een andere betekenis gegeven, en de faculteit en de administratie zijn de beste in de Verenigde Staten. De echte vicerector magnificus is mijn vriendin Jo-Anne Verrier, die me hopelijk de slechte naam die ik haar baan heb gegeven vergeeft. De administratie en de faculteit zijn allebei heel aardig voor me geweest, en de lezer moet geen van mijn fictieve figuren in *Op de hielen* verwarren met iemand die echt voor de universiteit werkt. En als student weet ik dat dit de beste rechtenfaculteit is in het land.

De studenten in *Op de hielen* zijn, hoewel schattig, niet de studenten in mijn klas. Eerlijk gezegd zijn mijn leerlingen helemaal super. Ze willen graag leren en doen altijd mee in de klas, wat niet aan mij te danken is, en ze pakken alles aan met hun aangeboren intelligente nieuwsgierigheid en breedsprakige verwoording van hun eigen ideeën. Ik heb inderdaad *The Merchant of Venice* bij mijn lessen gebruikt, om dezelfde reden als Nat, en zij begrepen meteen waarom. Mijn verontschuldigingen en mijn dank gaan uit naar mijn studenten. Ik ben gek op jullie, jongens.

Omdat zoveel lezers wat ze van recht en gerechtigheid weten uit fictie halen, wilde ik graag even wat dingen rechtzetten. Dat was me niet gelukt zonder een hoop hulp, medewerking en tijd van experts, en alle fouten in dit boek zijn dan ook aan mij te wijten. En nu we toch bezig zijn, de gevangenis van Chester County is geheel en al door mij verzonnen, net als het personeel en de leiding. Om het wel waarheidsgetrouw te laten overkomen, heb ik een echte gevangenis, het Chester County in Pocopson, onderzocht, en ik bedank de zeer professionele en vriendelijke majoor Scott Graham, hoofd Bewaking, voor zijn moeite. Hij heeft me een rondleiding gegeven in de gevangenis en me laten inzien hoe het er in dat soort gevangenissen aan toegaat, zelfs tijdens mijn verzonnen opstand, en dat waardeer ik zeer. De baan onderdirecteur bestaat helemaal niet, en geen enkel persoon in dit boek is gebaseerd op een van de professionele personeelsleden met hart voor hun zaak in de gevangenis van Chester County. Uiteraard zijn de gevangenen in dit boek ook verzonnen.

Mijn dank gaat uit naar een heel leger rechtsdienaars in Chester County: luitenant Brian Naylor van de Pennsylvania State Police, Embreeville-barakken, en een dikke kus en mijn bewondering voor sergeant Jill McKone, Avondale-barakken, die me overal rondgeleid heeft, mijn trooperwoordenboek bijschaafde en tot in de puntjes uitlegde wat ieder ander allang had begrepen. En ook Nicholas J. Casenta jr. en Patrick Carmody, beiden van het Openbaar Ministerie van Chester County: bedankt voor de tijd, expertise en hartelijkheid die ze erin hebben gestoken. Dank aan rechercheur Jeffrey S. Gordon van de politie van Chester County die me de plaatselijke politieprocedures uitlegde.

En zoals altijd dank aan mijn oude vrienden Glenn Gilman en rechercheur in ruste Art Mee, voor hun kennis van de wet en de politie. En ook mijn nieuwe vrienden zeer bedankt: de hartelijke en briljante dr. Felicia Lewis en mijn redder dr. John O'Hara. Tevens dank aan boekengek Joe Drabyak, die altijd zoveel moeite doet, voor boeken.

OPGEPAST: ik ben iemand heel veel dank verschuldigd, maar als je het boek nog niet uit hebt, kun je dit stukje beter nog niet lezen. Want wat hierna komt verraadt de hele clou, dus lees niet verder, anders is de hele verrassing ervanaf. Je kunt zelfs maar beter gewoon het boek dichtklappen, want ik zou het doodzonde vinden als ik het nu voor je zou verknallen. Maar ik moet deze persoon nu eenmaal bedanken en ook uitleggen waarom. Dus lees nu maar alsjeblieft eerst het boek uit, en ga dan hier verder.

Mijn dank gaat uit naar geschiedkundige Mary Dugan, die me alles vertelde over de Spoorloze Spoorweg in Chester County, Pennsylvania, en die zoveel tijd besteedt aan het Kennett Underground Railroad Center in Kennett Square, Pennsylvania. Ik wil even de tijd nemen om wat van de achtergrond uit te leggen aan diegenen die wel een opfrisser van de Amerikaanse geschiedenis kunnen gebruiken, of aan mensen uit een ander land. De Spoorloze Spoorweg heeft echt bestaan en was het actiefst tussen 1835 en 1865, tijdens een gruwelijk hoofdstuk in de Amerikaanse geschiedenis toen de slavernij van Afrikaanse Amerikanen nog legaal was. In de zuidelijke staten hadden veel mensen slaven in hun 'bezit', hoewel dat toen al illegaal was in de noordelijke staten. Slaven werden vaak heel slecht behandeld, ze moesten hard werken en kregen lijfstraffen of zelfs nog erger, en families en kinderen werden vaak van elkaar gescheiden en doorverkocht. Op een gegeven moment snakten slaven naar het recht om vrij te zijn en vluchtten ze naar de noordelijke staten, waarmee ze hun veiligheid op het spel zetten. Ze konden gestraft en zelfs gedood worden als ze werden gevangen.

De term 'Spoorloze Spoorweg' werd naar verluidt door een slavenvanger verzonnen, toen hij, nadat hij zijn prooi niet had kunnen opsporen, zei: 'Er moet hier ergens een spoorloze spoorweg zijn.' De term is misleidend omdat er natuurlijk niet echt een spoorweg was, met treinen, wagons en zo. In plaats daarvan bestond de Spoorloze Spoorweg uit een hele reeks mensen die de vluchtende slaven in hun huis wilden verbergen. Degenen die de slaven onderbrachten, heetten 'stationopzichters' en hun huis was een 'station' of een 'halte'. De stations waren vaak niet meer dan 13 tot 24 kilometer van elkaar verwijderd, de afstand die men 's nachts, doodsbang en wel, te voet kon afleggen. Er bestaan geen betrouwbare cijfers over hoeveel slaven vrij zijn geworden, want er werd niets bijgehouden omdat men bang was dat het als bewijs zou worden gebruikt. Het wordt geschat op zo'n 30.000 tot 100.000, en volgens William Switala's 'Underground Railroad in Pennsylvania', 13 (2001), een rapport dat in 1864 aan de Freedman's Inquiry Commission in Washington werd overhandigd, wordt geschat dat 30.000 tot 40.000 slaven het noorden hebben weten te bereiken.

Chester County heeft een zeer actieve rol in de Spoorloze Spoorweg gespeeld. De 'centrumroute' of de 'oostlijn' van de Spoorloze Spoorweg ontsprong in Maryland en Delaware, liep naar het noorden via Chester County, en door naar Norristown en vervolgens Philadelphia. De inwoners van Chester County hebben veel voormalige slaven naar het noorden helpen vluchten, omdat hun district net over de lijn Mason-Dixon lag, en er veel toegewijde en dappere vrije Afrikaans-Amerikanen en quakers (die de slavernij veroordeelden) woonden. Quakers van de Progressive Meeting in Longwood en de Marlborough Friends Meeting in Pocopson verborgen de slaven in hun eigen huis, wat erg riskant voor hen was. Veel van die huizen bestaan nog steeds, en interessant genoeg staan ze om wat later de gevangenis van Chester County zou worden heen. Levi Ward, Eusebius en Sarah Barnard, William Barnard, Joseph en Ruth Dugdale, Mary en Moses Pennock, John en Hannah Cox, Isaac en Thomazine Meredith hebben allemaal in huizen gewoond die om de huidige gevangenis heen staan en waar slaven zich verborgen hielden.

Geschiedkundige Mary Dugan heeft me een paar van die 'stations' laten zien en ook een paar schuilplaatsen in bijgebouwen en woningen, en daar ben ik haar erg dankbaar voor. In feite zijn de namen van de quaker-'stationopzichters' volledig echt, en ook de namen van de slaven en hun initialen, die ik tijdens mijn onderzoek heb ontdekt. Ik heb grote bewondering voor de moed van deze voormalige slaven, die zo slecht zijn behandeld door de wet, net als voor de mensen die hen hielpen vluchten. Ze hebben alles op het spel gezet voor gerechtigheid.

Als jullie meer willen lezen over de Spoorloze Spoorweg, bekijk dan de diverse boeken die ik heb geraadpleegd voor dit boek; in enkele staan originele bronnen, wat waanzinnig is om te lezen. Kijk eens naar: William Still, *The Underground Railroad* (1872) en R.C. Smedley, *History of the Underground Railroad in Chester and the Neighboring Counties of Pennsylvania* (1883). Beide boeken brengen de geschiedenis tot leven, en William Stills boek al helemaal. Still was een Afrikaans-Amerikaan die voorzitter was van de Pennsylvania Abolition Society's Vigilance Committee en hij ondervroeg vluchtelingen die hij onderdak bood, zodat hij uit de eerste hand een verslag kreeg van het leven van slaven, inclusief op welke boerderijen en plantages ze hadden gewerkt, wie hun 'eigenaar' was geweest, en hoe ze waren gevlucht. Recentere boeken zijn Fergus Bordewich, *Bound for Canaan* (2005); David Blight (red.), *Passages To Freedom* (2004); William Kashatus, *Justice Over the Line: Chester County and the Underground Railroad* (2002); en William Switala, *Underground Railroad in Pennsylvania* (2001).

Dat was het, nu kun je weer rustig verder lezen.

Degenen die *Op de hielen* in hun leeskring hebben opgenomen: erg bedankt. Leuk dat ik mee mag doen, en ik heb al een paar van jullie vragen op een speciale webpagina voor leeskringen gezet: www.scottoline.com. Jullie vinden de vragen vast leuk en tot nadenken stemmend, en ik hoop dat de historische achtergrond van dit boek een levendige en emotionele discussie zal opleveren.

Dank aan de volgende mensen, die een heleboel geld hebben geschonken op veilingen voor goede doelen om hun naam in dit boek vermeld te krijgen: Adele McIlhargey (voor de Gwinnett County Library, Georgia), Bill Sasso (YMCA in Philadelphia), Jennifer Paradis (Key for the Cure), Elizabeth Warren (door Bruce Mann van de Equal Justice Foundation), Clare Cracy (door Marian Staley ten behoeve van het Fox Chase Cancer Center), Agnes Grady Chesko (door Pat Chesko voor het ARC van Chester County), Max Bischoff (door Paul Roots voor de Miami Valley Literacy Council, Ohio), en Melanie Anderson (gekocht in de fantastische Turn the Page Bookstore in Boonsboro, Maryland) en mijn oude vrienden Sam en Carolyn Morris (French & Pickering Land Trust).

En ook ter liefdevolle herinnering aan David Brian Mundy, mijn vriendin Debby Mundy, zijn fantastische zus, en ter herinnering aan professor Edward Sparer, een buitengewoon goede professor rechten, namens ons allen en in het bijzonder door mijn klasgenoot Alan Sandals, om de Equal Justice Foundation te ondersteunen. En als laatste ter liefdevolle herinnering aan Edward Duffy en Marilyn Krug, namens Janet Moore en Seve Werner om de Family Services of Chester County te ondersteunen.

Verder wil ik ook iedereen bij HarperCollins bedanken, mijn enige echte uitgever de afgelopen veertien jaar en uitgever van mijn veertien boeken. Dank aan Carolyn Marino, mijn uitstekende redacteur, die me aanmoedigt gekke dingen zoals lesgeven te gaan doen, ook al heb ik dan minder tijd om te schrijven. En heel veel dank aan het prima team bij Harper: CEO-rolmodel Jane Friedman, Brian Murray, Michael Morrison, Jonathan Burnham, Kathy Schneider, Josh Marwell, Christine Boyd,

Liate Stehlik, Maureen O'Brien en Wendy Lee, die zo hun best hebben gedaan om mijn boeken uit te geven en dat uitstekend voor elkaar hebben gekregen. Ik bof enorm met jullie, mensen.

Molly Friedrich van de Friedrich Agency moet ik ook bedanken, zij is gewoon de beste literair agent ter wereld, alsmede de al even getalenteerde (nou goed, ze zijn allebei de besten) Paul Cirone. Superagent Lou Pitt bedankt, je hebt me waanzinnig vertegenwoordigd in Hollywood. Liefs en een bedankje voor Andy Marino, schrijver en musicus. En liefs en een speciaal bedankje voor Laura Leonard, die me op zoveel manieren heeft bijgestaan, als klankbord voor suggesties voor mijn boek, en als vriendin, en zoals iedereen weet is dat de meest gewaardeerde persoon die er bestaat.

Ik bedank ook mijn gezin, want zij betekenen alles voor me.

En veel liefs voor mijn overleden vader; dank je wel voor alles, pap.